"LO POLÍTICO" EN EL MUNDO HISPÁNICO

"LO POLÍTICO" EN EL MUNDO HISPÁNICO

Jaime Edmundo Rodríguez Ordóñez

Volumen dos

El Colegio de Michoacán

Universidad de California, Irvine

320.972
ROD-p Rodríguez Ordoñez, Jaime Edmundo, autor
"Lo político" en el mundo hispánico / Jaime Edmundo Rodríguez Ordoñez . -- Zamora, Michoacán : El Colegio de Michoacán : Irvine, California : Universidad de California, Irvine, ©2015

2 volúmenes ; 23 cm. -- (Colección Investigaciones)

ISBN 978-607-9470-22-7 (Obra completa)

1. México -- Política y Gobierno -- Historia
2. Ecuador -- Política y Gobierno -- Historia
3. Nueva España -- Política y Gobierno -- Siglos XVI-XVIII
4. Quito, Ecuador -- Política y Gobierno -- Siglos XVI-XVIII
5. Elecciones -- Nueva España
6. Elecciones -- Quito, Ecuador

Imagen de portada: Diseño de Guadalupe Lemus.

Centro Público de Investigación
Conacyt
Martínez de Navarrete 505
Las Fuentes
59699 Zamora, Michoacán
publica@colmich.edu.mx

Este libro recibió el patrocinio de la
University of California, Irvine
Irvine, California, 92697-3275

Impreso y hecho en México
Printed and made in México

ISBN 978-607-9470-24-1 (Volumen II)
ISBN 978-607-9470-22-7 (Obra completa)

ÍNDICE

VOLUMEN DOS

VOLUMEN DOS

IV
DOS MILITARES

12. "SOBREHUMANO MORTAL ... QUE LA PAZ NOS ASEGURA"*

A manera de introducción

El capitán general y jefe político superior Juan O'Donojú entró a la ciudad de México el 26 de septiembre de 1821, al son de bandas, tañido de campanas y salvas de cañón. "El ayuntamiento le obsequio con refresco, cena y cama, como se hacia con los virreyes". La diputación provincial y otras corporaciones le rindieron honores al "tan eficaz cooperador de nuestra independencia".[1]

El Ejército de las Tres Garantías entró a la capital al día siguiente. O'Donojú, acompañado de otros funcionarios eclesiásticos y civiles, recibió al coronel Agustín de Iturbide en el antiguo palacio virreinal. Después de que el ejército desfilara ante las autoridades, el arzobispo Pedro José de Fonte celebró un *Te Deum* en la catedral. Esa noche el ayuntamiento dio la bienvenida a los héroes de la independencia en una espléndida cena en el palacio. Después de muchos brindis y discursos, el regidor Francisco Sánchez de Tagle leyó una oda en la que declaraba que el pueblo americano agradecía a O'Donojú, ese "Sobrehumano mortal... Que... la paz nos asegura".[2]

* Una versión de este artículo apareció en *Memorias de la Academia Mexicana de la Historia*, tomo LIV (2013), pp. 105-131. A Linda Alexander Rodríguez agradezco sus valiosas sugerencias para mejorar este trabajo. Asimismo, agradezco a Mariana Santoveña la traducción de este ensayo

1. Carlos María de Bustamante, *Cuadro histórico de la Revolución mexicana*, 3 vols. (México, Ediciones de la Comisión Nacional para la celebración del sesquicentenario de la proclamación de la Independencia nacional y del cincuentenario de la Revolución mexicana, 1961), III, p. 332; Ayuntamiento de México, *Actas del Ayuntamiento Constitucional, 1821* (México, s.p.i., 1916), pp. 680-685.

2. Que O'Donojú la paz nos asegura
Sobrehumano mortal, de España gloria.
La agradecida americana gente,
Mientras el Sol caliente
Loor dará a tu memoria
Bustamante, *Cuadro histórico*, III, pp. 334-336.

¿Quién era este hombre y por qué vino a México?

Juan O'Donojú y Orian nació en Sevilla el 30 de julio de 1762, hijo de Ricardo O'Donojú (O'Donahue) y Alicia Orian (O'Ryan), descendientes de destacados inmigrantes irlandeses. Su padre era un oficial de alto rango y su madre una noble.[3] Juan O'Donojú asistió a un colegio en Sevilla y quizás a una universidad antes de ingresar al ejército como cadete en agosto de 1782, a la edad de 20 años. Era ya tarde: la mayoría de los cadetes ingresaban al ejército entre los 10 y 16 años de edad. Tras dos años de entrenamiento, fue ascendido a subteniente de Granaderos. Seis años más tarde, el 24 de julio de 1791, obtuvo el rango de teniente de Fusileros. Poco después, el 24 de mayo de 1794, fue nombrado capitán. Luego, de forma extraordinaria y omitiendo los siguientes rangos –mayor y sargento mayor– O'Donojú fue elevado a teniente coronel de Dragones el 5 de noviembre de 1795. Ese mismo año obtuvo el título de coronel adjunto de Infantería y poco después del Ejército de Dragones. El 5 de octubre de 1802 se convirtió en coronel graduado de Caballería. El 25 de septiembre de 1808 fue elevado a brigadier del Ejército.[4]

Si he enlistado sus ascensos es para indicar cuán extraordinarios y rápidos fueron. En un periodo comparable la mayoría de los oficiales sólo alcanzaban el rango de mayor. Durante este mismo periodo Juan O'Donojú participó además en numerosas batallas en Gibraltar, África del Norte, Francia y Portugal. Sus superiores lo describían como un oficial valeroso, inteligente, culto y cuidadoso que se ocupaba del bienestar de sus hombres. También apuntaban que era un patriota dispuesto a defender su país, España. Una y otra vez subrayaban sus escrupulosos preparativos para la acción tanto en tiempos de guerra como en tiempos de paz.[5] O'Donojú era, en otras palabras, un excelente oficial lo mismo que un excelente comandante. Sir Arthur Wellesley, futuro duque de Wellington, lo consideraba el mejor general español.[6]

O'Donojú, al igual que otros oficiales de alto rango, era un intelectual interesado en la ciencia y en los acontecimientos políticos como la

3. Archivo Histórico Nacional, Madrid (en adelante AHN), Estado, Carlos III, exp. 1810.
4. Archivo General Militar de Segovia (en adelante AGMS), Guerra: O'Donojú, Carpeta I.
5. *Ibid.*
6. Charles Le Brun, *Retratos políticos de la Revolución de España* (Filadelfia, s.e., 1826), p. 274.

independencia de Estados Unidos y la Revolución francesa.[7] Tal como sucedía con la mayor parte de los intelectuales del mundo hispánico, a O'Donojú le atraía la ciencia de la Ilustración antes que sus teorías políticas, que consideraba menos democráticas que las teorías de la Escuela de Salamanca.[8] Como declarara Joaquín Blake y Joyes: "O'Donojú fue de los primeros que se declararon abiertamente y decididamente por la justisima causa", la defensa de la patria.[9]

Después del Dos de Mayo, Juan O'Donojú se unió al Ejército de Galicia, comandado por otro oficial de ascendencia irlandesa, el teniente general Blake y Joyes, quien lo nombró coronel del Regimiento de Caballería de la Reina. El Ejército de Galicia estaba mal organizado y conformado por unas cuantas tropas regulares y numerosos voluntarios. O'Donojú se concentró de inmediato en entrenar a los voluntarios y organizar las unidades. El ejército debía enfrentarse a las fuerzas francesas, que no sólo estaban mejor entrenadas y equipadas, sino que eran más numerosas. Dadas las

7. Como he sostenido en otro texto, la gente del mundo hispánico estaba bien informada sobre los acontecimientos internacionales. Véase mi artículo "Sobre la supuesta influencia de la independencia de Estados Unidos en la independencia de Hispanoamérica", *Revista de Indias*, LXX, núm. 250 (septiembre-diciembre 2010), pp. 691-714.

8. AGMS, Guerra: O'Donojú, Carpeta III, 45. John Tate Lanning, quien dedicó su vida al estudio de la cultura académica en Hispanoamérica, concluía lo siguiente: "Los estudiantes [hispanoamericanos] contaban en 1785 con un dominio infinitamente más variado y adecuado de los problemas del mundo del conocimiento del que cualquier científico... podría esperar de los estudiantes universitarios [de Estados Unidos] de nuestros días. Desde la duda metódica de Descartes a las leyes de la gravitación de sir Isaac Newton a los experimentos de Franklin con la electricidad o los desarrollos más recientes en el campo de la hidráulica, había apenas un problema que no fuera tratado o revisado en algún examen... durante la segunda mitad del siglo xviii. El profesor colonial convirtió en totalmente modernos a por lo menos 95 por ciento de sus estudiantes sin necesidad de depender de los libros prohibidos ... De hecho, la revolución intelectual en las colonias españolas poco dependía en el radicalismo exuberante de los *philosophes*. ¿Qué importa que Olavide [nacido en Perú] se haya desempeñado en los salones de París? Él había sido educado en América y lo que realmente cuenta es que la totalidad de los criollos hizo la revisión de sus ideas en su propia patria, en forma abierta y sincera". John Tate Lanning, *The Eighteenth-Century Enlightement in the University of San Carlos de Guatemala* (Ithaca, Cornell University Press, 1956), p. 115. Sobre la naturaleza de la representación, véase mi artículo: "La naturaleza de la representación en la Nueva España y México" en *Secuencia: Revista de historia y ciencias sociales*, núm. 61 (enero-abril 2005), pp. 6-32.

9. AGMS, Guerra: O'Donojú, Carpeta III, 72. "Dado que en mayo de 1808 la Monarquía española carecía de un gobierno establecido, y dado que el rey no había dado órdenes de combatir a los franceses, cientos de oficiales españoles nunca se sumaron a la lucha contra los invasores. Cuando el rey José se vio obligado a abandonar Madrid temporalmente, lo hizo acompañado por cinco generales españoles. Además, 830 oficiales españoles marcharon junto con el gobierno de José Bonaparte al exilio en 1813". Stanley G. Payne, *Politics and the Military in Modern Spain* (Stanford, Stanford University Press, 1967), p. 7.

circunstancias, el Ejército de Galicia sólo asediaba a los franceses y se retiraba cautelosamente para poder pelear de nuevo. No obstante, hubo una gran victoria que inspiró a O'Donojú y a sus fuerzas. En julio de 1808 se unieron al Ejército de Andalucía cuando éste atrapó a un gran ejército francés bajo las órdenes del general Pierre Dupont, en Bailén. La batalla, en la que O'Donojú peleó meritoriamente, duró cuatro días, del 16 al 19 de julio de 1808. Cuando el general Dupont se rindió, se contaban más de tres mil bajas en sus fuerzas. Era la primera vez que un ejército francés se rendía.[10]

La mayoría de las batallas que libró O'Donojú tuvieron lugar en el norte. Puesto que su Caballería peleaba eficazmente contra los franceses, solía usársele para proteger los flancos de la Infantería. En junio de 1809 el Ejército de Galicia bloqueó las fuerzas francesas del general Claude Victor cuando éstas avanzaban sobre Zaragoza. Cuando el IV Cuerpo del ejército del mariscal Lefebre apareció de repente, avanzando para rebasar el flanco del ejército de Blake, la Caballería de O'Donojú cargó contra las fuerzas de Lefebre, permitiendo al Ejército de Galicia retirarse de forma ordenada. En la violenta batalla O'Donojú sufrió ocho heridas antes de caer de su caballo y verse pisoteado por la caballería francesa. Su brazo y mano derechos quedaron rotos y le quedaron graves hematomas en el pecho, las piernas y los pies; debido a estas heridas apenas podía caminar. Él mismo, otros tres oficiales y muchos hombres fueron capturados. Cerca de Pamplona, la unidad que conducía a los prisioneros a la cárcel francesa fue atacada por un guerrillero llamado "el estudiante Mina". O'Donojú y varios otros lograron escapar en medio de la escaramuza. Aunque O'Donojú apenas podía caminar y no podía montar a caballo, todos viajaron a Valencia, donde el comandante esperaba recuperarse.[11]

Su estancia en Valencia ocasionó conflictos considerables, pues el comandante local, que verificó la severidad de las heridas de O'Donojú y sostuvo que los baños minerales de Valencia eran necesarios para su recuperación,

10. Una excelente descripción de la batalla puede encontrarse en Gabriel H. Lovett, *Napoleon and the Birth of Modern Spain*, 2 vols. (Nueva York, New York University Press, 1965), I, pp. 181-230; O'Donojú recibió la medalla de distinción, Bailén, AGMS, Guerra: O'Donojú, Carpeta III, 51. Véase también: José Gregorio Cayuela Fernández y José Ángel Gallego Palomares, *La Guerra de la Independencia: Historia bélica, pueblo y nación en España (1808-1814)* (Salamanca, Ediciones Universidad de Salamanca, 2008), pp. 127-138.

11. AGMS, Guerra: O'Donojú, Carpeta III, 83, 85 y 94-97.

insistió en que comandara uno de sus regimientos por falta de oficiales. El teniente general Blake, sin embargo, exigió que O'Donojú regresara inmediatamente al Ejército de Galicia. La situación se complicó todavía más porque el mariscal de campo marqués del Palacio, acuartelado en Valencia, lo había nombrado antes inspector general de toda la Caballería.[12] El nombramiento fue pospuesto hasta que O'Donojú se recuperara lo suficiente como para reincorporarse a las filas del ejército.

En 1810 los principales generales españoles fundaron un Estado Mayor para coordinar la guerra. El 10 de mayo nombraron al brigadier Juan O'Donojú, que aún no se había repuesto por completo, mariscal de campo, es decir, comandante de todas las tropas españolas. En su calidad de mariscal O'Donojú trabajaba de cerca con la Regencia y con las Cortes. Si bien tenía una buena relación con todos los grupos, hizo amistad con algunos liberales, entre ellos el diputado José Miguel Ramos Arizpe. Una de las tareas más difíciles de O'Donojú fue lidiar con el general Wellesley, que continuamente exigía comida, provisiones, armas y mulas para sus tropas. Wellesley creía que la ineficacia, o bien algún complot siniestro estaba detrás de la incapacidad para proveer a su ejército, en particular de las mulas necesarias para transportar armas y equipamiento. El 16 de julio, Wellesley envió una carta amenazadora al mariscal de campo O'Donojú, en la que afirmaba: "Todos los países en los que un ejército actúa están obligados a satisfacer ... [sus necesidades]; y si el pueblo de España es incapaz o no está dispuesto a proveer lo que el ejército requiere, me temo que deben arreglárselas sin sus servicios".[13] O'Donojú contestó diplomáticamente que, si bien España estaba devastada, haría todo lo posible por proporcionar al comandante británico lo que requería. La Regencia y las Cortes, que estaban convencidos de que el comandante británico era decisivo para el éxito en la guerra, le confirieron el título de Duque de Ciudad Rodrigo y capitán general. Su propio gobierno le otorgaría más adelante el título de Lord Wellesley. No obstante, O'Donojú se

12. El nombramiento rezaba: "... sus exquisitos conocimientos militares y su privilegiada experiencia en todas las ramas de esta profesión...", lo hacían un inspector general idóneo. Marqués del Palacio a Juan O'Donojú, Valencia, 16 de mayo de 1809. AGMS, Guerra: O'Donojú, Carpeta III, 51-54.

13. Duque de Wellington, *The Dispatches of Field Marshall the Duke of Wellington During his Various Campaigns in India, Denmark, Portugal, Spain, the Low Countries, and France, from 1779 to 1815*, ed. Lt. Col. Gurwood, 12 vols. (Londres, John Murray, 1834-1838), IV, p. 487.

opuso a los intentos del ministro británico, el sobrino del general Wellesley, Henry Wellesley, de nombrarlo comandante supremo de todas las fuerzas en la Península. Pese a la oposición de O'Donojú, el 22 de septiembre de 1812 las Cortes decretaron que "El Lord Duque de Ciudad Rodrigo es nombrado General en jefe de todas las tropas españolas de la Península".[14] Quizá para reducir la tensión entre los dos hombres, Juan O'Donojú fue nombrado inspector general de la Caballería el 5 de enero de 1813.

Ni las Cortes ni la Regencia, empero, habían perdido estimación por las habilidades de O'Donojú. El 23 de abril de 1813 éste fue nombrado secretario de Estado y del Despacho de la Guerra.[15] Inmediatamente se entregó a la tarea de mejorar el entrenamiento y las provisiones de las fuerzas españolas. 1813 fue un año importante que atestiguó el declive del poder francés en la Península. Fue un periodo agobiante para el secretario de la guerra, que todavía no se había recuperado por completo de sus heridas. A finales de 1813 presentó una excelente Memoria de Guerra, que resumía los logros de las fuerzas españolas así como sus necesidades, y que proporcionaba recomendaciones para instrumentar mejoras en el ejército.[16] Puesto que los franceses ya estaban más que expulsados de España, también solicitó permiso para renunciar a su cargo, dado que su salud se había deteriorado. La Regencia y las Cortes aceptaron su solicitud a regañadientes el 14 de enero de 1814. También le confirieron el honor de Caballero de la Gran Cruz de la Real y Militar Orden de S. Hermenegildo y la de S. Fernando.[17] O'Donojú permaneció en su puesto hasta que su sucesor lo relevó a finales de marzo de 1814.

14. España, Cortes, *Colección de decretos y órdenes de las Cortes de Cádiz*, 2 vols. (Madrid, Publicaciones de las Cortes Generales, 1987), II, pp. 647-648.
15. AGMS, Guerra: O'Donojú, Carpeta I.
16. "Memoria de Guerra de 1813", AGMS: Secretaría de Guerra, Leg. 7327.5.
17. El decreto de la Regencia declaraba: "habiéndome hecho presente D. Juan O-Donojú, Secretario de Estado y del Despacho de la Guerra, que su quebrantada salud y el estado de debilidad a que ha llegado, sin esperar de pronto recobro, le imposibilitaban continuar desempeñando la Secretaria del Despacho de Guerra con la asidua asistencia y extraordinaria actividad que requiere para que no padezca detrimento el servicio, solicitando que por esta causa le admitiese la dimision de aquel cargo; teniendo en consideración que el expresado motivo hace necesario accede a su solicitud, he venido en admitirsela, sin embargo de lo satisfecho que estoy con su zelo, buen desempeño, patriotismo y amor al major servicio publico, de que es una nueva prueba este proceder; y atendiendo a ello y sus servicios he venido en nombrarle Teniente General de los Exércitos nacionales, reservándome emplearle, segun su distinguido mérito, quando manifieste hallarse restablecido...". AGMS, Guerra: O'Donojú, Carpeta I, 2-3 y Carpeta III, 98-100.

Cuando llegaron las noticias del regreso de Fernando VII la Regencia nombró a O'Donojú ayudante de campo de Su Magestad. El rey, sin embargo, había recibido información de que el ayudante de campo era un renombrado liberal, miembro de alto rango de una sociedad secreta, y que había apoyado activamente la Constitución de Cádiz. Por eso, la noche del 10 al 11 de mayo de 1814 ordenó el arresto de O'Donojú y otros 26 destacados liberales. En prisión, O'Donojú se encontró con su amigo Ramos Arizpe, el único diputado americano arrestado aquella noche.[18] Durante más de un año los dos amigos y colegas soportaron las investigaciones de las autoridades civiles y de la Inquisición. Aunque el rey había abolido el tormento, O'Donojú fue sometido a tortura porque se negó a testificar en contra de nadie.[19] "Despues de infinitas vicisitudes" continuaron los procesos, "recibiendo las confesiones de los acusados contra quienes formalizaron los cargos", hasta el 15 de diciembre de 1815, cuando el rey dictó el fallo final. Ramos Arizpe recibió cuatro años en la cartuja de Valencia.[20] O'Donojú fue sentenciado a

> cuatro años al Castillo de San Carlos de Mallorca; y finalizados, no vuelva a Madrid ni Sitios Reales por cuatro años, y que al concluirse se dé cuenta a S. M. Para que resuelva lo que sea de su Real agrado, declarándose inhábil para obtener toda clase de mando, y en las costas del proceso, apercibido que si en lo sucesivo reincidiere en los excesos porque ha sido procesado, será tratado con el rigor que corresponde...[21]

Militares de alto rango, muchos de ellos miembros de sociedades secretas,[22] apoyaron a Juan O'Donojú y lograron su liberación. Desafortu-

18. AGMS, Estado, Leg. 8175.
19. Las acciones de O'Donojú se convirtieron posteriormente en mitos de valentía y entereza en los que su mano derecha era quemada como parte del tormento. Eso no es correcto; la herida en su mano ocurrió en la batalla contra los franceses, como se menciona anteriormente en el texto. Un excelente estudio del proceso es el de Ignacio Lasa Iraola, "El primer proceso de los liberales (1814-1815)" en *Hispania*, 30, núm. 115 (297), pp. 327-383.
20. María del Carmen Pintos Vietes, *La Política de Fernando VII, 1814-1820* (Pamplona, Estudio General de Navarra, 1958), p. 169.
21. Citado en Jaime Delgado, *España y México en el siglo XIX*, 3 vols. (Madrid, Consejo Superior de Investigaciones Científicas, 1950), I, p. 44, nota 16.
22. Los liberales y oficiales del ejército españoles habían formado grupos clandestinos llamados sociedades patrióticas. Como Evaristo San Miguel, un destacado oficial liberal, declarara: "Las logias masónicas llegaron a ser

nadamente, no me ha sido posible encontrar el documento de cuando fue liberado. Durante el periodo que va de 1814 a 1820, hombres del ejército y liberales que formaban parte de sociedades secretas organizaron conspiraciones políticas mediante dichas sociedades con el objetivo de poner fin al absolutismo del rey y restaurar la Constitución de Cádiz. O'Donojú estuvo involucrado en una de estas conjuras, la Conspiración del Triángulo, organizada por el comisario de guerra Vicente Richart, y que se proponía asesinar al rey en un burdel que frecuentaba. Fue aquella una conspiración entre militares miembros de sociedades secretas que fue descubierta en febrero de 1816. Richart, que fue arrestado y torturado, implicó a Juan O'Donojú y a otros, que a su vez fueron detenidos. Al parecer, Richart invitó a O'Donojú a unirse a la conspiración, pero éste se negó argumentando que el asesinato era inmoral y que difícilmente facilitaría la restauración de la constitución. Richart fue encontrado culpable y ejecutado; otros involucrados en la conspiración fueron desterrados y O'Donojú y un abogado fueron declarados inocentes y liberados.[23] En abril de 1818 los militares también lograron que O'Donojú fuese absuelto de los cargos que se le imputaron en 1814 y 1815 y, por ende, que fuera elegible para ejercer cargos de autoridad.[24]

Más adelante, O'Donojú fue nombrado coronel de un regimiento del ejército que debía ser enviado a pelear contra los insurgentes en la parte norte de Sudamérica. En 1819, el descontento entre las filas de esa gran fuerza expedicionaria, acampada en Andalucía a la espera de ser transportada al Nuevo Mundo, le ofreció a los liberales una oportunidad para promover su causa. Aduciendo que la lucha americana terminaría de restaurarse la constitución, los liberales de Cádiz, miembros de sociedades secretas, entre ellos Antonio Alcalá Galiano, intentaron convencer al general al mando, Enrique O'Donnell, conde de La Bisbal, de unírseles. Desafortunadamente para los liberales, La Bisbal traicionó al movimiento. Los conspiradores huyeron. Los

juntas liberales y conspiradoras. Constitucionalismo y masón eran sinónimos". Evaristo San Miguel, *Vida de D. Agustín Argüelles*, 4 vols. (Madrid, Imprenta del Colegio de Sordo-Mudos, 1851-1852), II, pp. 62-63.

23. "El proceso de conspiradores del Triángulo", AHN: Consejo, Exp. 8933.

24. El Estado Mayor de los Reales Exércitos presentó al rey una detallada defensa de Juan O'Donojú. En consecuencia "... se dignó S. M. declarar hubiendo oido al referido tribunal que éste general quedaba absuelto de la acusación, y el procedimiento contra su persona, no debe ofender su honor y buena reputación que merece, mandando circular la correspondiente orden para indemnización de su opinión". Madrid, 4 de abril de 1818. Consejo Supremo de Guerra, AGMS, Guerra: O'Donojú, Carpeta I, 4-7.

funcionarios del gobierno, preocupados por un brote de fiebre amarilla entre las tropas, fueron incapaces de tomar medidas enérgicas contra ellos. Por ende, algunos radicales intentaron reavivar el movimiento.

Alcalá Galiano regresó a Andalucía y buscó a varios oficiales, entre ellos Juan O'Donojú, quien veía con buenos ojos la restauración de la constitución pero se rehusaba a pelear contra los americanos, y se mostró receptivo y cauteloso. No obstante, fue otro oficial quien actuó primero. El 1 de enero de 1820 el mayor Rafael Riego, comandante del Regimiento de Asturias, levantó el estandarte de la rebelión, exigiendo la restauración de la Carta Magna.[25] En su proclama frente a las tropas –escrita por Alcalá Galiano– declaró: "La Constitución, sí, la Constitución basta para apaciguar a nuestros hermanos de América".[26] Otras unidades le siguieron, pero la rápida intervención gubernamental evitó que los liberales de Cádiz apoyaran el levantamiento militar. Nuevas tropas del gobierno, enviadas para acallar la revuelta, tomaron el control de las ciudades del sur. Durante cerca de dos meses los rebeldes marcharon a todo lo largo del sur de España, en una infructuosa búsqueda de apoyo. Todo indicaba que la Corona derrotaría la insurrección, tal como lo había hecho con rebeliones anteriores.

Pero ahí donde la insurrección armada fracasó, triunfó el regionalismo. Descontentas por los fracasos políticos y económicos del gobierno absolutista centralizado de Fernando, las ciudades de las provincias de España aprovecharon la oportunidad que les presentó el levantamiento de enero para restaurar el gobierno local que les había conferido la Constitución de 1812. El 21 de febrero La Coruña restauró su diputación provincial y su ayuntamiento constitucional. Otras ciudades del norte también restauraron sus gobiernos constitucionales. Fernando VII capituló el 7 de marzo, después de que los

25. Los historiadores suelen darle crédito por el movimiento a Riego. Yo no; véase mi artículo: "Los caudillos y los historiadores: Riego, Iturbide y Santa Anna" en Manuel Chust y Víctor Mingues (eds.), *La construcción del héroe en España y México (1789-1849)* (Valencia, Publicaciones de la Universidad de Valencia, 2003), pp. 309-335.

26. Citado en Antonio Gil Novales (ed.), *Rafael Riego: La Revolución de 1820, día a día* (Madrid, Editorial Tecnos, 1976), p. 35. Según Miguel Artola, Antonio Alcalá Galiano, uno de los principales conspiradores civiles, escribió los "manifiestos que habían de leerse a la tropa ... La proclama de Riego insistirá fundamentalmente en los peligros del embarque y de la necesidad de establecer 'un gobierno moderado y paternal' y 'una Constitución que asegure los derechos de todos los ciudadanos'". Artola, *La España de Fernando VII*, pp. 639-640.

liberales movilizaran a las masas en Madrid, exigiendo la restauración de la Constitución. El 9 de marzo el rey juró dicha Carta.[27]

El monarca nombró un cuerpo de gobierno compuesto por liberales que apenas habían salido de la prisión: "los presidiarios", los llamaron. Ellos restauraron el orden constitucional y programaron elecciones para las nuevas Cortes que se reunirían en julio. Los hombres en el poder, los doceañistas, que tenían gran consideración por el teniente general Juan O'Donojú, lo nombraron jefe político superior y capitán general de la diputación provincial de Andalucía. Además, le concedieron la Orden de Carlos III.[28]

El gobierno liberal también ordenó a O'Donojú desbandar las fuerzas de Riego –el Ejército de la Isla– que aún representaba una amenaza para el régimen. Se trataba de una peligrosa y delicada tarea, ya que Riego se había convertido en el héroe de la joven generación, conocida como "los exaltados". O'Donojú no cedió a las intimidaciones de los exaltados. Con el consentimiento de la administración convenció a Riego de aceptar el puesto de jefe político superior y capitán general de Asturias. Pero antes de asumir el puesto en Asturias, Riego viajó a Madrid, donde fue recibido con honores por los exaltados.[29] Mientras esto sucedía, O'Donojú dispersó rápidamente al Ejército de la Isla, dejando a Riego sin tropas.[30] La acción complació a los doceañistas, quienes consideraron que O'Donojú había manejado la situación con "honradez, imparcialidad y talento".[31] Los exaltados, en cambio, afirmaron que O'Donojú había traicionado a Riego porque estaba celoso del héroe revolucionario.[32]

27. Antonio Alcalá Galiano, *Recuerdos de un anciano* (Madrid, 1967. *Biblioteca de autores españoles*, vol. 83), pp. 91-131; Charles W. Fehrenbach, "A Study of Spanish Liberalism: The Revolution of 1820", tesis de doctorado (Austin, Universidad de Texas, 1961), pp. 73-85.
28. AHN: Estado-Carlos III, Esp. 1810.
29. Benito Pérez Galdós, *La Fontana de Oro*, recrea el espíritu de los exaltados en el Madrid de la década de 1820.
30. Para un análisis del problema, véase: Roberto L. Blanco Valdés, *Rey, Cortes y fuerza armada en los orígenes de la España liberal, 1808-1823* (Madrid, Siglo XXI de España, 1988), pp. 318-332.
31. Le Brun, *Retratos políticos*, pp. 275-276.
32. Lucas Alamán, por ejemplo, repite las historias negativas aun cuando cita a Lebrun, quien favorecía a O'Donojú. Según Alamán, "D. Juan de O-Donojú, originario de Irlanda, que había sido ministro de la Guerra en tiempo de la Francia, de cuyo empleo hubo de separársele por su tenaz oposicion al nombramiento de general en jefe de todas las tropas en la peninsula en Lord Wellington, y despues habiéndose comprometido en una conspiracion contra el rey, se le dio tormento, cuyas señales conservaba en los dedos de las manos. Era persona de grande importancia en la masonería, y aun se le atribuyó haber tratado de formar en ella una nueva secta, para rivalizar con Riego, cuyas glorias veia con celo y envidia". Lucas Alamán, *Historia de México*

Desde el momento en que las Cortes se volvieron a reunir en julio de 1820, los representantes americanos sostuvieron que la paz se restablecería en el Nuevo Mundo sólo si las autoridades respetaban la Constitución y los derechos de los americanos. Esos representantes acusaron que muchos funcionarios reales que en aquel momento servían en el Nuevo Mundo no sólo estaban vinculados a la represión anterior, sino que eran, además, antiamericanos.[33] Los diputados José Mariano Michelena y Ramos Arizpe, de Nueva España, se contaron entre los más activos en la búsqueda de la remoción de los funcionarios "anticonstitucionales" y "brutalmente antiamericanos", entre ellos los antiguos virreyes Joaquín de la Pezuela, de Perú, y Juan Ruiz de Apodaca, de Nueva España, así como los generales Pablo Morrillo, de Venezuela, y José de la Cruz, de Nueva Galicia. Los argumentos de los americanos eran exagerados, ya que lo que buscaban era designar a liberales en esos puestos.[34]

Ramos Arizpe estaba convencido de que su amigo Juan O'Donojú era la persona ideal para reemplazar a Ruiz de Apodaca. Sin embargo, O'Donojú era reacio a hacer la guerra contra los americanos. Él estaba convencido de que era necesaria una solución pacífica. Ramos Arizpe pasó meses arguyendo que la insurgencia había sido aplastada; que Nueva España estaba en calma y que la Constitución de Cádiz proporcionaba los medios para instrumentar una solución pacífica. Creía que las Cortes y el gobierno liberal aprobarían las propuestas que el diputado Michelena y él mismo estaban preparando, propuestas para otorgar un gobierno local más amplio en América autorizando más diputaciones provinciales y estableciendo una comunidad o *Commonwealth* compuesta por tres monarquías en el Nuevo Mundo que mantendrían lazos con la monarquía española.[35]

---

desde los primeros movimientos que prepararon su Independencia en el año 1808 hasta la época presente, 5 vols. (México, Fondo de Cultura Económica, 1985), V, pp. 33-34.

33. Sobre las Cortes de 1820-1821 véase: Mario Rodriguez, "The American Question at the Cortes of Madrid", *The Americas* 38, núm. 3 (mayo de 1973), pp. 223-242; y Ivana Frasquet, *Las Caras del águila. Del liberalismo gaditano a la república federal Mexicana (1820-1824)* (Castellón, Universitat Jaume I, 2008), pp. 29-118.

34. Juan Ruiz de Apodaca, conde de Venadito, se le tenía en alta estima en Nueva España; véase, por ejemplo: Bustamante, *Cuadro histórico de la revolución mexicana*, III, p. 331. Sobre Cruz, véase: Jaime E. Rodríguez O., *"Rey, religion, Yndependencia, y Unión": el proceso político de la independencia de Guadalajara* (México, Instituto Mora, 2003).

35. D. U. L. A., *Idea general sobre la conducta política de D. Miguel Ramos de Arizpe, natural de la provincia de Coahuila, como diputado que ha sido por esta provincia en las Cortes generales y extraordinarias de la monarchía [sic] española desde el año de 1810 hasta el de 1821* (Madrid, Imprenta de Herculana de Villa, 1822), pp. 13-14.

Como resultado de largos cabildeos por parte de Ramos Arizpe y Michelena, el ministro de la guerra Cayetano Valdés obtuvo la aprobación del rey para nombrar a Juan O'Donojú jefe político superior y capitán general de Nueva España. Al recibir el decreto de nombramiento el 25 de enero de 1821, O'Donojú expresó su gratitud a S. M.; ofreció "el puntual cumplimiento del Real Decreto" y declaró su "amor y admiración ... a la Constitución por cuya conservación estoy pronto a sufrir toda clase de sacrificios".[36] Le tomó a los ministros más de un mes completar las instrucciones. El documento, que consistía de 40 artículos, comenzaba como sigue: "Siendo el primer deber de V. E. como Gefe politico el Velar sobre la punctual observancia de la Constitución política de la Monarquía y decretos de las Cortes, la primera operación de V. E. será ver si en todos los pueblos de las Provincias de su mando se ha jurado la Constitución...".[37] Si bien la Instrucción estaba dedicada primordialmente a implantar la Constitución y las instituciones nuevas que introducía, varios artículos estaban abocados al bienestar de Nueva España. El Artículo 21 declaraba:

> Felizmente en las Provincias encargadas al mando de V. E. solo existe muy cortos restos de insurrección: mas urge el que V. E. emplee la mayor actividad y conato en estingir estos por medios suaves y conciliatorios, y ofreciendo premios, empleos y honores a los principales Gefes de ella en obsequio de tranquilidad y para evitar desgracias...[38]

El nombramiento, por ende, era ideal para O'Donojú.

A finales de 1820, Michelena había diseñado un plan combinando elementos de propuestas anteriores para la autonomía americana y del nuevo sistema de gobierno constitucional. Puesto que mantenía comunicación tanto con su familia en Michoacán como con el Ayuntamiento Constitucional de Valladolid, los borradores de su plan circularon ampliamente por Nueva España y la Península. En Madrid los diputados suplentes sometieron a discusión el plan de Michelena en una serie de reuniones en la residencia del prominente novohispano Francisco Fagoaga, un hombre de gran riqueza con

36. Citado en Jaime Delgado, *España y México en el siglo XIX*, pp. 39-40.
37. "Instrucciones dadas a Don Juan O'Donojú" en *ibíd.*, III, pp. 7-16.
38. *Ibíd.*

muchos contactos tanto en Europa como en América y que, al igual que Michelena y Ramos Arizpe, tenía vínculos con sociedades secretas.[39]

Cuando las Cortes se reunieron de nuevo en marzo de 1821 los diputados americanos insistieron en que se prestara mayor atención a los problemas del Nuevo Mundo. Su postura se vio fortalecida cuando los recién electos diputados propietarios de Nueva España aprobaron la propuesta de Michelena, que era similar al Plan de Iguala. El 3 de mayo, a sugerencia del conde de Toreno, las Cortes nombraron un comité de cuatro españoles y cinco americanos –cuatro de ellos novohispanos, Lorenzo de Zavala, Lucas Alamán, Francisco Fagoaga y Bernardino Amati, así como el venezolano Fermín Paul– para considerar el asunto.[40] Parecía en aquel momento que el gobierno estaba dispuesto a conceder alguna forma de autogobierno o de estatus de *Commonwealth* a América. A mediados de mayo, el ministro de ultramar convocó a una reunión a la que asistirían virreyes, capitanes generales e inspectores que se encontraban a la sazón en Madrid, para "concertar el proyecto general que debiera presentarse [a las Cortes]".[41] Los funcionarios concluyeron que debían establecerse tres "regencias" en el Nuevo Mundo, una en América del Norte y dos en Sudamérica. Las regencias mantendrían lazos con la monarquía española, ya que serían príncipes españoles quienes las gobernaran mediante la Constitución y puesto que todos mantendrían las mismas políticas diplomáticas, comerciales y militares. Era un proyecto fundado en el Plan Michelena que satisfacía las aspiraciones de los diputados de Nueva España, entre otras razones, porque el territorio del antiguo virreinato se mantendría intacto al tiempo que obtendrían el gobierno local dentro de la más amplia monarquía española.

El 30 de abril el comité de las Cortes recomendó que se estableciera una diputación provincial en cada antigua intendencia, y no solamente en el antiguo Virreinato de la Nueva España, sino a lo largo y ancho de ultramar.

39. Sobre la amplitud de estas discusiones, véase la carta de Miguel Ramos Arizpe a su hermano: *Carta escrita a un americano sobre la forma de gobierno que para hacer practicable la Constitución y leyes, conviene establecer en Nueva España atendida su actual situación* (Madrid, Ibarra, Impresor de Cámara de S. M., 1821); véase también: D. U. L. A., *Idea general sobre la conducta política*, pp. 9-14.

40. *Diario de sesiones de Cortes [de 1821]* (3 de mayo de 1821), 1393.

41. Delgado, *España y México en el siglo XIX*, 103.

Tras un extenso debate, la recomendación fue aprobada.[42] Los representantes del Nuevo Mundo habían ganado una importante concesión en su esfuerzo por obtener el gobierno propio.

Si bien durante los debates en las Cortes se vieron obligados a batallar en defensa de sus intereses, los diputados americanos creían, pese a todo, estar ganando importantes concesiones. Ramos Arizpe –un hombre que había participado en las Cortes de Cádiz, que había sido apresado por Fernando VII durante seis años, y que comprendía la naturaleza de la política en la Península– estaba exultante ante la posibilidad de lograr un gobierno local más fuerte en América. Como escribió a su hermano, radicado en Coahuila, el 6 de junio de 1821:

> Es ciertamente glorioso el cuadro que presenta Madrid, y toda la Península siendo de teatro enteramente libre para tratar francamente las cuestiones mas importantes de política práctica, relativas a la suerte de la América Española. Cuestiones que pocos años ha era un crímen indicar en conversaciones privadisimas, ahora se tratan con la mas absoluta libertad: se tratan en tertulias, se tratan en sociedades públicas patrióticas por discursos y muy sólidas arengas, se tratan en papeles públicos, se tratan en reuniones de Diputados, y se tratan en una comisión especial de Córtes, nombrada públicamente a que asisten con gusto los Señores Secretarios del Despacho, y muchos diputados españoles y americanos; y aun se asegura que en esta comision se han sentado estos Señores Ministros que el Rey ... los había autorizado para decir a la comision de Cortes, que S. M. impuesto en el estado de la América Española ... reconocía que era ya tiempo de ocuparse seriamente de su Gobierno y las Cortes en meditar y adoptar medidas radicales ... y que los autorizaba para que asistiesen a las discusiones de la comision de Cortes que se ocupaba de un objeto tan interesante.[43]

42. España, Cortes, *Diario de sesiones. Legislatura de 1821* CD-ROM (Madrid, Congreso de los Diputados, 2000) (30 de abril de 1821), 1357-1368; *ibid.* (30 de abril), 1357-1368. Véase también: Nettie Lee Benson, *La Diputación Provincial y el federalismo mexicano* (México, El Colegio de México, 1955), pp. 54-59.

43. Ramos Arizpe, *Carta escrita a un americano*, pp. 3-4. Puesto que la "carta" fue publicada y probablemente circuló en Madrid, es probable que estuviera destinada a un público europeo, y no sólo americano. Quizás se trataba de otra vía para influir sobre los diputados europeos que se inclinaran a apoyar las propuestas americanas. Una segunda edición fue publicada en la Imprenta de Baroja, en San Sebastián, en 1821. Esta edición concluía con la siguiente "NOTA: El autor de esta carta permite su reimpresión a cualquiera que la quiera hacer en cualquier punto de la Monarquía española", 16.

O'Donojú apoyaba las aspiraciones de los novohispanos. El 30 de abril, cuando las Cortes se preparaban para aprobar el establecimiento de diputaciones en cada provincia de América, Ramos Arizpe instó a la legislatura a pasar la medida a tiempo para que O'Donojú "llevase consigo la orden para establecer diputaciones provinciales en todas las intendencias ...".[44] Además, Michelena y Ramos Arizpe, y posiblemente algunos diputados más, se reunieron con O'Donojú para discutir su plan de las regencias.[45] Cuando O'Donojú partió hacia Nueva España el 30 de mayo el proyecto parecía contar con el apoyo del gobierno, así como con el de los diputados americanos.[46] Está claro que O'Donojú abandonó la Península creyendo que se le había encomendado el fortalecimiento del orden constitucional en Nueva España y que, muy probablemente, también habría de introducir el nuevo sistema de regencias.

Tras su partida, las expectativas de Ramos Arizpe se hicieron añicos cuando Fernando VII –convencido de que el proyecto de las regencias era una conspiración de sus enemigos para "llevarle a la guillotina"– negó "el envío de un infante a América". En consecuencia, el comité compuesto de las Cortes no pudo ofrecer al parlamento una recomendación significativa.[47]

Cuando desembarcó en Veracruz, el 30 de julio de 1821, O'Donojú se enfrentó a una situación distinta de aquella para la cual se había preparado. La ciudad estaba sitiada, grandes zonas del reino estaban en manos de los insurgentes y, en la capital, las tropas españolas habían derrocado a las autoridades legalmente constituidas. La realidad contrastaba enteramente con sus instrucciones, que proclamaban: "Felizmente en la Provincias encargadas al

44. *Diario de sesiones. Legislatura de 1821* (30 de abril de 1821), 1358.

45. Durante el debate en torno al informe de Ruiz de Apodaca en sobre la insurgencia de Iturbide, Michelena informó a las Cortes que se había reunido con O'Donojú para discutir ése y otros asuntos concernientes a Nueva España. Siguió entonces una discusión sobre qué debía hacerse para impedir la separación de Nueva España. Michelena argumentó que la mejor solución era la propuesta de las regencias. Juan Nepomuceno Gómez de Navarrete –amigo cercano de Iturbide– propuso enviar un barco para informarle a O'Donojú de manera que él pudiera comunicarse "claramente con los disidentes" que "a sugerencia de los diputados de Ultramar las Cortes estaban considerando un plan de gobierno que hace compatible la observancia de la Constitución con la enorme distancia que separa aquellas provincias de la Metrópolis". *Diario de sesiones. Legislatura de 1821* (4 de junio de 1821), 2045-2050, citado en 2047-2048.

46. Véase, por ejemplo, los comentarios del enviado colombiano a Madrid: José Revenga a William White, Madrid, 15 de junio de 1821, Colombia, Academia a Historia, *Archivo Santander*, 24 vols. (Bogotá, Águila Negra, 1914-1932), VII, p. 138.

47. Delgado, *España y México*, I, pp. 103-104.

mando de v. e. solo existe muy cortos restos de insurrección".[48] Como resultado de esa creencia errónea O'Donojú había llegado tan sólo con un reducido número de personal. Tal como informó a las autoridades en Madrid: "No hay guarnición [en Veracruz]; apenas ascenderá a 150 o 200 soldados ... Se carece absolutamente de correspondencia con Méjico y todo el interior; estamos reducidos al recinto de la población; no hay tropas ni en donde levantarlas; no hay dinero; no hay víveres; no hay ninguna clase de recursos".[49]

O'Donojú se enfrentaba a una tarea delicada. No había esperanzas de recibir ayuda de Madrid. En tanto español, estaba comprometido a mantener sus vínculos con la madre patria y con Nueva España, y en tanto liberal estaba decidido a garantizar que el gobierno constitucional se implantara firmemente en el reino. O'Donojú asumió su cargo en la ciudad de Veracruz y el 3 de agosto de 1821 expidió una proclama para sus "conciudadanos" en la que anunciaba su llegada y les informaba: "Yo acabo de llegar desarmado, solo; apenas me acompañan algunos amigos; contaba con vuestra hospitalidad, y confiaba en vuestros conocimientos; jamás me propuse dominar; sino dirigir, animado de los mejores deseos a vuestro favor...". Convencido de que las Cortes habían aprobado el plan de Michelena, solicitó que suspendieran "los proyectos que habeis emprendido, a lo menos hasta que lleguen de la Peninsula los correos que salgan después de mediados de junio anterior...", pues en la metrópoli "ya sus representantes [a las Cortes] trazaban en union con sus hermanos europeos el plan ... [que les otorgaría la autonomía que deseaban]". O'Donojú también les aseguraba que:

> Soy solo, y sin fuerzas, no puedo causaros ninguna hostilidad: si las noticias que os haré presentes, no os satisficiesen; si mi gobierno no llenase vuestros deseos de una manera justa, que merezca la aprobación general y que concilie las ventajas recíprocas que se deben estos habitantes y los de Europa: a la menor señal de disgusto, yo mismo os dejaré tranquilamente elegir el gefe que creais conveniros.[50]

48. "Instrucciones dadas a Don Juan O'Donojú" en Delgado, *España y México*, III, pp. 7-36.
49. Citado en Delgado, *España y México*, I, p. 56.
50. "A los habitantes de Nueva-España, el General y Gefe Superior Político" en Bustamante, *Cuadro histórico*, III, pp. 230-232.

Pronto se hizo evidente que limitarse a esperar noticias de Madrid no dejaría satisfechos ni a los insurgentes ni a la población de Nueva España. En esas circunstancias, el único curso de acción que quedaba abierto para O'Donojú era negociar con Iturbide. Los dos hombres se reunieron en la ciudad de Córdoba el 23 de agosto de 1821. Al día siguiente firmaron un tratado que reconocía la independencia de Nueva España. Si alcanzaron un acuerdo expedito fue porque el Plan de Iguala era esencialmente lo mismo que la propuesta de Michelena, ésa que O'Donojú esperaba que las Cortes hubiesen ratificado. Como diría más tarde Iturbide, el español aceptó la propuesta del americano "como si él me hubiese ayudado a redactar el plan".[51]

El Tratado de Córdoba no sólo ratificaba el Plan de Iguala, sino que también establecía los procedimientos requeridos para formar un nuevo gobierno. El Artículo 1º declaraba: "Esta América se reconocerá por nación soberana e independiente, y se llamará en lo sucesivo imperio mexicano". El Artículo 2º establecía que "el gobierno del imperio será monárquico, constitucional moderado". El Artículo 3º determinaba que el gobernante sería, o bien Fernando VII, o bien un príncipe o alguien designado por las Cortes imperiales. Los Artículos 6º, 7º y 8º estipulaban que, "conforme el espíritu del Plan de Iguala", se establecería una junta provisional gubernativa, y que O'Donojú sería miembro de dicho organismo. El Artículo 9º velaba por la elección de un presidente de la junta, elegido por "la pluralidad absoluta de sufragios". El Artículo 11º exigía que la junta nombrara una regencia de tres miembros, el Artículo 14º declaraba que "El Poder Ejecutivo reside en la Regencia, el Legislativo en las Cortes".[52] Tal como sucedía con el Plan de Iguala, el Tratado de Córdoba no le otorgaba a Iturbide un papel específico.

De inmediato O'Donojú entró en acción para poner en práctica el acuerdo. Creyendo que las Cortes en Madrid habían aprobado ya el proyecto de regencias informó a su gobierno sobre el acuerdo y los instó a su rápida aprobación.[53] El principal obstáculo se encontraba ahora en la capital,

51. Citado en Nettie Lee Benson, "Iturbide y los planes de Independencia" en *Historia Mexicana*, 2, núm. 3 (enero-marzo 1953), p. 442. Véase también: Alamán, *Historia de Méjico*, V, pp. 267-279; Delgado, *España y México*, pp. 45-65; y Frasquet Miguel, *Las caras del águila*, pp. 85-88.

52. "Tratados de Córdoba" en Felipe Tena Ramírez, *Leyes fundamentales de México, 1808-1991* (México, Porrúa, 1991), pp. 116-119.

53. Robertson, *Iturbide of Mexico*, pp. 118-119; Delgado, *España y México*, I, pp. 67-79.

donde el general Francisco Novella, quien mantenía el control de la ciudad, se negaba a reconocer los acuerdos alcanzados en Córdoba porque, desde su punto de vista, el capitán general había sido coaccionado a firmar el documento. O'Donojú ordenó firmemente a Novella renunciar al poder y acordó pasar por alto la violación a la Constitución y al código de conducta militar por parte del oficial si éste capitulaba de inmediato. El 14 de septiembre, en una junta de la diputación provincial y el ayuntamiento constitucional de la capital, Novella aceptó formalmente a O'Donojú como capitán general y jefe político superior de Nueva España.[54]

Previamente, a su paso por Puebla, O'Donojú e Iturbide habían acordado la composición del gobierno de transición. Entre ambos habían ampliado la regencia de tres a cinco miembros y habían aumentado el tamaño de la junta gubernativa a 38 miembros. El organismo estaba compuesto por los hombres más importantes del reino, entre ellos destacados autonomistas, constitucionalistas, antiguos Guadalupes y unos cuantos clérigos y oficiales conservadores.[55]

El 17 de septiembre, antes de entrar en la capital, O'Donojú declaró:

> Instalado el gobierno acordado en el tratado de Córdoba, que ya es conocido de todos, él es la Autoridad legítima, yo seré el primero a ofrecer mi respeto a la presentación pública. Mis funciones quedan reducidas a representar el Gobierno Español ocupando un lugar en el vuestro conforme al dicho tratado de Córdoba, a ser útil en cuanto a mis fuerzas alcancen al Americano, y a sacrificarme gustosísimo por todo lo que sea en obsequio de los Mexicanos y Españoles.[56]

En otras palabras, O'Donojú no reclamaría para sí un papel dominante en el nuevo régimen. Con tal declaración, Iturbide –que en un inicio

54. Roberto Olagaray (ed.), *Colección de documentos históricos mexicanos*, 4 vols. (París y México, Librería de la Vda. de Ch. Bouret/Antigua Imprenta de Murguía, 1920-1924), II, pp. 189-200; Ayuntamiento de México, *Actas del Ayuntamiento Constitucional, 1821* (México, s.p.i., 1916), pp. 618-628; Carlos Herrejón Peredo (ed.), *Actas de la Diputación Provincial de Nueva España, 1820-1821*, 2da. ed. (México, Instituto Mora, 2007), pp. 365-367.
55. Alamán, *Historia de Méjico*, V, p. 326.
56. Juan O'Donojú, "Habitantes de Nueva España" en *Gaceta del gobierno de México*, 15, núm. 128 (22 de septiembre de 1821), pp. 994-995.

se había mostrado retraído, sin asignarse ningún papel significativo ni en el Plan de Iguala ni en el Tratado de Córdoba, y ofreciendo al virrey Ruiz de Apodaca y al general Cruz el mando del movimiento– emergió como el nuevo líder nacional. De ahí en adelante, miembros de la nobleza, destacados individuos y otras personas acudirían al cuartel de Iturbide en busca de la buena voluntad del comandante del Ejército de las Tres Garantías. Además, numerosos folletos y artículos periodísticos glorificarían sus acciones y lo identificarían como el héroe que debía dirigir a la nación hacia la prosperidad y el bienestar.[57]

Desafortunadamente, O'Donojú enfermó tras su llegada a la capital. Si bien asistió a las ceremonias de la Declaración de Independencia el 28 de septiembre, estaba demasiado débil como para firmar el documento impreso días después. Murió de pleuresía el 8 de octubre.[58]

La repentina muerte de Juan O'Donojú entristeció al pueblo del nuevo Imperio mexicano. O'Donojú fue enterrado con honores en la catedral en una ceremonia solemne oficiada por el arzobispo de México. Su ataúd fue colocado junto al de los virreyes de Nueva España. Más tarde, Carlos María de Bustamante declararía:

> La memoria de este grande hombre será gratísima, en la presente y futuras edades para los mexicanos. O'Donojú economizó torrentes de sangre que hubieran inundado estas regiones por causa de su independencia. Llegó en el tiempo mas oportuno y en que mas se necesitaba para serenar la tormenta que se nos preparaba, y que él supo calmar, con una moderación y sabiduría que no es capaz de espresar mi pluma. Conoció la situación política de esta América, ecsaminó sus intereses, combinólos con los de la España que lo mandaba, a la que ciertamente no hizo traición, y para la que procuró sacar el mejor partido ... El Sr. O'Donojú era hombre liberal por principios, circunspecto, prudente y al mismo tiempo severo,

57. El libro de Javier Ocampo, *Las ideas de un día. El pueblo mexicano ante la consumación de su Independencia* (México, El Colegio de México, 1969) resalta la popularidad de Iturbide. Sin embargo, Ocampo podría haber demostrado un apoyo similar para la Constitución de 1812 si hubiera examinado las publicaciones del periodo. Véase también: Alfredo Ávila, *Para la Libertad. Los republicanos en tiempos del imperio, 1821-1823* (México, Universidad Nacional Autónoma de México, 2004), pp. 74-79.

58. De acuerdo con Alamán, la copia oficial de la Declaración de Independencia tiene un espacio en blanco donde debía estar la firma de O'Donojú. Impresiones posteriores incluyeron su firma litografiada. Alamán, *Historia de Méjico*, V, pp. 335-359.

para hacer cumplir su providencia. Este golpe inesperado para los mexicanos, escitó su sensibilidad y general compasión, conformandose él como con una calamidad pública...[59]

Aun cuando Nueva España obtuvo su independencia al tiempo que mantenía relaciones con la monarquía española, surgieron tensiones entre civiles y militares, pues ambos se arrogaban el triunfo de la emancipación. Dos tradiciones políticas opuestas surgieron entre 1808 y 1821; una, forjada en el crisol de la guerra, acentuaba el poder del ejecutivo, y la otra, basada en la experiencia parlamentaria civil, insistía en el dominio del legislativo.[60] Es posible que un administrador experimentado y liberal comprometido como O'Donojú hubiese resuelto pacíficamente esas tensiones. Como él mismo dijo, amaba la Constitución "por cuya conservación estoy pronto a sufrir toda clase de sacrificios". También fue un distinguido general y un excelente administrador. Como sostenía Ramos Arizpe, era la persona ideal para supervisar la transición de Nueva España de reino de la monarquía española a elemento autogobernado de una *Commonwealth* hispánica. No olvidemos que hoy, en pleno siglo XXI, naciones soberanas como Canadá, Australia y Nueva Zelandia forman parte de la *Commonwealth* británica. Estas naciones son vivos ejemplos de las aspiraciones de los diputados novohispanos cuando, en 1821, presentaron el Plan Michelena ante las Cortes,[61] esa propuesta que O'Donojú trató de echar a andar.

59. Bustamante, *Cuadro histórico*, III, pp. 341-342. Según D. U. L. A.: "Jamás este diputado [Miguel Ramos Arizpe] recuerda la memoria dulce de su antiguo y buen amigo D. Juan O-Donojú, sin manifestar una tierna y viva emocion por su muerte, consolandose con la consideración de los eminentes servicios que correspondiendo a sus fundadas esperanzas hizo en tan breves días a su patria y a la España, a la que, como amigo agradecido y como buen patriota unirá siempre sus votos para perpetuar en la memoria de los hombres las virtudes extraordinarias que formaban el carácter del general D. Juan O-Donojú". D. U. L. A., *Idea general de la conducta política de D. Miguel Ramos Arizpe*, p. 14.

60. Jaime E. Rodríguez O., "The Struggle for dominance: The legislature versus the Executive in Early Mexico", en Christon Archer (ed.), *The Birth of Modern Mexico 1780-1824* (Wilmington, SR Books, 2003), p. 205.

61. Según el Plan Michelena presentado a las Cortes: "Por el hecho de arreglarse Nueva España bajo el plan que deseamos ... [que] no es una mera teoría: a la vista del congreso está el ejemplar del Canadá, que teniendo en su mano ligarse con los Estados-Unidos, no lo ha intentado, porque ha juzgado mejor el gobierno de que ahora tratamos, aunque no lo posee en tanta perfeccion como aquí se propone ...". Alamán, *Historia de Méjico*, V, Apéndice, pp. 49-65, cita en las pp. 58-59.

13. TORIBIO MONTES Y LAS PRIMERAS ELECCIONES POPULARES EN QUITO*

Toribio Montes Caloca y Pérez, el recién nombrado capitán general y presidente de la Audiencia o Reino de Quito, desembarcó en Guayaquil el 21 de junio de 1812. El general Montes era un distinguido militar y administrador que había prestado sus servicios durante casi cinco años como capitán general e intendente de Puerto Rico y, más tarde, como subinspector general de las tropas de milicia veteranas del Virreinato de Perú y como gobernador de la plaza y fortaleza de Callao, cerca de Lima. Sus superiores lo describían como un oficial valeroso, inteligente, entendido y precavido que se preocupaba por el bienestar de sus hombres. Además, según Enrique Muñoz Larrea, los habitantes de Puerto Rico lo alababan por estar preocupado "por el bienestar de la Isla", así como "por la igualdad entre sus hombres". Individuos como él, decían, "son, lamentablemente, una excepción".[1]

Como indicaba Pedro Fermín Cevallos:

> Móntes ocupó tranquilamente a Quito el 8 de noviembre, sin poder estorbar que sus soldados, rompiendo las puertas i ventanas de las casas, las saquerarn a su salvo. Sin embargo, horas despues tuvo la jenerosa política de contener esos desafueros, i aun mandó reconocer i devolver las cosas que, en la confusion del pilllaje, habian sido tambien tomadas a los realistas. Mas tarde, llamó por medio de repetidos bandos á todos los ausentes, con escepcion de setenta personas, empeñandoles a

* Una versión anterior de este artículo apareció en *Boletín de la Academia Nacional de Historia* del Ecuador vol. XC, núm. 187 (2012), pp. 77-104. A Linda Alexander Rodríguez agradezco sus valiosas sugerencias para mejorar este trabajo. Asimismo, agradezco a Mariana Santoveña la traducción de este ensayo.

1. Enrique Muñoz Larrea, "El Teniente General Don Toribio Montes Caloca y Pérez" en *Boletín de la Academia Nacional de Historia*, vol. LXXXVIII, núm. 184: Segundo semestre de 2010, 175-176.

que se restituyan a sus casas sin temor, i logró con tal conducta inspirar confianza en los demas.[2]

Tras vencer a la segunda Junta de Quito a finales de 1812, el presidente Montes se enfrentó a otro poderoso contrincante, el virrey José Fernando de Abascal, quien no sólo deseaba derrotar a los insurgentes de Quito, sino controlar Cuenca de la misma manera que lo había hecho con Guayaquil. El presidente, no obstante, no estaba dispuesto a permitir el desmantelamiento del Reino de Quito. Por eso tomó todas las medidas posibles para granjearse el apoyo de su gente.

Una vez restaurada la calma el presidente Montes, pese a las fuertes e insistentes críticas del virrey del Perú, introdujo una política de conciliación. Como señalaba Jacinto Jijón y Caamaño en 1922: "Después del triunfo manifestóse riguroso, condenó a muerte innumerables patriotas; mas sólo ejecutó a pocos de los sentenciados, dio garantías a casi todos los comprometidos en las pasadas insurrecciones, repuso a muchos en sus empleos, llegando a captarse la [buena] voluntad... [del pueblo]".[3]

2. Pedro Fermín Cevallos, *Resumen de la Historia del Ecuador desde su orijen hasta 1845*, 4 tomos (Lima, Imprenta del Estado, 1870), vol. III, p. 161.
3. Jacinto Jijón y Caamaño, *Quito y la independencia de América* (Quito: Imprenta de la Universidad Central, 1922), 58. Según su sucesor, General Juan Ramírez: "Entre los varios papeles que existen en los Archivos, del tiempo de mi inmediato antecesor don Toribo Montes, es uno de ellos la Lista que en copia certificada acompaño, en la que, después de haber ocupado y entrado en esta capital por fuerza de las Armas, hizo designación de los individuos que debían ser decapitados por sus enormísimos crímenes y parte activa que tuvieron en las rebeliones del Reyno; sin embargo de lo cual, a excepción de don Nicolás de la Peña, don Francisco Calderón, don Manuel Aguilar, y el Francés Marcos Bullon, que fueron hechos prisioneros, el 1ro...., en uno de los Pueblos de la costa, y los tres restantes, en la última acción que a principios de diciembre dio en la Villa de Ibarra el Ejército Real al de los rebeldes; casi todos los demás, no solo quedaron en plena libertad e inmunes de toda pena, sin ser extrañados de estos Dominios ni confiscados sus bienes, como era de rigurosa justicia, sino que fueron restituidos a los empleos que obtenían, y habían legalmente perdido desde que se implicaron en el crimen de alta traición, y para que un procedimiento, que hasta entonces no se había visto, se hiciese más expectable, muchos de aquellos mismos reos acreedores a la pena de muerte fueron propuestos a S. M. en la clase de vasallos fieles, para empleos, Grados, Títulos, y honores, que actualmente están disfrutando con la mayor tranquilidad, y con notoria admiración y escándalo de los que han sido testigos oculares de sus horrorosos y monstruosos delitos. Para ocultar, pues, o cohonestar aquel y otros abusos tan remarcables, es que mi antecesor publicó y circuló los Manifiestos y Proclamas de que doy cuenta a V. E. en carta de esta fecha No. 13; y si éste es el sistema de Pacificación tan arreglado y laudable, por medio del cual se ha dejado dentro de estos Pueblos, que se revolucionaron, a los mismos reos o caudillos, con cuya existencia jamás se extinguirá el espíritu de rebelión ni se conseguirá una verdadera tranquilidad; la Superior ilustración de V. E. sabrá discernirlo, que por lo que a mí toca, cumplo con exponerlo a V. E. para que haciéndolo presente a S. M., pueda formar una cabal idea de los procedimientos de mi antecesor, y se cerciore al mismo tiempo del legítimo

El régimen constitucional

En mayo de 1813 el general Montes instruyó a los funcionarios locales para que publicaran la Constitución de Cádiz, o sea, para que fuese leída en ceremonias formales a las autoridades civiles, eclesiásticas, y militares y al público en todas las ciudades y los pueblos del reino. Los que estuvieron presentes juraron obedecer el documento constitucional. La ocasión se celebró con repique de campanas, *Te Deum*, misa en la catedral y otras solemnidades, al igual que con actitudes populares como corridas de toros.[4]

La Constitución de Cádiz, la carta más radical del siglo XIX, abolió las instituciones señoriales, el tributo indígena, el trabajo forzado –como la mita en América del Sur y el servicio personal en España– y afirmó el control del Estado sobre la Iglesia. También creó un Estado unitario con leyes iguales para todas las zonas de la monarquía española, restringió sustancialmente la autoridad del rey y concedió a la legislatura un poder decisivo. Al otorgar el derecho al voto a todos los hombres adultos, exceptuando a aquellos de ascendencia africana, sin requerirles ni educación ni propiedad, la Constitución de 1812 sobrepasó a todos los gobiernos representativos existentes, como Gran Bretaña, Estados Unidos y Francia, al proporcionar derechos políticos a la vasta mayoría de la población masculina.

La Carta de Cádiz amplió el electorado e incrementó drásticamente el espectro de la actividad política. La nueva constitución estableció un gobierno representativo en tres niveles: el ayuntamiento (con el Ayuntamiento Constitucional), la provincia (con la Diputación Provincial), y la monarquía (con las Cortes). Al permitir a las ciudades y pueblos con mil habitantes o más formar ayuntamientos constitucionales, la Carta transfirió el poder político

---

espíritu de dichos Manifiestos y Proclamas, que lejos de deber atenderse, deben por el contrario recogerse, y corregirse como corresponde a su autor. Dios guarde a V. E. muchos años". Juan Ramírez al Exmo. Señor Secretario de Estado y del Despacho Universal de la Guerra, Quito, 21 de noviembre de 1818, citado en Rene Pozo Astudillo, *Batalla de Pichincha* (Quito, Departamento Gráfico del H. Consejo Provincial de Pichincha, s.f.), pp. 83-84.

4. Toribio Montes al Ministro de Guerra, Quito, 7 de mayo de 1813, Archivo General de Indias (en adelante AGI): Quito, Leg. 257. Informes sobre la publicación de la Constitución en el Reino de Quito se encuentran en Archivo Nacional de Historia (en adelante ANHQ): Presidencia de Quito (en adelante PQ, ahora Fondo Especial), vol. 477.

del centro a las localidades, incorporando así a un gran número de personas al proceso político.[5]

Las Cortes establecieron 19 diputaciones provinciales para los territorios de ultramar: Nueva España, Nueva Galicia, Yucatán, San Luis Potosí, Provincias Internas de Oriente, Provincias Internas de Occidente, Guatemala, Nicaragua, Cuba con las dos Floridas, Santo Domingo y Puerto Rico, Venezuela, Nueva Granada, Quito, Perú, Cuzco, Charcas, Chile, Río de la Plata y Filipinas. La Constitución otorgó a cada diputación provincial responsabilidad global sobre su provincia. La nueva institución consistía de siete diputados electos, un jefe político que presidía y un intendente de la capital provincial como miembro. Con la creación de las diputaciones provinciales, las Cortes abolieron los virreinatos, transformaron las audiencias de cuerpos judiciales y cuasi administrativos en tribunales superiores y dividieron el mundo hispánico en provincias que trataban directamente con el gobierno central en España.[6] La segunda institución de gobierno interno creada por las Cortes, los ayuntamientos constitucionales, sustituyó a las elites hereditarias que hasta entonces habían controlado el gobierno de las ciudades por funcionarios elegidos popularmente.

El Ayuntamiento de Quito expresó su regocijo al enterarse del "cumplimiento de las Sabias y Justificadas determinaciones que se harán en el Código admirable de la Constitución Política de la Monarquía Española...". No obstante, expresó su temor por la naturaleza revolucionaria del documento constitucional. El ayuntamiento urgió a "que se tomasen las precauciones convenientes a fin de evitar toda intervención popular en las elecciones". Además pidió "que se suspendiesen todos aquellos artículos relativos a la elección de los Pueblos", así como la participación popular en las elecciones al ayuntamiento constitucional, a las Cortes y diputado de Provincia.[7]

5. Joaquín Varela Suanzes-Carpegna, *La teoría del Estado en los orígenes del constitucionalismo hispánico (Las Cortes de Cádiz)* (Madrid, Centro de Estudios Constitucionales, 1983); Jaime E. Rodríguez O., "'Equality! The Sacred Right of Equality!' Representation under the Constitution of 1812" en *Revista de Indias*, LVIII, núm. 242 (enero-abril 2008), pp. 97-122; Mónica Quijada, "Una Constitución singular. La Carta gaditana en perspectiva comparada" en *Revista de Indias*, vol. LXVIII, núm. 242 (enero-abril 2008), pp. 15-38.

6. Nettie Lee Benson, *La Diputación Provincial y el federalismo mexicano* (México, El Colegio de México, 1955), pp. 11-21; Marie Laure Rieu-Millan, *Los Diputados americanos en las Cortes de Cádiz* (Madrid, Consejo Superior de Investigaciones Científicas, 1990), pp. 239-253.

7. Archivo Municipal de Quito (en adelante AMQ), "Actas de Consejo, 1809-1814" (18 de mayo de 1813), ff. 167v-168. Según el fiscal del Perú había "testimonio para acreditar que aquel Ayuntamiento [el de Quito] no

Los temores del ayuntamiento de Quito se basaban, sin duda, en experiencias previas de levantamientos "populares", en particular los de la parroquia de San Roque. Ya durante el siglo XVIII, la zona había visto estallar el descontento social en cuatro ocasiones. La rebelión registrada en la ciudad de Quito en 1765 fue el levantamiento más importante de los "mozos de San Roque".[8] La revuelta de los barrios, como se la llamó, fue consecuencia de una compleja serie de transformaciones socioeconómicas. Aquí es importante señalar que ese levantamiento consolidó la fama de la parroquia como un lugar peligroso y sin reglas. Lo que es más: existía la creencia generalizada de que el fallido intento del 2 de agosto de 1810 por liberar a los prisioneros del primer movimiento quiteño fue iniciado por los mozos de San Roque.[9] Así que resulta comprensible que el ayuntamiento prefiriera "evitar toda intervención popular en las elecciones". El general Montes, quien bajo la Constitución se había convertido en jefe político superior de la Diputación Provincial de Quito, empero, no estaba de acuerdo. Montes declaró que a todos los ciudadanos con derecho a votar les sería permitido participar en el proceso.

El sistema electoral

El nuevo proceso electoral popular y constitucional era extremadamente complejo, dado que se necesitaban elecciones para tres cuerpos distintos: los ayuntamientos constitucionales, las diputaciones provinciales y las Cortes ordinarias. Fue, pues, necesario que para su organización y cuidado se establecieran juntas preparatorias.

Las juntas preparatorias tenían responsabilidades intricadas y difíciles: debían organizar un censo electoral por parroquias, dividir sus territorios en distritos para la elección de diputados a Cortes y de Diputaciones Provinciales y, finalmente, supervisar las elecciones. Inexplicablemente las

---

se opuso a la publicación de la Constitución, y que lo único que resistió fue la reunión del Pueblo para las elecciones ..." Fiscal del Perú a Consejo [de Indias], Madrid, 2 de agosto de 1816, AGI: Quito, Leg. 275.

8. Martín Minchom, *The People of Quito, 1690-1810: Change and Unrest in the Underclass* (Boulder, Westview Press, 1994), p. 222. Véase también: Anthony McFarlane, "The 'Rebellion of the Barrios': Urban Insurrection in Bourbon Quito", en *Hispanic American Historical Review*, núm. 69 (mayo, 1984), pp. 283-330; y Kenneth J. Andrien, "Economic Crisis, Taxes and the Quito Insurrection of 1765" en *Past and Present*, 129 (noviembre, 1990), pp. 104-131.
9. Martín Minchom, *The People of Quito*, pp. 248-249.

Cortes no incluyeron ni a Quito y ni a Chuquisaca entre las capitales donde se establecerían las juntas preparatorias provinciales. En consecuencia, el jefe político superior Toribio Montes actuó en lugar de una junta preparatoria por la Provincia de Quito, como era llamado el reino bajo la Constitución.[10]

Por otra parte, las autoridades superiores tenían que determinar el número de ayuntamientos en los cuales habrían de celebrarse elecciones, lo que constituía un trabajo arduo y complejo en vista de que eran numerosos los poblados y villorrios que de manera simultánea establecerían sus ayuntamientos. En 1810, la Nueva España, por ejemplo, tenía cerca de 36 ayuntamientos, Quito cerca de seis, y Puerto Rico sólo dos. Para 1814, más de mil ayuntamientos habían sido creados en la Nueva España, 20 en Puerto Rico, y aproximadamente 89 en Quito.[11] Una expansión similar de ayuntamientos aconteció en otras partes de Hispanoamérica, como en la América Central, Venezuela y Perú.[12]

10. Las Cortes expidieron varios decretos estableciendo instrucciones para las nuevas elecciones populares. Uno de ellos, expedido el 23 de mayo, 1812, declaraba: "Se formará una junta preparatoria para facilitar la elección de Diputados de Cortes para las Ordinarias de 1813 en las capitales" de las 19 Diputaciones Provinciales del Nuevo Mundo. Aunque la Constitución de 1812 creó Diputaciones Provinciales en los reinos de Quito y Charcas, el decreto no incluyó a las ciudades de Quito y Chuquisaca entre las capitales donde las juntas preparatorias habían de ser establecidas. Cortes, *Colección de decretos y órdenes de las Cortes de Cádiz*, 2 vols. (Madrid, Cortes Generales, 1987), I, pp. 515, 508-525. Véase también "Expediente principiado, y seguido sobre la formación del Ayuntamiento Constitucional en esta Capital, nombramiento de Electores, y consequentes diligencias para las Diputaciones Provinciales [*sic*]", ANHQ: Gobierno, Caja 63, 26-viii-1813; y "Plan de Elecciones de Diputados en Cortes y Provincia" y "El Censo [electoral] de esta Provincia de Quito" en ANHQ: PQ, vol. 579, ff. 41-47 y *passim*.
11. Virginia Guedea, "Las primeras elecciones populares en la ciudad de México, 1812-1813" en *Mexican Studies/Estudios Mexicanos*, 7:1 (invierno 1991), p. 6; Alicia Hernández Chávez, *La tradición republicana del buen gobierno* (México, Fondo de Cultura Económica, 1993), p. 25; Jaime E. Rodríguez O., *"Nosotros somos ahora los verdaderos españoles": La transición de Nueva España de un reino de la Monarquía Española a la República Federal de México, 1808-1824*. 2 vols. (Zamora, El Colegio de Michoacán/Instituto Mora, 2009), I, pp. 326-364; y Antonio Gómez Vizuete, "Los primeros ayuntamientos liberales en Puerto Rico Rico (1812-1814 y 1820-1823)" en *Anuario de Estudios Americanos*, 47 (1990), pp. 584-588; He localizado 89 informes de pueblos que formaron ayuntamientos constitucionales en el Reino de Quito. Indudablemente, se establecieron más. Véase ANHQ: PQ, vol. 574.
12. Véase: Jordana Dym, "La soberanía de los pueblos: ciudad e independencia en Centroamérica, 1808-1823" y Carl Almer, "'La confianza que han puesto en mi': La participación local en el establecimiento de los Ayuntamientos Constitucionales en Venezuela, 1820-1821" en Jaime E. Rodríguez O. (coord), *Revolución, independencia y la nuevas naciones de América* (Madrid, Fundación MAPFRE/ Tavera, 2005), pp. 309-338 y 365-395; y Víctor Peralta Ruiz, *En defensa de la autoridad: Política y cultura bajo el gobierno del virrey Abascal, Perú 1806-1816* (Madrid, Consejo Superior de Investigaciones Científicas, 2001), pp. 105-175.

Debido a que el sistema electoral era complejo se hizo absolutamente necesaria la organización de campañas políticas. Eran tantas las personas que debían ser seleccionadas como electores en el área parroquial, que numerosos grupos se dedicaron a hacer listas para que los votantes recordaran a quién darían su voto. A los votantes analfabetos de las ciudades de Nueva España y del Reino de Quito se les proveyó con papeletas que incluían los nombres de aquellos por quienes votarían. También en la ciudad de México y la ciudad de Quito los arrieros y taberneros distribuyeron información electoral. Eclesiásticos pertenecientes a cualesquiera de los bandos se mostraron extremadamente activos y, como la mayoría del clero, en especial el bajo, era americano, demostró ser una gran fuerza de apoyo para los intereses locales.[13]

El jefe político superior Montes inició el proceso de elecciones populares en el Reino de Quito ordenando a los curas y a los funcionarios locales que condujeran censos parroquiales para determinar el número de la población elegible para participar en las elecciones.[14] Un funcionario local proporciona una apreciación de la magnitud de la instrucción cuando escribe que había recibido

> la Superior orden de V. E. ... en que me prebiene que para llenar los importantes objetos a que se contrae la sabia constitución Política de la Monarquía en la formación de nuevos cabildos, elección de representantes [a Cortes], y diputados de Provincia, se hace preciso que yo sin perdida de tiempo, disponga la practica del senso o Padron de todos los abitadores de las Poblaciones respectivas a mi jurisdicción local comprehendiendo ambos sexos, todas edades, clases y castas, con distincion de los que parezcan ser esclavos...[15]

Las acciones emprendidas por Montes asombraron a casi todas las autoridades en el reino. Innumerables funcionarios locales solicitaron copias

13. Virginia Guedea, "Las primeras elecciones populares", pp. 7-28; Los documentos que se refieren a la elección de 1813 celebrada en Quito se encuentran en un volumen que lleva por título: "Juramento a la Constitución, 1820", AMQ, y en el mismo archivo: "Actas del Consejo, 1809-1814" (5 de septiembre de 1813), ff. 176-177. Informes de otras elecciones en el Reino de Quito se pueden encontrar en: ANHQ: PQ, vol. 478, ff. 72r-v, 74r-v, vol. 479, ff. 117, 145, vol. 481, ff. 42-43, vol. 482, ff. 81, 185, vol. 483, ff. 10r-v, 14, 62, 119-120, vol. 485, f. 108, vol. 492, vol. 494, ff. 3r-v, 4, 62, 82.
14. ANHQ: PQ, vol. 483, f. 42.
15. José Joaquín de San Clemente a Montes, Guapi, 6 de diciembre de 1813, ANHQ: PQ, vol. 483, f. 42.

de la Constitución, así como instrucciones más precisas para comprender mejor el nuevo sistema político. Algunos se preguntaban si los indígenas realmente habrían de ser considerados ciudadanos españoles. Un funcionario del Marañón declaró que no podía levantar un censo electoral de los pueblos en su jurisdicción puesto que la mayoría estaban a doce o quince días de camino andando en la selva y, que de cualquier forma, los residentes eran indígenas. Desde Quito, el jefe político superior Montes contestó que esos individuos eran ciudadanos de la Nación Española y, por ende, poseían los mismos derechos que cualquier otro ciudadano. El funcionario reprendido dio aviso de que pronto completaría el censo de esos "individuos selváticos".[16]

El estatus político de los indios se convirtió en un punto sujeto a debate. Algunos oficiales locales preguntaron si todos los indígenas deberían ser considerados ciudadanos activos. El Artículo 25 de la Constitución indicaba que un hombre podía perder sus derechos políticos si era un criminal convicto, si estaba legalmente en bancarrota o si era un sirviente doméstico. Puesto que muchos indios en el Reino de Quito vivían en haciendas bajo *concertaje*, una especie de servidumbre, el fiscal determinó que éstos serían considerados "sirvientes domésticos" y, por lo tanto, no elegibles para votar. Éste fue un asunto que llevaría al conflicto en diversas jurisdicciones cuando los grupos locales intentaron impedir que los indios que no residían en haciendas ejercieran sus derechos cívicos.

Surgieron también preguntas sobre la situación política de las mujeres, los bastardos, los analfabetos y el clero. Debido a que las mujeres habían poseído el derecho de votar en las elecciones tradicionales cuando éstas eran jefes de familia, *vecinas,* algunos preguntaron si ellas podrían también votar en las nuevas elecciones populares.[17] Las autoridades superiores respondieron que bajo la Constitución de 1812 los hombres votaban como individuos y no como jefes de familia. Las mujeres que eran jefes de familia, por lo tanto, no tenían derecho a votar. Como la Constitución no diferenciaba entre los hombres legítimos y los ilegítimos, los bastardos poseían derechos políticos.

16. ANHQ: PQ, vol. 491, f. 32.

17. Sobre la naturaleza de la vecindad véase: Jaime E. Rodríguez O., "La ciudadanía y la Constitución de Cádiz" en Ivana Frasquet (ed.), *Bastillas, cetros y blasones: La independencia en Iberoamerica* (Madrid, Fundación MAPFRE/Instituto de Cultura, 2006), pp. 39-56; y Tamar Herzog, *Defining Nations: Immigrants and Citizens in Early Modern Spain and Spanish America* (New Haven, Yale University Press, 2003).

De manera similar, los hombres analfabetos, que por lo demás calificaban, podrían votar, debido a que la Constitución en ese entonces no imponía requisitos de alfabetización. De acuerdo con la Constitución, sólo el clero secular tenía derecho a votar. Por lo tanto, los regulares fueron privados de estos derechos.

Tras meses de esfuerzo, el censo electoral del antiguo reino, ahora llamado Provincia de Quito –el cual incluía a las provincias de la sierra desde Pasto y Popayán en el norte hasta Loja en el sur, Marañón, Mainas, y Jaén de Bracamoros en la selva en el este, y las provincias costeras del norte de Barbacoas y Esmeraldas (la gran provincia costera sur de Guayaquil había sido puesta bajo la autoridad de Lima)– fue completado en junio de 1813. En tanto que muchas regiones estaban "actualmente ocupadas por los enemigos" y no podían ser contadas, las autoridades determinaron que un "cálculo prudencial" sería de "cuatrocientos sesenta y cinco mil novecientos individuos, poco más o menos". Además, "sesenta y cinco mil novecientos individuos, que, o no son ciudadanos, o no están en ejercicio de sus derechos" debían ser borrados del censo. Por lo tanto, con una población políticamente elegible de cuatrocientos mil, la Provincia de Quito tenía derecho a

> cinco Diputados en Cortes, a razón de uno por cada setenta mil, sobrando todavía cincuenta mil habitantes, a lo cual corresponde un diputado más, según el Artículo 32 de la Constitución. Por consiguiente, le tocan a esta Provincia seis Diputados Propietarios, y dos Suplentes, conforme al Artículo 90 del mismo Código. Estos deberán elegirse por los Electores de Partido, cuyo número ha de ser triple al de los Diputados, según el Artículo 63, y por lo tanto, los Electores de esta Provincia serán precisamente diez y ocho.[18]

18. ANHQ: PQ, vol. 468, f. 19, vol. 477, ff. 10, 34, 40-41, vol 478, f. 88, vol. 479, 117, 145, vol. 482, f. 169, vol. 483, ff. 42, 48-49, 97, vol. 489, ff. 1-6, vol. 579, ff. 41-47. El abogado fiscal declaró: "Por Provincia [de Quito] se entiende la demarcación de la Audiencia hecha con bastante claridad en la Lei 1o. tit. 15 del Lib. 2o. de las Municipalidades, segun la qual confina esta por el Norte con la de Santa Fe de Bogota, comprendiendo parte de la Governación de Popayán, esto es los Partidos de Calí, Buga, Caloto, Almaguer, el Rapozo, Barbacoas, San Juan de Pasto, y los Pastos, o Provincia. Por el Sur son los distritos de Piura, y Chachapoias, hasta el Govierno de Bracamoros, que divide las conquistas de España y Portugal, y por el occidente hasta las playas de la Costa de Machala en la ensenada de Puná. Por este deslinde a mas de las Provincias referidas comprende Quito, la que forma la extención de Pais sugeta a la Antigua jurisdicción de los Alcaldes Ordinarios y, la de Popayan en los mismos terminos, las de Ybarra, Otavalo, Latacunga, Hambato, Riobamba, Alausí, Chimbo, Guayaquil, Cuenca, Loxa, Esmeraldas, Quijos, y Macas, el Napo, y Mainas. Pero como estos dos ultimos

> Los Partidos actuales de esta Provincia son solamente 14, a saber: Quito, Cuenca, Loxa, Pasto, Riobamba, Ybarra, Latacunga, Ambato, los Pastos, [Jaén de] Bracamoros, Barbacoas, Alausí, Guaranda, Otavalo. Luego los 4 electores que faltan al completo de los 18, deben elegirse por los de mayor Población que son Quito, Cuenca, Riobamba y Latacunga a los quales tocan nombrar a dos electores cada uno.[19]

El censo también determinó el número de compromisarios para cada parroquia y el número de electores de parroquia para cada partido.

El padrón electoral exageraba el número de indígenas facultados para votar. El Artículo 25 de la Constitución indicaba que un hombre perdería sus derechos políticos si fuera un sirviente doméstico. Puesto que muchos indígenas en el Reino de Quito vivían en haciendas bajo la modalidad del *concertaje* el fiscal de la Corona resolvió que serían considerados sirvientes domésticos y, por lo tanto, no serían candidatos a votar.[20] El número de indígenas que se hallaban conciertos en haciendas y que habrían de considerarse sirvientes domésticos y, por ende, sin derecho a voto, era alto. De acuerdo con el antropólogo alemán Udo Oberem, en 1805 de los indígenas 46% eran "indios sujetos" en las haciendas de la sierra.[21] Dado que los indígenas constituían la vasta mayoría de la población del reino, el número de almas a considerar para la representación debió haberse reducido casi a la mitad. Sin embargo, las autoridades eliminaron del censo a sólo 65 900 individuos, quienes no

---

partidos con el Guayaquil se hallan segregados por disposiciones posteriores; dejando este punto para ventilarlo separadamente y con oportunidad, nos limitaremos a lo que en el día convenga, respecto de las demas Provincias para la mas exacta execución de la Lei Constitucional", Dr. Salvador a Toribio Montes, Quito, 5 de octubre de 1813, ANHQ: Gobierno, Caja 63, 26-viii-1813.

19. "Plan de elecciones de Diputados en Cortes, y de Provincia".
20. Dr. Salvador a Montes, Quito, 5 de octubre de 1813, ANHQ: Gobierno, Caja 63, 26-viii-1813.
21. Udo Oberem, "Indios libres e indios sujetos a haciendas en la sierra ecuatoriana a fines de la colonia", en Roswith Hartmann y Udo Oberem (eds.), *Amerikanistische Studien: Festschrift für Hermann Trimborn anlässlich seines 75. Geburtstages = Estudios americanistas: Libro jubilar en homenaje a Hermann Trimborn con motivo de su septuagésimoquinto aniversario*, 2 vols. (St. Augustin, Haus Völker u. Kulturen, Anthropos-Inst., 1978-1979), II, pp. 106, 105-112. Los cálculos de Oberem se basan en un documento que registra los tributos de 1804 a 1805, documento que distingue entre tributarios de "pueblos o parroquias" y aquellos "que pertenecen a haciendas u obrajes respectivamente". *Ibid.*, II, p. 105. Federica Morelli, quien examinó el "Libro de Tributarios del corregimiento de Quito" para 1784, eleva el porcentaje de conciertos a 61.9. Véase su *Territorio o nazione: Reforma e dissoluzione dello spazio imperiale in Ecuador, 1765-1830* (Rubbettino Editore, 2001), p. 409.

eran ciudadanos, o bien, estaban impedidos de ejercer sus derechos políticos por otras razones. En consecuencia, la población elegible de la Provincia de Quito, de 400 mil almas, tenía derecho a seis diputados propietarios a las Cortes y a dos suplentes, así como a 18 electores de partido.[22] Pero si los cálculos de Oberem son correctos, el número de personas elegibles para la representación en la Provincia de Quito hubiera rondado los 250 mil, y la provincia habría tenido derecho a elegir tres diputados menos a las Cortes. Los funcionarios locales exageraron el número de indígenas independientes que contaban como ciudadanos para aumentar la representación de la Provincia de Quito en las Cortes hispánicas.[23]

Las primeras elecciones populares

Las elecciones para los ayuntamientos constitucionales durante los meses de septiembre de 1813 hasta enero de 1814 resultaron ser tanto estimulantes como confusas. Las autoridades superiores en Quito fueron inundadas con preguntas. Varias ciudades inquirían si los corregidores se convertirían en jefes políticos y si éstos mismos deberían presidir los nuevos ayuntamientos constitucionales. Algunos pueblos pequeños señalaron que poseían más de las mil personas requeridas por la Constitución y preguntaron a las autoridades si podrían formar ayuntamientos. Otros preguntaron cuál sería su relación con sus anteriores ciudades cabezas de partido. El jefe político superior Montes replicó, para su asombro, que las viejas relaciones políticas habían terminado; cualquier centro urbano con mil habitantes tenía el derecho de establecer un ayuntamiento independiente, sujeto sólo a la autoridad de la Diputación Provincial en Quito.[24]

Las elecciones al ayuntamiento de Quito generaron la crítica más intensa y diversa. El jefe político Montes creía que era necesario "estrechar los lazos entre españoles de ambos hemisferios" para terminar con el "caos" en que Quito se encontraba. Era importante para el bienestar de la nación, por

22. "Plan de elecciones de Diputados en Cortes y de Provincia", ANHQ: Gobierno, Caja 63, 26-viii-1813.

23. Véase "Plan de elecciones de Diputados en Cortes y de Provincia" en el "Anexo" en este artículo.

24. Informes sobre los problemas de las elecciones se encuentran en ANHQ: PQ, vol. 478, ff. 72r-v, vol. 479, ff. 117, 145, vol. 481, ff. 42-43, vol. 482, ff. 81, 185, vol. 483, ff. 10r-v, 14, 62, 119-120, vol. 485, f. 108, vol. 492, vol. 494, ff. 3r-v, 4, 62, 82.

lo tanto, que fuera "puesta en toda su observancia la Constitución Política de la Monarquía". Pero estaba convencido además de que la mejor manera de asegurar la paz y la armonía en la zona "era interesar en la suerte del Estado a los más notables de cada país que poseen el concepto y voluntad de los pueblos, y que por su influjo pueden mantener la paz en estos Dominios". En consecuencia, apoyó abiertamente la elección de dirigentes locales aun si éstos habían participado en los anteriores gobiernos revolucionarios de Quito. Muchos no estaban de acuerdo, incluyendo los oidores de la Audiencia, el gobernador de Cuenca el general Melchor Aymerich, el obispo de Cuenca Andrés Quintian y Ponte, varios eclesiásticos de provincia, e incluso el virrey del Perú quien declaró: "[los elegidos] no sólo han desconocido el Rey, a la Patria y a lo más sagrado, sino que con las armas en la mano han pretendido que todas estas Provincias siguiesen su detestable ejemplo".[25]

Las quejas del doctor Andrés Villamagan, rector del Seminario de San Luis y un elector de la Parroquia de Aloasí, aunque exageradas en exceso, subrayan el contexto político de la elección. Tal como fue establecido por la Constitución, los vecinos de la parroquia escogían electores, quienes más tarde seleccionaban a los alcaldes, procuradores y regidores del ayuntamiento. Los procesos electorales indirectos que procederían en dos etapas hicieron necesaria la organización política para poder lograr la victoria en las elecciones. Y resultó, pues, que los antiguos "insurgentes" fueron el grupo mejor organizado. Según Villamagan:

> Los insurgentes primeramente remitieron emisarios a todos los Pueblos [o parroquias de Quito] para que los sedujesen y diesen sus votos por los de su facción. Después de practicar esta diligencia, mandó el Jefe [Político Superior Montes] que se elijan los Electores, y para esto nombró Comisionados que presidiesen las elecciones uno en cada Pueblo. Entre estos unos pocos eran sujetos fieles, y en la mayor parte insurgentes principales que habían tenido los primeros empleos en el Gobierno intruso, y actualmente se ocupan en blasfemar contra la Nación Española, y conservar a los Pueblos en el espíritu de rebelión. Por la actividad de algunos fieles Curas salieron de Electores ocho sujetos leales, y de las demás Parroquias veinte y tres insurgentes y un medio fatuo ganado por ellos.

25. La correspondencia sobre estos asuntos se encuentra en: AGI: Quito, Leg. 258.

El día de la Elección de Regidores estando congregados en la Sala Consistorial los treinta y dos Electores presididos del Jefe sacó este su lista, y exhortó para inclinar a todos a que sufragasen sus votos por los contenidos en ella. Todos los Electores insurgentes clamaron que se conformaban enteramente con la lista del General D. Toribio Montes...

Aterrados con miedo grave por el complot del Jefe [Político Montes] con los insurgentes ... y de las tropas que se pusieron a la entrada de la Casa Consistorial los demás vocales fieles sufragaron también sus votos por los contenidos en la lista del Jefe: de estos unos habían sido Representantes de la Junta sediciosa, otros Senadores, otros Oficiales de plana mayor y menor, y todos obrando con la mayor actividad para resistir a las Tropas reales, y que actualmente seducen y mantienen el espíritu de insurrección.[26]

Los elegidos fueron los siguientes:
Alcaldes ordinarios: Marqués de Solanda y Manuel de Larrea.
Regidores: Marqués de Miraflores, Joaquín Tinajero, Mariano Bustamante, Antonio Aguirre, Gabriel Álvarez, José Barba, Joaquín Lazo, José Guarderas, Juan Donoso, Antonio Salvador, José Peña, Melchor Benavides, Bernardo Román y Mariano Bermúdez.
Secretario Regidor: Dr. Mariano Merizalda.

26. Andrés Villamagon al Consejo de Regencia, Quito, 6 de septiembre de 1813: AGI: Quito, Leg. 256. Montes explicó sus esfuerzos para influir las elecciones del ayuntamiento de la siguiente forma: "tratando de cumplir con lo prevenido en el Artículo 7 del Reglamento de su formación propuse los que me parecieron convenir en las circunstancias, y según el cálculo que la reflexión, y la experiencia me habían hecho formar, despreciando hablillas, censuras y chismes que no contrarrestaban a la solidez de mis convicciones, y que si por ellas debiese proceder habría perdido el fruto de mi misión, tendría que destruir en lugar de edificar, y serían ilusorias todas las ordenes, y prevenciones del Supremo Govierno Nacional, que quiere se corra un velo denso sobre las operaciones disidentes de las Provincias revolucionarias: golpe de política, no sólo generoso y propio de una Nación sabia y reflexiva, sino también de absoluta necesidad, pues de otro modo sería conservar en un caos por un siglo a la mayor parte de la América". Toribio Montes al Virrey del Perú, Quito, 22 de enero de 1814: AGI: Quito, Leg. 258. Montes no se encontraba solo en sus esfuerzos por restaurar la armonía en el reino, otros funcionarios, como el corregidor de Tequerre estaban de acuerdo con él: "Mi preocupación constante desde que vine a esta provincia, ha sido poner en estas gentes el entusiasmo para que reciban el nuevo gobierno Constitucional. Poniendo en todos mis actos dulzura y también dando a conocer todos los oficios de V. E. Por medio de circulares he tratado de quitar esa pugna entre realistas e insurgentes, que ha sido en estos tiempos el origen de toda discordia". Corregidor Letrado a Montes, Tequerre, 28 de marzo de 1814. ANHQ: PQ, vol. 496, f. 297.

Procuradores generales: Dr. Bernardo de León y Carcelén y José María Tejada.[27]

Las elecciones de diputados a las Cortes y a la Diputación Provincial en la Provincia de Quito, resultaron ser más largas y más complicadas que las elecciones del ayuntamiento. La primera fase, las elecciones parroquiales, requerían la selección de un máximo de treinta y uno y un mínimo de un compromisario por parroquia. Después éstos elegirían a los electores parroquiales. Grandes parroquias escasamente pobladas, que habían sido asignadas entre y uno y seis compromisarios, fueron fusionadas para las elecciones parroquiales y experimentaron retrasos pues los compromisarios debían viajar al lugar donde los electores parroquiales serían escogidos. Los electores, entonces, viajaban a la ciudad cabeza de partido donde los electores de partido eran seleccionados. La mayoría de los partidos, incluyendo los altamente poblados como Quito y Cuenca, tenían parroquias distantes. Algunos, como el partido de Riobamba y Macas, se extendían desde las alturas de la sierra hasta las profundidades de la selva al este. Naturalmente, la selección de electores de partido sufrió muchas demoras. Algunos individuos escogidos por sus conciudadanos no estaban dispuestos a emprender los largos viajes requeridos para llevar a cabo elecciones, en particular elecciones de partido. En algunos casos las autoridades en Quito se vieron forzadas a involucrarse en largos razonamientos para convencerlos de asumir sus responsabilidades cívicas.[28]

Después de meses de esfuerzo los 18 electores de partido se reunieron en la ciudad de Quito el 24 de agosto de 1814 para elegir a los seis diputados y a los dos suplentes a Cortes, y a los siete diputados a la Diputación Provincial. Los procedimientos se llevaron a cabo

> en el Salón del Palacio de Gobierno, que por su capacidad y decencia es el lugar más adecuado para un acto tan solemne, y a puerta abierta ... Se dio principio,

27. El acta oficial de la elección se encuentra en AMQ, "Actas del Consejo, 1809-1814" (5 de septiembre de 1813), ff. 176-177. El gobernador de Cuenca, Melchor Aymerich, "a su vez, mandó una lista de los 32 electores y 20 Regidores [*sic*] del Ayuntamiento. Es una lista formada por él y el Obispo Quintián y tiene cada uno de los sujetos de la lista la calificación que en su concepto merece". Navarro, *La Revolución del 10 de agosto de 1809* (Quito, Editorial "Fray Jodoco Ricke", 1962), pp. 476-479.
28. ANHQ: PQ, vol. 491, ff. 150-153, vol. 579, ff. 29r-v, 30-31.

> nombrando a pluralidad de votos un secretario y dos escrutadores, ... igualmente para la comisión de tres individuos que deben examinar las certificaciones del Secretario y Escrutadores ... En seguida se leyeron ... en alta voz los cuatro capítulos de la Constitución Política que tocan de las elecciones, y todas las Certificaciones de las Actas de las mismas hechas en las cabezas de partido remitidas por los respectivos Presidentes. Los Electores presentaron las certificaciones de su nombramiento, y entregándose éstas al Secretario y Escrutadores para su examen e informe en el siguiente día, y las certificaciones de estos a los individuos de la comisión para el mismo efecto, se concluyó este acto...

El día siguiente fue dedicado también a examinar las credenciales y a certificar las actas de las elecciones de partido. El 26 de agosto, los electores de partido:

> se dirigieron con su Presidente el Excelentísimo Señor Jefe Político Superior Don Toribio Montes a la Santa Iglesia Catedral en donde se cantó una Misa Solemne de Espíritu Santo, y el Sr. Deán por enfermedad del Ilustrísimo Sr. Obispo hizo un discurso propio de las circunstancias. Concluido este acto religioso volvieron al Salón de donde salieron, y a puerta abierta preguntó Su Excelencia si algún Ciudadano tenía que exponer alguna queja relativa a cohecho, o soborno para que la elección recaiga en determinada persona; y habiendo contestado unánimemente que no, se procedió en seguida... a la elección... [Después de la elección] se disolvió la Junta trasladándose a la misma Santa Iglesia Catedral a asistir al *Te Deum* llevando a los elegidos entre el Excelentísimo Señor Presidente, los Escrutadores, y el Secretario...

Diputados a las Cortes de la Provincia de Quito
Dr. Francisco Rodríguez Soto (17 votos)
Dr. José María Landa y Ramírez (16 votos)
Sr. Mariano Guillermo Valdivieso (15 votos)
Dr. José Salvador (13 votos)
Dr. José María Lequerica (17 votos)
Sr. José de Larrea y Jijón (17 votos)
Suplentes
Lic. Matías Arista (16 votos)

Dr. Gabriel Álvarez (14 votos)

Los electores de partido se reunieron el 27 de agosto para elegir los diputados a la Diputación Provincial de Quito. Como señalaba el Acta: "procediendo en todo por el mismo orden y arreglo con que se ha procedido en las elecciones de Diputados en Cortes se verificó la elección ... a fin de nombrar los siete Individuos que han de componer la Diputación Provincial...".

Diputados a la Diputación Provincial de Quito

Dr. Calixto Miranda (Partido de Quito)
Dr. José Felix Valdivieso (Partido de Cuenca)
Dr. Joaquín Anda (Partido de Latacunga)
Sr. José Mariano Egües (Partido de Ambato)
Sr. Tomás Velasco (Partido de Riobamba)
Dr. José Miguel Carrión (Partido de Loja)
Dr. José Reyes (Partido de Otavalo)

Suplentes

Dr. José Camacho (Partido de Riobamba)
Dr. Fernando Burbano (Partido de Pasto)
Dr. José Manuel Reyes (Partido de Ambato)[29]

Tal y como aconteció en otras regiones del Nuevo Mundo, los americanos sobrepasaron a los europeos en las elecciones. Irónicamente, lo que los quiteños no habían sido capaces de ganar por la fuerza lo lograron mediante el voto y obtuvieron el dominio del poder local.

Los miembros de los ayuntamientos constitucionales tomaron sus puestos con gran pompa en todas las áreas realistas de América. Después procedieron a tomar control del gobierno de la ciudad. Muchos ayuntamientos constitucionales, como los del Reino de Quito, mantuvieron en pie su demanda de fondos para escuelas, hospitales y otros servicios públicos. También expresaron su apoyo por el éxito de "las armas nacionales" en su lucha contra el tirano Napoleón.[30]

29. ANHQ: PQ, vol. 491, ff. 150-153.

30. AMQ, "Actas de Consejo, 1808-1814" (29 de julio de 1814), ff. 223-224r; y ANHQ: PQ, vol. 496, ff. 173r-v, 290, vol. 497, f. 133, vol. 498, f. 42.

La restauración

La derrota de los franceses en la Península transformó la situación en Europa. El rey Fernando VII puso un alto a la revolución política de la monarquía española cuando regresó de Francia en mayo de 1814. Abolió las Cortes y la Constitución, restaurando el absolutismo. Ya sin las trabas de la Constitución, las autoridades reales en el Nuevo Mundo aplastaron la mayoría de los movimientos autonomistas. Sólo el aislado Río de la Plata conservó su autonomía, debido a que se encontraba más allá del alcance de la debilitada monarquía española.

A finales de agosto de 1814 llegaron noticias a Quito de que el rey había abolido el gobierno constitucional.[31] Aun cuando el nuevo sistema fue abolido y las viejas estructuras se restauraron, el Reino de Quito se mantuvo en paz y concordia gracias a las políticas del presidente Toribio Montes, quien gobernó la región de 1812 a 1817. La política de conciliación de Montes se mantuvo en pie después de abolida la Constitución. Fue él quien se opuso a la brutal reconquista de Nueva Granada porque creía que una política inmoderada conducía a la gente a tomar las armas y unirse a la insurgencia. Sin embargo, las políticas del presidente enfurecieron a muchos altos cargos del ejército real, quienes consideraron sus acciones desleales. Una y otra vez solicitaron su remoción. Cuando las autoridades en España se mostraron incapaces de actuar los oficiales realistas más reaccionarios intentaron derrocar el gobierno de Montes –infructuosamente– en noviembre de 1815.[32]

Durante el periodo comprendido entre 1814 y 1817, Montes no dejó de respaldar los intereses locales como único medio para ganarse la lealtad de los americanos. Pese a las críticas del obispo de Cuenca Quintian y Ponce y de muchos oficiales militares de alto rango, Montes mantuvo su política de conciliación. Él insistía en que la Corona debía regresar la Provincia de Guayaquil a la jurisdicción de la Audiencia de Quito y propuso que el Reino de Quito fuera elevado al estatus de capitanía general independiente. En muchos aspectos, su concepción del gobierno era similar a la del barón Carondelet. Las elites locales y el pueblo apreciaban su política justa y moderada así como

31. La correspondencia sobre el regreso al antiguo régimen y la confusión que generó se encuentra en ANHQ: PQ, vols. 503, 504 y 505.

32. Los documentos sobre el proceso del golpe de mano se encuentran en AGI: Quito: leg. 275.

el reconocimiento de sus necesidades y deseos. De hecho, el 10 de junio de 1817 el ayuntamiento de Quito solicitó formalmente a la Corona que se otorgara al presidente Montes el título de marqués de la Conciliación de Quito.[33]

Ya que las provincias del sur del Reino de Quito tenían fuertes lazos económicos y sociales con el Perú, el virrey Abascal fortaleció tales relaciones. Sin embargo, trató con desdén a la parte norte de los Andes y a la ciudad capital de Quito. Pero Abascal fracasó en su esfuerzo por transferir las provincias de Guayaquil, Cuenca y Loja al Perú porque la política de conciliación de Montes reanimó el sentido de unión entre las provincias de la Audiencia de Quito. En 1819, la Corona restableció por completo la Provincia de Guayaquil al Reino de Quito.[34] Pese a las diferencias entre la costa y la sierra, y entre el sur y el norte de los Andes, el Reino de Quito permaneció unido y se convertiría en última instancia en la República del Ecuador.

33. "Súplica particular del Ayuntamiento de Quito a través del conde de Puñonrostro que se le conceda al General Toribio Montes un título de Castilla con el nombre de marqués de la Conciliación de Quito por su labor de pacificación", Quito (s.f.), AGI: Quito, Leg. 275; e "Informe sobre los meritos del General Toribio Montes" para que se le conceda un título del Castilla con el nombre de marqués de la Conciliación de Quito, Quito, 10 de junio de 1817, AGI: Quito: Leg 394.

34. Jaime E. Rodríguez O., "El virrey Abascal y el Reino de Quito" en Scarlett O'Phelan Godoy y Georges Lomné (eds.), Abascal y la contraindependencia de América del Sur (Lima, IFEA/Fondo Editorial de la PUCP, 20123), pp. 469-502; Dora León Borja y Adán Százdi, "El problema jurisdiccional de Guayaquil antes de la independencia" en *Cuadernos de historia y antropología*, XX, núm. 38 (1971), pp. 111-112.

ANEXO

Plan de elecciones de Diputados en Cortes, y de Provincia (1813)

Cenzo de la Provincia de Quito, sin incluir a Popayán, Cali, Buga Caloto, Almaguer, y el Rapozo, en atención a sus actuales circunstancias, y pasando por la errada numeración que da esta Capital la Cortízima Población de 20 619 Yndividuos. 465 840...

Se deducen los 65 840 de Personas que o no son Ciudadanos o no estan en exercicio de sus derechos, y quedan 400 000.

Corresponden a este numero 5 Diputados en Cortes, a razón de uno por cada 70 000, y sobran todavía 50 000 habitantes, a que por el art. 32 de la Constitución corresponde un Diputado más.

De consiguiente le tocan a esta Provincia 6 Diputados propietarios y dos suplentes, segun el Art. 90 de la Constitución.

Estos, se han de elegir por los electores de Partido, cuyo número ha de ser triple al de los mismos, art. 63: por tanto el número de electores de esta Provincia, ha de ser 18.

Los Partidos actuales de esta Provincia son solamente 14, a saber: Quito, Cuenca, Loxa, Posto, Riobamba, Ybarra, Latacunga, Ambato, los Pastos, Bracamoros, Barbacoas, Alausí, Guaranda, Otavalo. Luego los 4 electores que faltan al completo de los 18, deben elegirse por los de mayor Población que son Quito, Cuenca, Riobamba y Latacunga a los quales tocan nombrar a dos electores cada uno.

Las Cavezas de Partido donde deben reunirse los electores de Partido, son las Capitales de los citados 14 Distritos, estableciéndose en Barbacoas para este caso la Cabeza de los Pueblos de la Costa.

Para computar los Compromisarios, y electores que corresponden a cada Parroquia se ha deducido prudencialmente aquel número de Habitantes, que no sean Ciudadanos o que tengan en suspenso sus derechos, o por razón de Sirvientes Domésticos (bajo cuio nombre se hallan comprendidos los Yndios que labran las Haciendas, según la Lei 6a. tit. 333 Part. 7a o por otros motivos, teniendo en consideración el mayor, o menor numero de Haciendas que hai en cada Parroquia.

La 1ª. operación en el orden de estas elecciones, es la de Parroquias, que se halla arreglada por el Cap. 3 frl. tit. 3 de la Constitución que se debe tener presente para aquel acto; y a fin de evitar trabajo y dudas, se pone el siguiente Plan de los Compromisarios, y elector, o electores que corresponden a cada Provincia.

Estos electores deben reunirse en las Cavezas de Partido, y nombrar uno por aquellos Partidos, a los que solo toca uno, y dos, como se ha dicho por Quito, Cuenca, Riobamba y Latacunga.

Partido de Quito y su Comarca
Cavezera Esta Capital

	Compromisarios	Electores Parroquiales
La Matrix	31	10
San Blas	11	1
San Marcos	11	1
Santa Bárbara	31	3
San Sebastián	11	1
San Roque	11	1
Chimbacalle	5	
Santa Prisca	6	1
Conocoto	11	1
Sangolquí	21	2
Alangasí	11	1
Amaguaña	11	1
Pintag	11	1
Chillogallo	21	2
Uyumbicho	11	1
Aloag	11	1
La Magadalena	11	1
Aloasí	11	1
Machache	21	2
Guápulo	1	
Cumbayá	10	1
Tumbaco	11	1
Puembo	11	1
Yaruquí	11	1
Quinche	11	1

(continuación Partido de Quito y su Comarca)

	Compromisarios	Electores Parroquiales
Guayllabamba	11	1
Cotocollao	11	1
Zambiza	21	2
Pomasqui	11	1
Calacalí	11	1
Perucho	6	
San Antonio	5	1

Los cinco Compromisarios de Chimbacalle, se unirán a los 6 de Santa Prisca, y elegirán aquí un elector Parroquial. El un Compromisario de Guápulo se reunirá a los 10 de Cumbayá y nombraran aquí un elector Parroquial. Los seis Compromisarios de Perucho se juntaran a los cinco de San Antonio y nombraran aquí un elector Parroquial.

Partido de Cuenca y su Comarca
Cavezera Cuenca

	Compromisarios	Electores Parroquiales
Cuenca	31	20
Sigcai	31	5
Déleg	31	3
Baños	31	4
Navón	31	3
Paute	31	4
Tadan	11	1
Xirón	31	3
Pagcha	21	2
San Juan del Valle	31	3
Gualaseo	31	7
Azogues	31	6
Biblián	31	4

(continuación Partido de Cuenca y su Comarca)

	Compromisarios	Electores Parroquiales
Oña	21	2
Cumbe	21	2
San Bartolomé	31	6
Sigsig	21	2
Tallai	21	2
Cañaribamba	11	1
Cañar	31	7
Chuquipata	31	4
Guachapala	21	2
Pucará	11	1

Como en el Cenzo de este Partido, no hace distinción de las Parroquias que comprende la Ciudad, no ha podido tampoco hacerse la de Compromisarios, y electores que corresponden a cada una; pero al tiempo de la execución, podrán dividirse proporcionalmente los que se han señalado a la totalidad, considerando que de cinco mil vecinos se han rebajado a quatro por los Criados, e demás que o no son Ciudadanos o tienen en suspenso sus derechos.

Riobamba y Macas
Cavezera Riobamba

	Compromisarios	Electores Parroquiales
Riobamba	31	3
Cubixies	11	1
Guano	31	5
San Andrés	31	3
Sicán	11	1
Calpi	21	2
Caxabamba	31	3
Sicalpa	31	3
Columbe	11	1

(continuación Riobamba y Macas)

	Compromisarios	Electores Parroquiales
Guamote y Cebadas	31	3
Yaruquis	21	2
Punín	31	3
Licto	31	4
Pungalá	11	1
Chambo	11	1
Químiag	11	1
Penipe	11	1
San Luis	5	
Guaranda	5	1
Ylapo	3	
Macas	2	
Suña	1	1

Los tres Compromisarios de Macas y Suña, saldrán a Guamote, y elegirán en este Pueblo un elector Parroquial más, respecto de que unidos los Vecindarios de aquellos dos Pueblos con el Sobrante de este, dan lugar a ello.

Guaranda elegirá cinco compromisarios, Ylapo tres, y cinco San Luis, donde reuniéndose los trece de estos tres Pueblos, nombraran un elector Parroquial.

Partido de Alausí
Cavezera Alausí

	Compromisarios	Electores de Parroquia
Alausí	11	1
Guasuntos	21	2
Sibambe	6	
Chunci	21	3
Tigsán	21	2

Sibambe elegirá seis Compromisarios que unidos en Chunchi a los veinte y uno de este Pueblo, elegirán en el tres electores Parroquiales.

Partido de Ambato
Cavezera Ambato

	Compromisarios	Electores Parroquiales
Ambato	31	8
Quisapincha	31	4
Pelileo	31	5
Santa Rosa	31	4
Tisaleo	31	3
Yzamba	11	1
Patate	12	1
Pillaro	31	7
Baños	5	
Quero	1	

El Compromisario de Quero, se juntará a los de Pelileo, y elegirá el elector Parroquial. Los cinco de Baños se juntarán a los doce de Patate, y elegirán en este Pueblo dos electores Parroquiales.

Partido de Guaranda
Cavezera Guaranda

	Compromisarios	Electores Parroquiales
Guaranda	31	3
Guanujo	21	2
San Lorenzo	11	1
San José	11	1
San Miguel	11	1
Asancoto	6	
Chapacoto	2	
San Antonio	2	
Chillanes	3	
Pallatanga	1	
Simiátug	11	1

Los Compromisarios de Asancoto, San Antonio, Chillanes y Pallatanga, se juntaran en Asancoto, y nombrarán allí un elector Parroquial.

Partido de Latacunga
Cavezera Latacunga

	Compromisarios	Electores Parroquiales
Latacunga	31	3
San Sebastián	31	3
Pujulí	31	10
Saquisilí	31	8
Toacaso	11	1
Sigchos	11	1
Angamarca	11	1
San Miguel	31	5
Ysinliví	21	2
Tanicuchí	21	2
Alaques	11	1
Casubamba	21	2
Mulaló	11	1
San Felipe	21	2
Chugchilán	11	1

Partido de Loxa
Cavezera Loxa

	Compromisarios	Electores Parroquiales
Loxa	31	5
San Sebastián	5	
San Juan del Valle	16	2
Zaruma	21	2
Yulu	11	1
Saraguro	11	1

(continuación Partido de Latacunga)

Santiago	3	
Chuquiribamba	8	1
Catacocha	21	2
Guachanamá	4	
Balladolid	4	1
Chito	3	
Celica	21	2
Sozoranga	11	1
Cariamanga	11	1
Gonzanamá	11	1
Malacatos	11	1
Pagcha	11	1
Amalusa	11	1

Los cinco Compromisarios de San Sebastián deben reunirse a los diez y seis de San Juan del Valle, y elegir en este Pueblo dos Electores Parroquiales.

Los tres electores de Santiago deben reunirse a los ocho de Chuquiribamba y nombrar aquí un Elector Parroquial.

Los quarto de Guachanamá, los quarto de Balladolid, y los tres de Chito deben reunirse en uno de los tres Pueblos que sea el más cómodo, y nombrar un Elector Parroquial.

Partido de Jaén de Bracamoros
Cavezera San Felipe

	Compromisarios	Electores Parroquiales
Jaén	11	1
Tomependa	11	1
Colasai	21	2
San Felipe	5	
Pimpincos	6	1

Los seis Compromisarios de Pimpincos, se reunirán a los cinco de San Felipe, y nombraran aquí un Elector Parroquial.

Nota 1a.

Que el Plan de Elecciones de los Partidos del Norte, se haya ya entregado en la Secretaría de Gobierno, faltando solamente el de Ybarra por no haber venido su Cenzo.

Nota 2a.

Que faltando los Cenzos de los Colorados, Naneval, Gualea, Papallacta, y Mino, no se han computado por esto los Compromisarios, y electores que les corresponden.

Nota 3a.

Que para determinar el número de Diputados de Cortez, a falta del Cenzo de Ybarra, se le han computado quince mil habitantes, y se desea el cenzo para designar a cada Parroquia los Compromisarios y Electores.

Plan de elecciones de Diputados de Cortes y de Provincia por lo respectivo a los Partidos del Norte

Otavalo

Cavezera Otavalo

	Compromisarios	Electores Parroquiales
El Jordan	31	15
San Luis	31	3
Cotocache	31	7
Cayambe	21	2
Atuntaqui	21	2
San Pablo	31	3
Cangagua	11	1
Tabacundo	7	
Tocache	4	1
Urenqui	12	
Tumbabiro	4	2
Yntang	1	

Unidos Urenqui, Tumbabiro, e Yntag dan diez y ocho Compromisarios, los que juntandose a Urenqui, elegirán dos electores Parroquiales.

Unidos los quatro Compromisarios de Tocache a los siete de Tabacundo, elegirán en este Pueblo un elector Parroquial. Reunidos en Otavalo los treinta y seis electores Parroquiales que corresponden a este Distrito, nombraran un elector de Partido, que vendrá a esta Capital con los documentos que acrediten su nombramiento conforme a la Constitución.

Pastos
Cavezera Guachucal

	Compromisarios	Electores Parroquiales
Tuqueres	31	4
Sapuies	11	1
Guaitarilla	15	1
Ancuya	11	1
Yasqual	11	1
Mallama	11	1
Cumbal	31	3
Mayasquer	1	0
Carlosama	12	1
Ypiales	31	3
Pupiales	21	2
Atales	4	0

El un Compromisario de Mayasquer, se reunirá a los del Pueblo más inmediato para votar en la elección del elector Parroquial.

Otro tanto deben hacer los quatro de Atales.

Pasto
Cavezera Pasto

	Compromisarios	Electores Parroquiales
La Ciudad	31	4
Cuisaco	21	2
Tambo Pintado	5	
Yaquanquer	11	1
Funes	6	
Tongorito	7	
Santo Domingo	4	
San Francisco	5	
San Agustín	6	
Merced	3	
Matitui	8	

Los cinco Compromisarios de Tambo Pintado, se unirán en Funes con los seis de esta Parroquia y elegirán un Elector Parroquial.

Los quatro compromisarios de Santo Domingo se unirán en Tongorito con los siete de esta Parroquia y elegirán un elector Parroquial.

Los cinco de San Francisco se reunirán en San Agustín con los seis de esta Parroquia elegirán un elector Parroquial.

Los tres compromisarios de la Merced, se reunirán en Matitui, con los ocho de esta Parroquia elegirán un elector Parroquial.

Barbacoas y la Costa
Cavezera Barbacoas

	Compromisarios	Electores Parroquiales
La Ciudad	11	
San Pablo	4	
Cuaiquer	6	2
Tumaco	1	

Los compromisarios de La Ciudad, nombraran un elector Parroquial. Y los otros once de Cuaiquer, San Pablo y Tumaco elegirán otro elector reuniéndose en qualquier de los tres Pueblos que ofrezca más comodidad.

	Compromisarios	Electores Parroquiales
Esmeraldas y Atacames	4	
Caipas	6	1
La Tola	3	

Estas tres Parroquias (supuesto que se abandonado por sus habitantes la de Carondelet) nombraran trece compromisarios, que reuniéndose en Atacames, elegirán un elector Parroquial.

	Compromisarios	Electores Parroquiales
Ysquande	6	1
Micai	5	

Estos once Compromisarios reuniéndose en la Ciudad de Santa Bárbara de Ysquande nombrarán un elector Parroquial.

Los referidos Pueblos de las Costa formarán un Partido, siendo Barbacoas el punto que reuniéndose sus cuatro electores Parroquiales … nombrarse al elector de Partido que vendrá a esta Capital con los Documentos que acrediten su nombramiento conforme a la Constitución.

NOTA

Que por no haber venido el Cenzo de Ybarra, no se puede determinar el numero de Compromisarios, y electores que corresponden a cada Parroquia; y no pudiendo ser que las elecciones se dilaten por esta causa, es preciso se requiera al Corregidor que … sin la menor dilación embíe el Cenzo. Quito, 6 de enero de 1814.

Plan para las Elecciones Constitucionales de electores de Parroquia y de Partido, de Ybarra, ajustado al Cenzo remitido en 21 de Febrero de 814, a esta Superioridad

	Compromisarios	
Tulcán	21	2
Fusa	11	
Guaca	4	1
Puntal y el Angel	21	2
Mira	12	
Lachas	1	1
Salinas	11	
Caguasquí	5	1
San Antonio	30	3
Caranqui	11	1
Pimampiro	11	1
La Villa	31	4
Yntac	1	

Los quarto Compromisarrios de Guaca, se juntaran en Fuca con los once de esta Parroquia y elegirán un elector Parroquial.

Los diez de Salinas, se reunirán en este Pueblo con los cinco de Caguasquí, y nombrarán un elector Parroquial, el un Compromisario de Yntac, se juntará en San Antonio con los treinta de este Pueblo, y elegirán tres electores parroquiales...

El un elector de Lachas, se juntara a los doce de Mira, y elegirán todos trece en este Pueblo un elector Parroquial.

La Junta Parroquial de Yntac, no puede ser presidida por ningún Regidor, pues ese Pueblo no tiene, ni admite Cabildo, no haviendo provabilidad de que vaya ninguno de otra parte por razón de la distancia y fragocidad del tráncito. En cuyo conflicto el Partido mas aceptable, es que se comicione al sujeto de más razón, y más inmediato al Pueblo, o en un defecto al que hace de Teniente Pedanco, para que proceda conforme al Art. 46 de la Constitución con asistencia del Cura que puede ilustrarle.

Lo mismo debe hacerse con Lachas, y si en este Pueblo, y en de Yntac, se dificultase la elección Parroquial por sus circunstancias particulares, de estar la

Población diseminada a grandes distancias de lo selvático de sus habitantes &, dará cuenta el Alcalde primer nombrado de Ybarra, para que visto que la convocatoria, que siempre debe practicarse, no concurrieren los Ciudadanos, se dicte la ... videncia más adequada al cumplimiento de las Soberanas Ordenes que encargan extrechamente el Pronto embío de los Diputados de Cortes, entendiéndose que los Curas de los dos citados Pueblos, deben sentar la diligencia de haber hecho la convocatoria, y en su caso, de no haber comparecido los Vecinos de la elección y remitirla al mismo primer Alcalde para que la dirija a este Govierno.

Estos diez y seis electores Parroquiales se juntarán en la Villa, y nombrarán un elector de Partido.

Archivo Nacional de Historia, Quito, Gobierno, Caja 63, 26-viii-1813, ff. 19-22, 31.

V
MÉXICO

14. LA CRISIS DE MÉXICO EN EL SIGLO XIX*

Nueva España, México colonial, era un vasto territorio caracterizado por un gobierno estable e idóneo, una economía rica y bien distribuida y una sociedad multirracial que disfrutaba de considerable movilidad social. Empero, a mediados del siglo XIX, la República Mexicana no sólo había perdido más de la mitad de su territorio, sino que sufría también de extrema inestabilidad política, de severa depresión económica y de conflictos tanto raciales como sociales.

Este trabajo examinará la decadencia de México teniendo como punto de partida el bienestar colonial, para terminar con el desastre republicano. Puesto que muchos historiadores erradamente consideran aún la época colonial como un periodo atrasado, feudal y explotador, comenzaré mi presentación comparando la Nueva España de 1800 con el México de alrededor de 1850.

El virreinato de Nueva España representaba la estructura política más imponente del hemisferio occidental a finales del siglo XVIII. Su territorio incluía el México actual, América Central, las Filipinas, Cuba, Puerto Rico, Florida, las regiones costeras de Alabama y Mississippi, todas las tierras al oeste de este río, así como también pretensiones en Canadá occidental y Alaska. El corazón del virreinato, sin embargo, lo constituía una región aproximadamente del tamaño del México actual. Esta área, que será el tema de este trabajo, era la parte más poblada y rica del virreinato.

Las instituciones de Nueva España satisfacían las necesidades locales en forma adecuada. En efecto, una de las características más notables del

* Este trabajo apareció en *Estudios de Historia Moderna y Contemporánea de México*, v. 10 (1986), pp. 85-107. A Linda Alexander Rodríguez agradezco sus valiosas sugerencias para mejorar este trabajo. Asimismo, agradezco a Geneva López la traducción de este ensayo.

gobierno colonial era su legitimidad, derivada de la confianza que generaba en todas las clases y razas. Los novohispanos de la época colonial se valían generalmente de los procedimientos legales y administrativos para obtener beneficios del gobierno. Aun los indios confiaban lo suficiente en el sistema legal como para buscar justicia en el Juzgado de Indios, donde frecuentemente ganaban sus casos ya que los tribunales generalmente reconocían la validez de las costumbres y las leyes nativas. De esta manera, había un acuerdo general en Nueva España que hacía que el gobierno real, en el nivel local como en el imperial, sirviera al interés público. Este consenso no significaba que todas las disputas eran resueltas en forma pacífica, ya que la violencia irrumpía ocasionalmente. Pero tales erupciones eran poco frecuentes y buscaban sólo remediar ciertas injusticias específicas que en ningún caso pretendían desafiar el orden político, social y económico de la colonia. Este éxito se debía, en gran medida, al hecho de que el gobierno de Nueva España era aconsejado por su elite local, lo que hacía que los mexicanos de la colonia solucionaran generalmente los problemas de su país en forma moderada, racional y práctica.

La gran riqueza de la colonia contribuyó a la estabilidad gubernamental y al dinamismo de la sociedad mexicana. Nueva España proveía dos tercios de los ingresos del imperio español. En 1799 éstos alcanzaban 20 millones de pesos, de los cuales 10 millones se gastaban en la administración y la defensa local, cuatro millones subvencionaban otras áreas del virreinato en América Central y del Norte, el Caribe y las Filipinas, y seis millones se remitían a la Real Hacienda en Madrid. Los ingresos aumentaron en la década siguiente promediando 24 millones de pesos al año. En 1806, cuando demanda insólitas fueron impuestas a las colonias de España, México procuró 39 millones de pesos, enviando 19 millones a España para ayudar a financiar las guerras en Europa.[1]

La economía de Nueva España era fuerte, se encontraba bien distribuida, y en su mayor parte funcionaba en forma independiente de la madre patria. Aunque los metales preciosos representaban 84% de todas las exportaciones la colonia no llegó a ser una simple monoproductora, como algunos

1. Esta discusión está basada en mi trabajo con Colin M. MacLachlan, *The Forging of the Cosmic Race: A Reinterpretation of Colonial Mexico* (Berkeley, University of California Press, 1980). [Existe la edición en castellano: *Hacia el ser histórico de México: Una reinterpretación de la Nueva España* (México, Editorial Diana, 2001).]

defensores de la teoría de la dependencia han sugerido. A pesar de su carácter predominante y dinámico, la minería sólo constituía un segmento menor de la economía colonial En 1800 la minería contribuyó con 27.95 millones de pesos, o 13% de la producción anual de México, mientras que la industria manufacturera computó 55 millones, o 25%; la agricultura 138.63 millones, o 62%. El extenso y variado mercado interno de México consumía 86% de toda la producción nacional como lo demuestra la tabla 1.

Tabla 1. Tasas del producto nacional bruto de Nueva España hacia 1800

Consumo doméstico			Exportaciones		Total	
Sector	Cantidad	%	Cantidad	%	Cantidad	62.0%
Agricultura	133 782 625	70.5	4 844 685	15.1	138 627 310	25.0
Industria	54 744 047	29.0	257 264	0.8	55 001 311	13.0
Minería	924 259	0.5	27 026 741	84.1	27 951 000	13.0
Total	189 450 931	100.0	32 128 690	100.0	221 579 621	100.0
% de la economía	86%		14%		100%	

Fuente: Cálculos a partir de las cifras de José María Quirós, *Memoria de Estatuto,* Veracruz, 1817. Los errores en las cifras publicadas originalmente por Quirós han sido corregidas por Doris M. Ladd, en *The Mexican nobility at Independence,* Austin, 1976, p. 26.

Las minas de plata servían como motores del crecimiento económico, fomentando la expansión de la agricultura, el comercio y la industria. México fue el abastecedor de plata más importante del mundo a través de todo el periodo colonial. Durante los años 1780 a 1810, Nueva España produjo un promedio de veinticuatro millones de pesos de plata al año.[2]

Aunque no hay cifras precisas disponibles, se puede calcular la producción de la plata a través de la acuñación, la cual representaba más de 95% de la explotación de este metal en México.

2. Henry G. Ward, *Mexico in 1827,* 2a. ed., 2 v. (Londres, Henry Colburn, 1829), v. 1, p. 383.

Tabla 2. Acuñación de la plata en México: 1776-1825

Año		Millones de pesos	Año		Millones de pesos
1796	a	24.4	1811	c, e	10.1
1797	a	24.1	1812	c, e	7.7
1798	a	23.0	1813	c, e	9.8
1799	a	21.1	1814	d, e	10.1
1800	a	17.9	1815	d, e	8.3
1801	a	16.0	1816	c, e	9.6
1802	a	18.0	1817	c, e	9.1
1803	a	22.5	1818	d, e	12.6
1804	a	26.1	1819	c	12.8
1805	a	25.8	1820	c	10.8
1806	a	23.4	1821	d, e	7.6
1807	a	20.7	1822	d	10.4
1808	a	20.5	1823	d	10.8
1809	a	24.7	1824	d	9.0
1810	b	18.0	1825	d	8.3

a Casa de moneda de México.
b Casas de moneda de México y Zacatecas.
c Casas de moneda de México, Zacatecas y Durango.
d Casas de moneda de México, Zacatecas, Durango y Guadalajara.
e Durante los años de la guerra, las casas de moneda de Guadalajara y Durango no hicieron sus informes anuales. Enviaban, en cambio, cuentas periódicas que fluctuaban entre seis y 45 meses al gobierno. Puesto que es imposible desagregar esos números, calculé promedios anuales, los que multiplicados por 12, dan como resultado las cifras anuales. Aunque esta aproximación presenta un margen de error, las cifras en la tabla son estimaciones válidas de acuñación de la plata durante ese periodo.

Fuente: Calculado a partir de los informes anuales de las casas de moneda de la ciudad de México, Guadalajara, Durango y Zacatecas, que son reproducidas por Henry G. Ward, *Mexico in 1827*, 2a. ed., 2 v., Londres, 1829, v. I, p. 386-391.

La minería requería inversiones en gran escala. El costo de la mano de obra, maquinaria y abastecimientos necesarios para las operaciones más grandes era enorme. En la década de 1780, por ejemplo, Antonio de Obregón pidió un préstamo a comerciantes locales para volver a trabajar los viejos depósitos mineros del siglo XVI en Guanajuato. Después de gastar más de dos millones de pesos para excavar algunos de los pozos mineros más hondos en el mundo, sus minas produjeron plata valorada en 30.9 millones de pesos desde 1788 hasta 1809. Sólo en el año 1791 sus minas produjeron tanta plata como la que producía todo el virreinato del Perú.[3] Cuando se considera la magnitud de sumas invertidas en esta empresa, debemos recordar que en 1800 el ingreso per cápita de Inglaterra, la nación más desarrollada del mundo, equivalía a 196 pesos al año.[4] El impresionante logro de Obregón dependía enteramente de recursos locales. Al estudiar éste y otros empresarios mexicanos del siglo XVIII, uno queda sorprendido por el alto nivel de formación de capital, la innovación tecnológica, el espíritu empresarial y las habilidades administrativas que poseían los mexicanos.

Una breve comparación con Estados Unidos destaca la naturaleza de la economía de México en 1800. El ingreso per cápita de Nueva España era aproximadamente de 116 pesos al año, comparado con 165 pesos aquel país.[5]

3. David Brading ha escrito extensivamente sobre la minería. Véase *Miners and merchants in Bourbon Mexico, 1780-1810* (Cambridge, Cambridge University Press, 1971); "La minería de la plata en el siglo XVIII: el caso de Bolaños", *Historia Mexicana,* 18, 1969, pp. 317-333, y "Mexican silver in the 18th century: the revival of Zacatecas", *Hispanic American Historical Review,* v. 53, n. 3, agosto 1973, pp. 389-414. Véase también Roberto Moreno, "Las instituciones de la industria minera novohispana" en Miguel León Portilla *et al.*, *La minería en México* (México, UNAM, 1978), pp. 69-164.

4. John H. Coatsworth, "Obstacles to economic growth in nineteenth-century Mexico", *American Historical Review,* v. 83, n. 1, febrero 1978, p. 82.

5. Ha habido varios intentos para calcular ambos, el producto nacional bruto (PNB) y el ingreso per cápita de México hacia 1800 a partir de la información recogida por José María Quirós, *Memoria de estatuto,* Veracruz, 1817. Véase, por ejemplo, Fernando Rosenzweig Hernández, "La economía novohispana al comenzar el siglo XIX", *Ciencias Políticas y Sociales,* v. 9, n. 33, julio-septiembre 1963, pp. 455-494; Doris M. Ladd, *The Mexican nobility at Independence* (Austin, Institute of Latin American Studies, 1976), p. 26. Henry G. Aubrey, "The national income of Mexico", *IASI Estadística (junio, 1950),* basó sus conclusiones en el trabajo de Alejandro von Humboldt, *Essai politique sur le royaume de la Nouvelle-Espagne,* 5 v. (París, G. F. Scholl, 1811). Clark W. Reynolds comparó las cifras de Aubrey y Rosenzweig en "The per capita income of New Spain before Independence and after the Revolution", que corresponde al apéndice A de su libro *The Mexican economy* (New Haven, Yale University Press, 1970). John H. Coatsworth ha reexaminado recientemente el ingreso per cápita de Nueva España en su trabajo "Obstacles to economic growth". Desafortunadamente, Coatsworth no anota sus fuentes de información para México en forma clara ni explica su metodología. Al margen de los errores de computación menores que se encontraron en las cifras originalmente publicadas por Humboldt y Quirós, el mayor problema en el cálculo del PNB, en 1800, consiste en establecer el número exacto de la población de Nueva España. La mayoría de los investigadores acepta generalmente la cifra de seis millones de personas como la cantidad de habitantes de México hacia 1819. Pero hay dos problemas con esta cifra: si se acepta esta cantidad, el crecimiento posterior de la población en las cuatro décadas siguientes sería tan bajo que pasaría a ser una cantidad casi inexistente. Tal fenómeno no se atiene a los hechos. Por otro lado, el censo

El valor de las exportaciones de México y de Estados Unidos era el mismo: alrededor de 20 millones de pesos. Ambos países eran predominantemente agricultores pero México poseía un sector industrial mucho más grande basado principalmente en la minería y la industria textil.

Otros aspectos de la vida en regiones vecinas proveen un contraste interesante. En 1800, Estados Unidos poseía una población de seis millones de personas, mientras que los habitantes de México llegaban a los cuatro millones. Estados Unidos era esencialmente rural, mientras que México, aunque también rural, poseía varias de las ciudades más grandes del continente. Los principales centros urbanos de Estados Unidos eran Nueva York con 60 mil habitantes; Filadelfia con 41 mil habitantes y Boston con 25 mil, que no se comparaban con las principales ciudades de la Nueva España: ciudad de México con 150 mil habitantes, Guanajuato con 60 mil, Querétaro con 50 mil, Puebla con 40 mil y Zacatecas con 30 mil. El México colonial también se diferenciaba de Estados Unidos en su composición racial y en el alto grado de movilidad social que disfrutaban sus habitantes. La mayor parte de la población de Estados Unidos estaba constituida por europeos, seguidos por negros e indios, los que formaban minorías significativas. Los blancos, sin embargo, dominaban la estructura política y económica del país, limitando la movilidad social sólo a los miembros de su raza. En cambio, el censo de México de 1793 indicaba que había aproximadamente 8 mil europeos, es

---

de 1793 presenta una cifra mucho más baja. Este censo, el único cálculo serio obtenido durante el periodo en estudio, ha sido siempre motivo de críticas. Contemporáneos como José de Alzate, Alejandro von Humboldt, Fernando Navarro y Noriega, Juan López Cancelada y Tadeo Ortiz de Ayala sometieron estas cantidades a críticas y aumentaron el número en forma sustancial. Recientemente, los autores que han revisado el censo han dado sus propias tasaciones; véanse, por ejemplo, a Victoria Lerner, "La población de la Nueva España ", *Historia Mexicana,* v. 28, n. 3, enero-marzo 1968, pp. 327-346; Romeo Flores Caballero, *La contrarrevolución en la independencia, México* (México, El Colegio de México, 1969), pp. 15-24, y Gonzalo Aguirre Beltrán, *La población negra de México,* 2a. ed. (México, Fondo de Cultura Económica, 1972), p. 230 y las páginas siguientes. Yo creo que el análisis de Aguirre Beltrán es el más exhaustivo y el más exacto. Su conclusión es que la población de Nueva España, excluyendo la de Cuba, América Central y las Filipinas, era aproximadamente de 3 799 561 habitantes. Por lo tanto, yo aplico la cifra de 4 000 000 como la población de Nueva España en 1800. Aunque esto aumenta, en efecto, el ingreso per cápita estimado, estoy convencido de que esta cantidad representa un cálculo acertado. Para comparar los ingresos per cápita de los ingleses, los mexicanos y el de los estadounidenses he dependido de las cifras provistas por Coatsworth, quien tiene la mejor información sobre los otros países y los periodos posteriores de la historia mexicana, y que no están en desacuerdo con las mías. Me he basado en él en el uso de la cantidad de 1 950 dólares como base de comparación para los cálculos del ingreso per cápita. Sin embargo, mantuve las cantidades originales del PNB en 1800 para permitir así una comparación directa con los cálculos hechos por Quirós y sus contemporáneos.

decir, personas nacidas en el Viejo Mundo; alrededor de 700 mil criollos, un grupo considerado blanco, pero que en realidad incluía una mayoría de personas de ancestros mezclados que reclamaban el estado de blancos en virtud de su educación y riqueza; cerca de 420 mil mestizos –individuos originados por la mezcla entre el indio y el español–, pero que también incluían indígenas que habían adoptado la cultura europea y que pasaban por mestizos; 360 mil mulatos; 6 mil negros y 2 300 000 indios.[6] El número de indígenas incluye más de un millón que habían adoptado la cultura y los cuales podían, en esencia, ser considerados mestizos. Desafortunadamente para el historiador, el censo no enumeraba los asiáticos, lo que hace imposible saber su número exacto. Tal vez cien mil asiáticos emigraron a México durante el periodo colonial. En 1800 tanto ellos como los numerosos africanos traídos a la colonia pasaron a ser parte de la población racialmente mezclada. De esta manera México, a diferencia de su vecino del norte, tenía una sociedad multirracial integrada a través del mestizaje.

Factores económicos más que raciales constituían las principales determinantes del *status* social de México. Mientras que los mexicanos de la colonia consideraban el hecho de ser blancos una característica positiva, los archivos de Nueva España proveen numerosos ejemplos de gente de color que ascendía en la escala social adquiriendo el *status* de elite a través del dinero y asumiendo el papel de blancos. Más aún, en el siglo XVIII eran tantos los que postulaban al *status* de blanco que, en recompensa por una suma de dinero, su majestad concedió a sus súbditos americanos un certificado de blancura (la *Cédula de Gracias al Sacar*). Pero en Nueva España era mejor ser rico que blanco; los mestizos y mulatos ricos a menudo empleaban inmigrantes blancos pobres venidos de España como sirvientes.[7]

El siglo XVIII en México puede describirse como una sociedad rica y capitalista, cuya economía se caracterizaba por la propiedad privada de los medios de producción, por empresarios interesados en las utilidades, una fuerza de trabajo libre y asalariada y por el intercambio de capital, mano de obra, bienes y servicios en un mercado libre. Aunque existían algunas limitaciones en la movilidad de esos factores económicos, mis investigaciones

6. Aguirre Beltrán, *La población negra de México*, p. 230.
7. MacLachlan y Rodríguez O., *The Forging of the Cosmic Race*, pp. 196-228.

recientes indican que estas restricciones no constituían mayores obstáculos que aquéllos existentes en el siglo XVIII en Inglaterra o en Estados Unidos.

El contraste entre la Nueva España y el México republicano fue enorme. Las guerras de la Independencia y el caos que siguió arruinaron la economía de la nación y destruyeron la legitimidad de sus instituciones. Entre 1821 y 1850 sólo un presidente, Guadalupe Victoria (1824-1828), completó su periodo de gobierno. Su éxito se atribuye más que nada a dos grandes préstamos extranjeros negociados en 1824 y 1825, los que dieron respaldo financiero a su administración. Durante los siguientes veinte años la república se rigió bajo tres constituciones, veinte gobiernos y más de cien gabinetes. Como las administraciones siguientes dieron prueba de su incapacidad para mantener el orden y proteger las vidas y la propiedad, el país se sumió en la anarquía. El miedo y la incertidumbre se hicieron frecuentes. Exsoldados se volvieron bandidos plagando los caminos, obstruyendo el comercio y atemorizando a los pueblos pequeños. Éstas y otras manifestaciones de disolución social contribuyeron a la inestabilidad de México. La situación empeoró cuando el conflicto político degeneró en una guerra civil en 1834. Grandes secciones del país fueron destrozadas cuando federalistas y centralistas, liberales y conservadores lucharon por el control político. Durante 1835 a 1845, los secesionistas establecieron las repúblicas de Yucatán, Texas y Río Grande, pero sólo Texas logró consolidar su independencia. Las otras regiones mantuvieron su autonomía por la fuerza de las armas, aunque no la independencia del gobierno nacional.[8]

La inestabilidad política del país hizo de México presa fácil para la agresión extranjera. La república enfrentó las invasiones de España, en 1829; Francia, en 1838; Estados Unidos, en 1847, e Inglaterra, España y Francia, en 1861. La desintegración de la nación impulsó a partidarios extranjeros que defendían la superioridad racial –entre ellos Carlos Marx– a pensar que

8. La historia política del periodo posterior a la independencia de México sigue siendo confusa. Entre los mejores estudios están: William S. Robertson, *Iturbide of Mexico,* Durham, 1952; Flores Caballero, *La contrarrevolución en la independencia*; Jaime E. Rodríguez O., *The Emergence of Spanish America: Vicente Rocafuerte and Spanish Americanism, 1808-1832* (Berkeley, University of Califonia Press, 1975); Michael P. Costeloe, *La Primera República Federal de México, 1824-1835* (México, Fondo de Cultura Económica, 1975); Charles Macune, *El Estado de México y la federación mexicana* (México, Fondo de Cultura Económica, 1978); Fernando Díaz Díaz, *Caudillos y caciques* (México, El Colegio de México, 1972); Moisés González Navarro, *Anatomía del poder en México* (México, El Colegio de México, 1977).

"los enérgicos *yankees*" podrían abatir y reemplazar a los "flojos" y "degenerados" mexicanos quienes eran incapaces de progresar.[9] Alrededor de 1850, muchos mexicanos temían que su nación dejara de existir; el país había perdido más de la mitad de su territorio y la regeneración nacional parecía imposible de obtenerse.

Durante estos años las rentas públicas disminuyeron de 39 millones de pesos en 1806, una de las cifras más altas, a 5.4 millones en 1823. En las últimas dos décadas del periodo colonial las entradas del gobierno habían tenido un promedio anual de 24 millones de pesos comparadas a los 12.2 millones de la primera década de la república. El promedio de las rentas públicas aumentaron entre 1834 y 1 844 a 23 millones de pesos al año, pero no fue sino hasta la década de 1880 cuando las recaudaciones sobrepasaron los últimos promedios coloniales.

Tabla 3. Rentas públicas del gobierno, 1823-1850

Año [1]	Ingreso [2]
1823	5 409 722
1824	8 452 828
1825 [a]	9 720 771
1826 [b]	13 848 257
1827	14 192 132
1828	11 640 737
1829	12 815 009
1830	12 200 020
1831	17 256 882

9. Carlos Marx y Friedrich Engels, *Collected works,* 16 v. (Nueva York, International Publishers, 1976), v. VIII, pp. 365-366. Marx también reconoció que los mexicanos de los territorios conquistados podrían perder su "independencia" y sufrir discriminación, pero, en su opinión, esto no tenía mayor importancia en comparación con el progreso que podrían traer los norteamericanos. De manera similar, Friedrich Engels declaró: "En América hemos sido testigos de la conquista de México y la hemos regocijado [...]. Es por el interés de su propio desarrollo que México debería ser puesto bajo el tutelaje de los Estados Unidos". Marx y Engels, *Collected works,* 16 v. (Nueva York, 1976), VI, p. 527. Aunque ambos justificaron sus posiciones basándose en el hecho de que Estados Unidos traerían el capitalismo a un México feudal, es claro que sus creencias racistas influyeron en sus análisis. En sus trabajos los mexicanos son descritos como "flojos", "decadentes" y "degenerados", mientras que los norteamericanos son llamados "enérgicos", "dinámicos" y "progresivos".

(continuación tabla 3)

Año [1]	Ingreso [2]
1832	16 375 960
1834	19 798 464
1836	26 478 509
1837	18 477 979
1838	15 037 038
1839	27 518 577
1840	19 858 472
1841	21 273 477
1842	26 683 696
1843	29 323 423
1844	25 905 348
1849 [c]	23 460 820
1850	16 765 762

1 El año va de julio a junio, a menos que sea señalado. Por ejemplo, 1827 incluye ingresos para el periodo de julio de 1826 a junio de 1827.
2 Ingreso neto en pesos.
a Enero-agosto de 1825.
b Septiembre de 1825-junio de 1826. *c* Enero de 1848-junio de 1849.

Fuente: Estas cifras fueron calculadas a partir de la información provista en los informes del Ministerio de Hacienda del periodo 1823-1850. Memoria, México, Secretaría de Hacienda, 1823-1850.

La disminución en los ingresos del gobierno reflejaba la depresión económica del periodo posterior a la independencia de México. La minería provee un ejemplo gráfico de esta crisis. La producción minera bajó de un promedio anual de 25 millones de pesos a finales del periodo colonial a la cifra más baja de 6.5 millones de 1819, con un promedio de 11 millones al año en las cuatro décadas siguientes. Esta dramática caída se debió a la disminución de la producción, no a la baja en el precio de la plata. Entre 1801 y 1810, Nueva España extrajo 5.5 millones de kilogramos, mientras que en el periodo 1821-1830 la producción de la plata de México había bajado a 2.6 millones de kilogramos.[10]

10. Jenaro González Reyna, *Riqueza minera y yacimientos minerales de México* (México, Banco de México, 1947), p. 109.

Tabla 4. Producción de plata en México

Años	Promedio quinquenal en millones de pesos
1825-1829	9.2
1830-1834	11.3
1835-1839	11.5
1840-1844	12.4
1845-1849	15.6

Fuente: Calculado a partir de las cifras provistas por A. Soetbeer, *Edelmetallproduktion un werthverh ä lniss zwischen Gold und Silver,* Gotha, 1874, p. 55; Miguel Lerdo de Tejada, *Comercio exterior de México desde la Conquista hasta hoy,* 2a. ed., México, 1967.

La producción de plata no igualó los promedios de producción de finales de la Colonia sino hasta la década de 1880. Otros sectores experimentaron dislocamientos similares. Las exportaciones bajaron de 20 millones de pesos en 1800 a 5 millones en 1825, y promediaron 9.5 millones durante las tres décadas siguientes.[11]

Mientras México declinaba y se estancaba, Estados Unidos y Europa Occidental experimentaban un rápido aumento de la población y crecimiento económico. En 1800 Nueva España, al igual que Estados Unidos, poseía una economía dinámica en expansión, pero durante los cincuenta años siguientes México quedó dramáticamente atrás. Mientras que la República Mexicana alcanzó sólo 8 millones de habitantes, la de Estados Unidos se expandió a 23 millones. El ingreso per cápita de México descendió de 116 pesos a finales del periodo colonial a 56 pesos el año 1845, mientras que el ingreso per cápita de Estados Unidos se había más que duplicado. De esta manera los mexicanos que habían ganado 70% del ingreso per cápita de Estados Unidos en 1800, vieron reducido el suyo en 14% en 1845. Más significativo aún, la producción total de México que había igualado 51% del producto nacional bruto

11. Miguel Lerdo de Tejada, *El comercio exterior de México* (México, Banco Nacional de Comercio Exterior, 1967), tablas no numeradas. Inés Herrera Canales, *El comercio exterior de México, 1821-1875* (México, El Colegio de México, 1977), pp. 58-75.

de Estados Unidos en 1800, declinó a sólo 8% en 1845.[12] En contraste con la economía capitalista, de mercado y libre salario del siglo XVIII, el México de mediados del siglo XIX se caracterizó por poseer una economía dual: un sector con economía de mercado siguió existiendo, pero sólo comprendía algunas áreas como la ciudad de México y las pocas grandes ciudades provincianas que prevalecieron; la mayoría del país, sin embargo, se dedicaba a una economía, de autosubsistencia.[13] Irónicamente México poseía en 1850, el tipo de economía y sociedad que muchos creen hoy, erróneamente, era la característica del México colonial.

El asombroso contraste que existe entre la prosperidad y el orden colonial, con la pobreza y el desorden de la época de la república, no ofrece una explicación fácil. Esto es una paradoja que puede entenderse si se toma en cuenta que Nueva España desarrolló una infraestructura costosa y compleja, pero extremadamente frágil, en una tierra que es pobre y dura. México, un país con recursos naturales limitados, cuenta con obstáculos naturales considerables para el desarrollo y la integración nacional. Las variaciones climáticas que van de los extremos de calor sofocante en la costa al frío congelante de las montañas, constituyen una severa amenaza para la gente y los cultivos. La tercera parte del norte de la nación es un desierto, mientras que selvas lluviosas cubren grandes áreas del sur. El 50% de México padece de una perpetua escasez de agua y solamente 13% del país disfruta de suficientes lluvias como para mantener los cultivos sin tener que recurrir a sistemas de irrigación. Los suelos más ricos a menudo carecen de agua. La mayor parte del campo debe soportar sequías intermitentes seguidas de lluvias torrenciales que más bien destruyen, en vez de nutrir la tierra. Menos de 10% de la tierra de México es cultivable sin el uso extenso de mejoramientos hechos por el hombre. Pero aun con tales mejoras el suelo cultivable sólo llega a 15% del territorio de la

12. John H. Coatsworth, "Obstacles to economic growth in nineteenth-century Mexico", *American Historical Review*, v. 83, n. 1, febrero 1978, pp. 82 y s.

13. La disminución en el comercio se puede observar, por ejemplo, en las reducidas actividades de empresarios como los Sánchez Navarro. Charles H. H. Harris, *A Mexican family empire: the latifundio of the Sanchez-Navarro family, 1765-1867* (Austin, University of Texas Press, 1975); Fernando Díaz Díaz, *Caudillos y caciques* (México, El Colegio de México, 1972). Moisés González Navarro, *Anatomía del poder en México* (México, El Colegio de México, 1977), examina el papel de los patrones regionales, y Harry Cross analiza los niveles de vida del México rural del siglo XIX en Zacatecas, "Living. Standards in rural nineteenth century Mexico: Zacatecas, 1820- 1880", *Journal of Latin American Studies*, v. 10, n. 1, mayo 1978, pp. 1-19.

nación, un área igual a la tierra cultivable en el estado de Kansas, Estados Unidos.[14] Por lo tanto, México es pobre en el recurso más importante conocido por el hombre: la tierra agrícola.

La topografía es el mayor obstáculo para el uso de los limitados recursos naturales de la nación. Grandes cadenas de montañas dominan el paisaje. Profundos desfiladeros e inmensos cañones hieren México, aislando algunas de sus tierras más productivas en los altos valles montañosos. Puesto que el país no tiene ríos navegables las comunicaciones y el transporte están limitados a rutas terrestres, las cuales son caras comparadas con el transporte marítimo. En México, como en todas partes, era excesivamente caro trasladar productos baratos y voluminosos a través de largas distancias por vía terrestre. La escabrosa topografía del país, que aumentó la dificultad, el costo de la construcción y el mantenimiento de rutas terrestres incrementaron en general las limitaciones para los intercambios regionales. Puesto que muchos de los caminos pasaban a través de terrenos montañosos y estaban sujetos a destrucción debido a inundaciones, terremotos y erupciones volcánicas, la red de comunicaciones de la nación requería costos de mantenimiento extraordinariamente altos. Éste era, además de lo mencionado, un sistema frágil que una vez construido requería de una vigilancia constante.[15]

Las guerras de Independencia dañaron severamente la agricultura, el comercio, la industria y la minería, así como la compleja pero delicada infraestructura de la nación. Lamentablemente, las más serias batallas ocurrieron en el centro de México, la zona agrícola y minera más rica del país. Los rebeldes quemaban haciendas, mataban ganado, arruinaban el equipo minero y paralizaban el comercio. Las fuerzas realistas se desquitaban empleando tácticas contraterroristas, devastando regiones que habían capitulado o apoyado a los insurgentes. El gobierno virreinal perdió control de la mayor parte del país, que cayó en manos de bandas rebeldes o militares realistas que actuaban sin

14. Jorge L. Tamayo, *Geografía general de México,* 2a. ed. (México, Instituto Mexicano de Investigaciones Económicas, 1962). Véase también Claude Bataillon, *Las regiones geográficas en México* (México, Siglo xxi, 1960).

15. Sobre problemas de transporte terrestre véase a Salvador Ortiz Valadés, *La arriería en México* (México, Museo Nacional de Arqueología, Historia y Etnografía, 1929), y a Peter Rees, *Transporte y comercio entre México y Veracruz, 1519-1910* (México, sep, 1976). David R. Ringrose presenta un excelente análisis de problemas similares en España en su obra *Transportation and economic stagnation in Spain, 1750-1850* (Durham, Duke University Press, 1970).

considerar las leyes o las necesidades de la economía del país. Alrededor de 1821, al obtener México su independencia, la nación se encontraba en un estado de caos y la economía en ruinas.[16] Aunque es imposible calcular todo el impacto producido por las luchas de la Independencia, J. M. Quirós provee los mejores cómputos sobre las pérdidas causadas por las luchas entre 1810 y 1816. Él, como otros, mantiene que la agricultura sufrió gran daño, pero como lo demuestra, el golpe más severo a la economía de México lo constituyó la pérdida de capital; el dinero fue sacado del país o retirado de circulación.

Tabla 5. Cálculos de los daños causados por las guerras de la Independencia

Pérdidas en la agricultura	70 000 000
Pérdidas en la minería	20 000 000
Pérdidas en la industria	11 818 000
Pérdidas en el circulante (mayormente plata)	786 000 000

Fuente: Calculado a partir de las cifras dadas por José María Quirós, *Memoria de estatuto,* Veracruz, 1817.

¿Por qué México no se recuperó pronto después de la Independencia? ¿Por qué se sumió en cincuenta años de depresión económica y disturbios políticos? La respuesta es a la vez económica y sicológica. La economía estaba en ruinas, como resultado de las guerras de Independencia y, especialmente, como resultado del caos político de la época posindependentista. Pero, además, los mexicanos habían perdido la confianza en las instituciones de su país: o exportaban su capital o lo retiraban de circulación. Esto, unido al colapso del sistema de crédito de la nación condujo a una escasez masiva de inversiones, y, aun con préstamos e inversiones extranjeras, el país no pudo compensar la pérdida de capitales nacionales.

Observadores contemporáneos nos entregan recuentos gráficos de las condiciones del periodo posterior a la Independencia. En 1822, Joel Poinsett, el primer agente de Estados Unidos en México, notó la destrucción

16. Romeo Flores Caballero, *La contrarrevolución en la independencia*, pp. 66-82. Christon Archer sostiene, en "The Royalist Army in New Spain: civil-military relationships, 1810- 1821", trabajo leído en la reunión de la Southern Historical Association, en Atlanta, en 1979, que grupos armados controlaban la mayor parte del país durante las guerras de Independencia. En su opinión, el gobierno nacional había perdido todo el control en las provincias.

de muchas haciendas y la gran pérdida financiera que esto representaba para los agricultores. Poinsett describía San Felipe, Guanajuato, que había sido un próspero centro agrícola y minero, como:

> Otro melancólico ejemplo de los horrores de la guerra civil. Escasamente una casa estaba entera y excepto por alguna iglesia reconstruida recientemente, la ciudad parecía en ruinas. Nos detuvimos en la plaza principal y pasamos a través de arcos construidos de pórfido hacia el patio de un edificio que había sido magnífico; nada queda, excepto los pórticos y la planta baja.[17]

El viajero inglés G. E. Lyon describía la situación que existía en el camino entre las antes ricas ciudades mineras de San Luis Potosí y Zacatecas con las siguientes palabras:

> La prosperidad de este lugar [una hacienda] se atribuye a que el propietario tenía su gente armada para defender su propiedad durante la devastadora guerra revolucionaria; y su contraste con los ranchos que habíamos pasado en nuestra cabalgata del día era muy impresionante. Allí vimos las casas sin techo y en ruinas ennegrecidas por el fuego y cabalgamos sobre las tierras que todavía mostraban el leve trazo del arado pero los rancheros que habían cultivado esta tierra habían sido asesinados con sus familias durante la guerra.[18]

Todos los relatos de viajes que han sido publicados informan acerca de similares devastaciones. Quizá la gran región minera de plata de Guanajuato demuestra más verazmente las condiciones cambiantes del México posterior a la guerra. Durante los años 1801 a 1809 sus minas producían plata, la cual valía 47 millones de pesos, pero sólo rindieron 22 millones en la década siguiente.[19] En 1820 la inundación de La Valenciana, la mina de plata más grande del mundo, probó ser una catástrofe, como observó el ayuntamiento:

17. Joel R. Poinsett, *Notes on Mexico* (Filadelfia, H. C. Carey y Lea, 1824), pp. 178-179.
18. G. F. Lyon, *Journal of a residence and tour in the Republic of Mexico in 1826*, 2 v. (Londres, John Murray, 1828), v. I, pp. 192-193.
19. Lucas Alamán, *Historia de México*, 5 v. (México, Editorial JUS, 1942), v. II, pp. 65-66.

> Valenciana, la incomparable Valenciana ... la única mina que ha continuado manteniendo por un tiempo a casi toda nuestra población, aunque con gran dificultad, será parada del todo. Se cree que los remanentes de lo que acostumbraba a ser nuestra numerosa población dejarán ahora la ciudad para emigrar, y buscar sustento en alguna otra parte, porque aquí, cuando las minas y las refinerías no funcionan, no hay absolutamente nada que hacer. Las primeras cosechas que promete la bondad de este año no ayudarán a Guanajuato porque no habrá nadie para comprar, ni dinero con qué comprarlas.[20]

Aparentemente, la evaluación del cabildo probó ser muy exacta porque los viajeros posteriormente describían la ciudad como desolada, llena de gente pobre y sin empleo, que se refugiaba en la miseria de los restos de los edificios en ruinas.

Aun la gran metrópoli, la ciudad de México, parece haber perdido población. Muchos de los que permanecieron allí sufrieron desempleo o escasez de trabajo. Los visitantes dejaron vivos cuadros de estos pobres infelices, a quienes ellos llamaban *léperos,* debido a sus inmundos andrajos.[21] Todos los informes indican que la fuerza de trabajo se había reducido severamente. Cientos de mineros, trabajadores textiles, artesanos, arrieros, carreteros y otros trabajadores especializados perdieron sus empleos.

La destrucción de las minas de plata durante las guerras de la Independencia y el caos que le siguió fue, tal vez, el factor más importante de la depresión económica en México. Una rápida rehabilitación del sector minero habría ayudado inmensamente a la recuperación nacional, pero los problemas relacionados con la reapertura de las minas eran insuperables. Los combatientes destruyeron maquinaria cara que era difícil de reemplazar; el equipo que escapaba al vandalismo a menudo era descuidado, terminando así por enmohecer o deteriorarse. La lucha impidió la provisión de material requerido por los centros mineros. Sin esos materiales las minas no podían funcionar, pues consumían miles de metros de cuero que se usaban para hacer muchos objetos que hoy se fabrican con goma o plástico, como recipientes o

20. Citado en Doris M. Ladd, *The Mexican nobility at Independence* (Austin, Institute of Latin American Studies, 1976), p. 147.
21. Para una excelente descripción de los léperos véase Joel R. Poinsett, *Notes on Mexico,* y a Fanny Calderón de la Barca, *Life in Mexico* (Nueva York, Doubleday, 1966), pp. 91-92.

envases impermeables, correas y empaquetaduras. Las minas también usaban grandes cantidades de otros materiales como granos para alimentar a los trabajadores y a los animales de carga, cáñamo para cuerdas, bolsas y otros equipos; carros y mulas para el transporte y ropa. La suspensión de las operaciones mineras a menudo producía serios daños a las minas. Las minas más ricas de México extraían plata de los pozos mineros más hondos del mundo. Dejar sin atención estos profundos túneles traía como consecuencia la rápida inundación de ellos con aguas de capas subterráneas, o, como en el caso de Valenciana, con lluvias torrenciales. Eventualmente, las inundaciones debilitaban las vigas y otros apoyos, provocando el colapso en los túneles. Una vez que los hundimientos ocurrían era tremendamente caro reabrir las minas.[22]

Dos factores adicionales afectaban la recuperación de las minas: el aprovisionamiento del mercurio y las finanzas. Las minas de plata de México se respaldaban principalmente en el sistema de patio, o de amalgamación, proceso que separaba la plata de la ganga. Esta técnica requería grandes cantidades de azogue. A comienzos del siglo XIX había solamente tres fuentes importantes de mercurio: la mina Huancavelica, en Perú; la mina Adria, en la actual Yugoeslavia, y la mina Almadén, en España. El total de la producción de las minas de azogue de Huancavelica había disminuido, y después de la independencia solamente podía satisfacer las necesidades peruanas. La política internacional cercenó el acceso al mercurio de las minas europeas: el imperio austriaco, un aliado de España, controlaba Adria. La mina de Almadén, en España, rehusó abastecer a México hasta después de 1838, cuando las dos naciones establecieron relaciones diplomáticas. De esta manera, mientras los mineros mexicanos podían comprar azogue a través de intermediarios, el abastecimiento nunca era seguro. El costo del mercurio aumentaba enormemente no sólo a causa de su escasez, sino también porque España había subvencionado las minas de plata proveyendo mercurio al costo a los mineros mexicanos. En un México independiente, los propietarios de las minas tenían que pagar por el azogue los precios que prevalecían en el mercado.

Las finanzas, sin embargo, eran el obstáculo más grande para la recuperación de la minería. En el periodo colonial los empresarios mexicanos

22. Henry G. Ward, *Mexico in 1827,* I, pp. 398-400.

habían logrado juntar millones de pesos en recursos locales para financiar las operaciones mineras. La guerra y las condiciones inestables que le siguieron destruyeron la confianza pública, tan necesaria para las inversiones. Tanto mexicanos como extranjeros estuvieron de acuerdo en que el colapso de las inversiones y del sistema de crédito del país impedía la recuperación nacional.[23] Incapaces de reunir las cantidades de dinero necesario en el país, los mineros mexicanos formaron compañías de acciones conjuntas para atraer capital extranjero a México. Los ingleses hicieron grandes inversiones en las minas de plata y llegaron a ser frecuentemente los mayores accionistas de las minas mexicanas. Pero el costo de la reconstrucción de las minas de México fue tan grande que los británicos que se arriesgaron se declararon en quiebra a mediados del siglo XIX.[24] Por consiguiente, los mexicanos se beneficiaron con estas inversiones; cuando la minería logró recuperarse en la década de 1880 los nacionales habían vuelto a ganar el control de la industria.

La industria textil, como las minas de plata, tuvo gran dificultad en restablecerse después de la Independencia. La producción de lana y algodón había sido la empresa industrial más grande e importante del México colonial. Los obrajes, fábricas a gran escala y que empleaban varios cientos de trabajadores, eran comunes en el centro de México, principalmente en Querétaro, Puebla y la ciudad de México. Los pueblos indígenas se encontraban a menudo dedicados a la producción textil en gran escala, en obrajes manejados por la comunidad. Había también muchas personas que operaban pequeñas empresas con uno o dos telares. En el siglo XVIII estas pequeñas empresas fabricaban más de un tercio de los paños de lana de la Nueva España. Las guerras de la Independencia y el caos que siguió desmantelaron la industria: muchos obrajes fueron destruidos y aquellos que sobrevivieron se enfrentaron con grandes dificultades para obtener las materias primas y luego distribuir sus productos terminados debido a que los medios de transporte se encontraban interrumpidos. Además, durante algunos años de la década

23. Henry G. Ward, *Mexico in 1827*, I, pp. 388-400. José María Quirós, *Memoria de estatuto* (Veracruz, s.e., 1817), pp. 24-29.
24. Sobre inversiones mineras británicas véase Newton R. Gilmore, "British mining ventures in early national Mexico" (tesis doctoral, Berkeley, Universidad de California, 1956), y Robert W. Randall, *Real del Monte: a British mining venture in Mexico* (Austin, University of Texas Press, 1972).

de 1820, los europeos inundaron el mercado mexicano con textiles baratos, reduciendo así la demanda de productos locales.

Después de la independencia el gobierno mexicano trató de rehabilitar la industria textil con la imposición de altas tarifas arancelarias y financiando la modernización de la industria. Aunque las barreras arancelarias redujeron sustancialmente el influjo de textiles extranjeros, las fábricas mexicanas se recuperaron lentamente. El mayor obstáculo era la escasez de capital. Para superar esta deficiencia el gobierno mexicano fundó en 1830 un banco de fomento, el Banco de Avío, el cual desafortunadamente no poseía los recursos financieros suficientes como para estimular una recuperación rápida. Los informes del gobierno indican que en 1846 el Banco de Avío había contribuido con menos de 10% de los 10 millones de pesos que los industriales habían invertido en la industria textil.[25] Puebla fue la que más se benefició con estas inversiones. La ciudad estaba estratégicamente ubicada como para aprovechar el estímulo debido a su proximidad al gran mercado de la ciudad de México y al puerto de Veracruz, el cual facilitaba la importación de maquinaria y materiales. A mediados del siglo XIX, los textiles, en especial el algodón, reaparecieron como una importante industria en Puebla; pero aun así el total de la producción mexicana no igualó el promedio de la producción total de finales del periodo colonial sino hasta la década de 1880.

La agricultura que empleaba a una abrumadora mayoría de mexicanos no pudo escapar a las dislocaciones que acosaron al sector industrial. Informes de gobierno, recuentos de viajes y correspondencia privada indican la calamitosa condición de la agricultura comercial. Los pequeños propietarios son los que más parecen haber sufrido. Muchos de ellos fueron arrojados de sus tierras, primero por la guerra y luego por la violencia, el caos político y la decadencia económica. Puesto que los pequeños propietarios formaban la base de la agricultura mexicana, su situación tuvo repercusiones muy severas.[26] Los hacendados perdieron sus mercados de venta cuando las minas sucumbieron y los centros urbanos se redujeron. Muchos pueblos indígenas

25. Robert A. Potash, *El Banco de Avío de México: el fomento de la industria, 1821-1846* (México, Fondo de Cultura Económica, 1959); Dawn Keremitsis, *La industria textil mexicana en el siglo XIX* (México, SEP, 1978).

26. Doris M. Ladd, *The Mexican nobility at Independence*, pp. 39-140. Sobre pequeños propietarios, véase a David Brading, *Haciendas and ranchos in Mexican Bajío: León, 1700-1860* (Cambridge, Cambridge University Press, 1978).

que producían antes para el mercado debieron tornar a una agricultura de subsistencia. En el periodo colonial un gran número de comunidades indígenas se especializaban en el cultivo del trigo para los centros urbanos y mineros; otros dedicaban sus esfuerzos a la cría de mulas para el transporte y el trabajo pesado en las minas y fábricas. En 1800 estos pueblos criaban millones de mulas, pero hacia 1850 el número había descendido a tan sólo unos miles. La baja demanda de productos agrícolas tuvo como resultado el abandono de grandes extensiones de terreno que antes habían sido cultivados. El sistema de irrigación decayó, mientras que la ganadería agotó los suelos debido al exceso de pastoreo.

La ciudad de México y otros pocos centros de gran población continuaron necesitando productos agrícolas del campo, pero después de la Independencia restringieron las importaciones desde regiones distantes; la producción local abastecía sus necesidades. Muchas grandes haciendas se declararon en bancarrota o fueron abandonadas. Como en el caso de la minería, los mexicanos alentaron a los extranjeros para que hicieran inversiones en la agricultura. Los europeos compraron grandes haciendas a principios de la década de 1820, pero también ellos perdieron dinero. A mediados del siglo XIX, los inversionistas europeos habían renunciado a sus posesiones mexicanas. Los pequeños propietarios que lograron permanecer en sus tierras, disfrutaron de un cierto grado de prosperidad porque pudieron controlar sus gastos generales más fácilmente que los grandes hacendados.[27] A pesar de todo, tanto la agricultura como el resto de la economía no pudieron recobrarse totalmente sino hasta la década de 1880.

La crisis de la minería limitó la actividad del sector exportador de México en el periodo posterior a la Independencia, puesto que la plata siguió siendo el principal producto de exportación del país. A medida que la minería

27. El estudio de la agricultura mexicana en el siglo XIX continúa desarrollándose. Entre los mejores trabajos están: David Brading, *Haciendas and ranchos in Mexican Bajio: León, 1700-1860*; Eric van Young, *Hacienda and Market in Eighteenth-Century Mexico: The Rural Economy of the Guadalajara region, 1675-1820* (Berkeley, University of California, 1981); los trabajos de Jan Bazant, entre ellos *Cinco haciendas mexicanas* (México, El Colegio de México, 1975), y Charles H. H. Harris, *A Mexican family empire: the latifundio of the Sanchez-Navarro family, 1765-1867* (Austin, University of California Press, 1975). Aunque no se limita a la agricultura, el trabajo de Harry Cross, "The mining economy of Zacatecas, Mexico in the nineteenth century" (disertación doctoral, Universidad de California, Berkeley, 1976), contiene mucha información sobre las condiciones rurales.

declinaba, las exportaciones de la nación bajaban. Era imposible sustituir las exportaciones ya que la tecnología existente y los altos costos de transporte en México impedían la exportación de productos agrícolas voluminosos a precios de competencia. Por el contrario, con su excelente red fluvial la cual permitía el embarque de estos productos a bajo precio, Estados Unidos exportaba una gran variedad de mercaderías agrícolas. El comercio extranjero de México se estancó en un tiempo de expansión rápida y masiva del comercio mundial. Hacia 1850, las exportaciones estadounidenses eran veinte veces más grandes que las de México. En efecto, durante la década de 1880, cuando las minas de plata se habían recuperado lo suficiente como para igualar los niveles de finales de la Colonia, el esquema del comercio mundial había cambiado con la aparición de nuevos y significativos productores de plata, entre ellos Estados Unidos. En 1800 México había producido 75% de la plata en el mundo, y hacia 1880 su producción total representaba menos de 40%.[28]

México requirió inversiones masivas para lograr restituir el nivel de producción anterior a la Independencia, pero desafortunadamente el sistema de crédito de la nación probó ser ineficaz para esta tarea.

Debido a que España no había desarrollado instituciones financieras modernas como bancos y casas comerciales, los mexicanos de la Colonia contaron principalmente con dos fuentes de crédito: préstamos particulares y la Iglesia. Mientras que los préstamos personales de familias ricas o empresarios fueron comunes a través de todo el periodo colonial, la Iglesia servía como el principal banquero de Nueva España. Monasterios, conventos de monjas, escuelas, orfanatos y hospitales recibían a menudo dádivas, dotes y legados o herencias, que eran invertidos rápidamente para ganar una entrada regular. Generalmente las corporaciones religiosas prestaban estos fondos a propietarios que les pagaban anualidades. Cada diócesis también tenía un juzgado de testamentos, capellanías y obras pías que administraba las dotes confiadas por los fieles a este tribunal. (Una capellanía era un beneficio para un capellán al que se le requería que dijera misas por el alma del benefactor, y obras pías podían ser cualquier tipo de obras caritativas.) Los juzgados invertían estas sumas principalmente en préstamos a terratenientes. Como sucedía en

28. Miguel Lerdo de Tejada, *El comercio exterior de México,* tablas no numeradas; Inés Herrera Canales, *El comercio exterior de México, 1821-1875* (México, El Colegio de México), 1977, pp. 58-71; Jenaro González Reyna, *Riqueza minera y yacimientos minerales de México,* pp. 109-110.

el caso de crédito extendido por otras corporaciones eclesiásticas, el objetivo del juzgado era ganar una utilidad del cinco al seis por ciento del capital, de tal manera que el capellán o la filantropía pudieran disfrutar de un ingreso constante. Con el paso de los años las corporaciones religiosas invirtieron grandes sumas de dinero en la economía de Nueva España.[29]

Pequeños propietarios o aldeanos indígenas que no poseían garantías adecuadas o que no estaban dispuestos a hipotecar sus tierras a menudo acudían al repartimiento de comercio, un sistema informal a través del cual las autoridades provinciales distribuían semillas, herramientas y otras necesidades agrícolas bajo el sistema de crédito. Estos magistrados a menudo facilitaban la compra o venta de ganado y comerciaban productos para grupos que de otra manera no tenían salida para sus mercaderías. Las autoridades oficiales podían proporcionar crédito porque establecían lazos comerciales con empresarios ricos. El sistema de repartimiento ofrecía oportunidades de abuso puesto que los magistrados algunas veces usaban su autoridad para forzar a las comunidades indígenas y pequeños propietarios a comprar artículos que no necesitaban, o a vender sus productos a precios más bajos que los del mercado. A pesar de estas irregularidades ocasionales, el repartimiento de comercio funcionaba razonablemente bien como un sistema de crédito rural.[30]

La estructura crediticia de México fue atacada aun antes de las guerras de Independencia. Los reformadores españoles ilustrados del siglo XVIII criticaban lo que ellos consideraban ser injusticias del repartimiento de comercio y del sistema de crédito de la Iglesia. En la década de 1790 convencieron a la Corona para que aboliera el repartimiento de comercio, argumentando que éste explotaba a las comunidades indígenas. Por lo tanto, en 1804 la estructura de crédito colonial sufrió un rudo golpe cuando la Corona ordenó confiscar los bienes de la Iglesia para proseguir la guerra en Europa. Entre 1804 y 1808 las corporaciones eclesiásticas tuvieron que cerrar préstamos por un total de 44 millones de pesos, de los cuales 12 millones fueron remitidos a España.

29. El mejor estudio de la Iglesia como banco es el de Michael P. Costeloe, *Church wealth in Mexico* (Cambridge, Cambridge University Press, 1976). Richard Lindley analiza la naturaleza del crédito personal y su decadencia en *Haciendas and Economic Development: Guadalajara, Mexico at Independence* (Austin, Universidad de Texas, Austin, 1975).

30. MacLachlan y Rodríguez O., *The Forging of the Cosmic Race*, pp. 262-299.

Los ataques a la estructura de crédito de México debilitaron la economía y fomentaron el descontento que eventualmente culminó en el movimiento por la independencia.[31]

Mientras las guerras de emancipación agravaban el ya debilitado sistema crediticio de México, la consiguiente inestabilidad y el caos que le siguieron engendraron una severa pérdida de confianza. Como resultado, los empresarios ricos se rehusaron a extender créditos personales, prefiriendo en cambio conceder préstamos a corto plazo al gobierno con intereses exorbitantes. Esta práctica continuó hasta después de 1821, porque el gobierno nacional no pudo obtener suficientes entradas a través de los impuestos. Los empresarios, al transformarse en agiotistas, justificaron sus acciones argumentando que otras inversiones eran inseguras y que el alto interés que ellos pedían era razonable porque los gobiernos, que a menudo no pagaban sus deudas, eran considerados de mucho riesgo como para concederles crédito. Las crisis financieras de la nación empeoraron porque las corporaciones religiosas empezaron a prestar grandes sumas de dinero solamente a individuos o grupos que eran proclericales. Esta política se justificaba, en su opinión, porque los reformadores españoles habían expropiado los bienes de la Iglesia al final del periodo colonial y los gobiernos liberales republicanos continuaron amenazando sus posesiones después de la independencia.

Como resultado de estos acontecimientos el sistema de crédito que había servido bien a Nueva España durante cerca de 300 años, virtualmente cesó de funcionar después de la independencia. El gobierno y los empresarios mexicanos tuvieron que recurrir cada vez más a fuentes de crédito extranjero. Los ingleses invirtieron grandes cantidades en México, aunque esas sumas no pudieron satisfacer las necesidades del país. México no desarrolló un sistema crediticio y bancario moderno adecuado sino hasta la década de 1880.

El proceso de recuperación nacional requirió más de sesenta años. Desafortunadamente para México, drásticos cambios transformaron el sistema económico mundial durante aquellas décadas. La Revolución Industrial varió el Atlántico norte. En 1800, Estados Unidos era una nación agraria de segunda categoría, mientras que Europa occidental estaba comenzando

31. Flores Caballero, *La contrarrevolución en la independencia*, pp. 28-65; Asunción Lavrin, "The execution of the Law of Consolidación in New Spain", *Hispanic American Historical Review*, n. 52, febrero 1973, pp. 27-49.

a industrializarse. Muchos contemporáneos, entre ellos Alejandro von Humboldt, creían no sólo que México podría competir exitosamente por la hegemonía económica, sino que también podría surgir como el coloso del continente americano.[32] Pero ya nadie tenía tales ilusiones en 1880: Estados Unidos empezaba a destacarse como un poder industrial; las corporaciones industriales y las instituciones financieras de Europa occidental habían alcanzado tal fuerza y tamaño que las nacientes empresas mexicanas no podían competir con ellas. Después de 1876 los líderes del recientemente unificado México decidieron, por lo tanto, cambiar la independencia económica por ayuda externa para el desarrollo industrial y financiero. Aunque este paso condujo a una rápida modernización e industrialización, puso el control del desarrollo mexicano en manos extranjeras. La violenta Revolución de 1910 rechazó este convenio. Desde 1910, los gobiernos mexicanos han sopesado el deseo de poseer una soberanía económica nacional con la necesidad de capital y tecnología extranjeros. Sólo se puede especular cómo México se habría desarrollado sin la crisis del siglo XIX.

32. *Cf.* Alejandro von Humboldt, *Essai politique sur le royaume de la Nouvelle-Espagne*.

15. UNA CULTURA POLÍTICA COMPARTIDA
Los orígenes del constitucionalismo y liberalismo en México*

> ¿Acaso era probable, acaso era posible que ... se introdujera y se estableciera entre tales gentes ... un gobierno libre ...? Me parecía ... tan absurdo como ... [lo] sería establecer democracias entre las aves, las bestias y los peces.
>
> John Adams[1]

John Adams no era el único que consideraba al mundo hispánico incapaz de gobernarse a sí mismo. La mayoría de los estudiosos de entonces y de ahora han estado convencidos de que el constitucionalismo y el liberalismo son ajenos e inadecuados para la sociedad supuestamente conservadora del mundo hispánico, en particular de México. Muchos creen que la monarquía española era muy centralizada, y confunden el gobierno absoluto con el autocrático. El concepto moderno de colonia oscurece aún más la naturaleza del gobierno en la América española. Como resultado de estas concepciones erróneas muchos han dado por sentado, de forma equivocada, que las estructuras políticas establecidas en el periodo postindependentista eran sistemas extraños importados de Gran Bretaña, Estados Unidos y Francia. Eso no es correcto. Para entender la naturaleza del constitucionalismo y el liberalismo en México durante el siglo XIX es necesario disipar las percepciones falsas

* Una versión anterior de este artículo apareció en Víctor Mínguez y Manuel Chust (eds.), *El Imperio sublevado: Monarquía y Naciones en España e Hispanoamérica* (Madrid: Consejo Superior de Investigaciones Científicas, 2004), pp. 195-224. A Linda Alexander Rodríguez agradezco sus valiosas sugerencias para mejorar este trabajo. Asimismo, agradezco a Mariana Santoveña la traducción de este ensayo.

1. "Was it probable, was it possible, that ... a free government ... should be introduced and established among such a people ...? It appeared to me ... as absurd as ... [it] would be to establish democracies among the birds, beasts, and fishes". John Adams, *The Works of John Adams,* 10 vols. (Boston, Little, Brown and Company, 1850), x, 145.

sobre el sistema político de la monarquía española y sobre la naturaleza de la teoría y la práctica políticas en el mundo hispánico.[2]

El Antiguo Régimen

A lo largo de casi toda su historia, y en particular durante los siglos XVI y XVII, las posesiones españolas en América constituyeron una parte de la monarquía española –una monarquía mundial, una confederación de reinos y territorios dispares que se extendían a lo largo de porciones de Europa, África, Asia y América–.[3] Sólo en forma tardía, durante el reinado de Carlos III (1759-1788), la Corona intentó centralizar la monarquía y crear un verdadero imperio, con España como su metrópolis. Para 1808 este esfuerzo, generalmente conocido bajo el nombre de Reformas Borbónicas, aún no había sido instrumentado por completo. En todas partes los americanos objetaban o se oponían a las innovaciones y las modificaban para adecuarlas a sus intereses. En la víspera de la independencia los dirigentes del Nuevo Mundo aún mantenían un grado significativo de autonomía y control sobre sus regiones.[4]

La monarquía española no sólo era representativa y descentralizada, sino que también era sensible a las necesidades de sus numerosos integrantes. Como ha indicado John L. Phelan:

> La monarquía española era absoluta sólo en el sentido original del Medioevo. El rey no reconocía ningún superior dentro o fuera de sus reinos. Él era la fuente última de toda justicia y de toda legislación. Una frase de finales del Medioevo decía: "El rey es emperador en su reino" [Cabe señalar aquí que el verbo castellano *imperar* significaba *gobernar*]. Sin embargo, las leyes que portaban la firma real no

2. Véase, por ejemplo, Claudio Véliz, *The Centralist Tradition in Latin America* (Princeton, Princeton University Press, 1980), y Frank Safford, "Politics, Ideology and Society in post-Independence Spanish America" en Leslie Bethell (ed.), *The Cambridge History of Latin America*, 8 vols. (Cambridge, Cambridge University Press, 1984-1992), III, pp. 347-421.
3. Historiadores anteriores, como Roger B. Merriman, pensaban en términos del Imperio español en el Viejo y el Nuevo Mundo, como lo indica el título de su gran obra: *The Rise of the Spanish Empire in the Old World and the New*, 4 vols. (Nueva York, The Macmillan Co., 1918-1934). Recientemente, Henry Kamen ha reafirmado esta postura de una manera "moderna"; véase *Empire: How Spain Became a World Power, 1492-1763* (Nueva York, Harper Collins Publishers, 2003).
4. Sobre este punto, consúltese Jaime E. Rodríguez O., *La independencia de la América española* (México, Fondo de Cultura Económica, 1996), pp. 34-54.

> eran la expresión arbitraria de los deseos personales del rey. La legislación, así como el alcance de su puesta en vigor, reflejaba las aspiraciones complejas y diversas de todos, o al menos de algunos grupos en esa sociedad corporativa y multiétnica. La monarquía era representativa y descentralizada hasta un punto que rara vez se imagina. Aun cuando, en las Indias, las asambleas representativas o las cortes no existían de manera formal, cada una de las corporaciones principales, tales como las [*repúblicas* –los gobiernos indígenas], los cabildos, los diversos grupos eclesiásticos, las universidades y los gremios de artesanos, todos los cuales gozaban en gran medida de un gobierno autónomo, podían y de hecho hablaban en nombre de sus respectivos miembros. Las opiniones de estos grupos llegaban al rey y al Consejo de Indias transmitidas directamente por sus representantes acreditados, o indirectamente por medio de los virreyes y las audiencias, y sus aspiraciones configuraban en forma profunda el carácter de las decisiones finales.[5]

La teoría política hispánica evolucionó de manera paralela al pensamiento político en los países protestantes y en Francia. El mundo hispánico, al constituir un segmento importante de la civilización occidental, abrevó en la cultura europea de Occidente que compartía. Los intelectuales de la monarquía española basaron sus ideas políticas en el pensamiento clásico antiguo, en teorías católicas y en los escritos de un grupo de pensadores hispánicos de los siglos XVI y XVII –Francisco de Vitoria, Diego de Covarrubias, Domingo de Soto, Luis de Molina, Juan de Mariana, Francisco Suárez y, el más importante, Fernando Vázquez de Menchaca–. Como ha advertido Quentin Skinner: estos teóricos hispánicos "ayudaron a colocar los cimientos de las así llamadas teorías del 'contrato social' del siglo XVII ...".[6] Vázquez de Menchaca aseveró que "las leyes de un reino, aun las positivas, no estan sometidas a la voluntad del príncipe, y por tanto no tendrá poder para cambiarlas sin el consentimiento del pueblo; porque no es el príncipe señor absoluto de las leyes, sino guardián, servidor y ejecutor de ellas, y como tal se

5. John L. Phelan, *The People and the King: The Comunero Revolution in Colombia, 1781* (Madison, University of Wisconsin Press, 1978), p. 82.
6. Quentin Skinner, *The Foundations of Modern Political Thought*, 2 vols. (Cambridge, Cambridge University Press, 1978), II, p. 159.

le considera".[7] Más aún, "el jesuita Mariana ... [presentó] una teoría de la soberanía popular que, pese a ser escolástica en sus orígenes y calvinista en sus desarrollos posteriores, fue en esencia independiente de cualquier credo religioso y estuvo así a disposición de ambas partes...".[8] Algunas ideas de los teóricos hispánicos, particularmente las de Vitoria, Covarrubias y Vázquez de Menchaca, se introdujeron en el pensamiento político inglés y francés a través de las obras de Juan Altusio y Hugo Grocio.[9]

Los intelectuales hispánicos, como sus contrapartes en otras regiones de Europa, creían en el ideal de una *res publicae* o gobierno mixto. El término *república*, empero, no significaba una forma de gobierno sin rey. Más bien se refería a un sistema de gobierno en el cual la virtud cívica aseguraba la libertad y la estabilidad. El verdadero ciudadano republicano ponía el bien común de la *res publicae*, o la comunidad, por encima de su propio bien. El gobierno mixto, basado en la cultura política de la Grecia antigua, de Roma y de los Estados italianos renacentistas, era un régimen en el cual el uno, el gobernante, los pocos, los prelados y los nobles, y los muchos, el pueblo, compartían la soberanía. Los gobiernos mixtos eran considerados como los mejores y más duraderos porque establecían limitaciones severas al poder arbitrario o tiránico del gobernante, los nobles o el pueblo.[10] Además, como lo ha demostrado John Pocock, el pensamiento de Nicolás Maquiavelo influenció en forma significativa el concepto de gobierno mixto en Inglaterra y en otros lugares del mundo atlántico.[11] En ambos lados del Atlántico los

7. Citado en José Miranda, *Las ideas y las instituciones políticas mexicanas*, 2a. ed. (México, Universidad Nacional Autónoma de México, 1978), p. 51.
8. Skinner, *The Foundations of Modern Political Thought*, II, pp. 159, 347.
9. Desde el punto de vista de Anthony Pagden: "A pesar de estar ausente de casi todos los estudios contemporáneos, el Controversiarum illustrium [de Fernando Vázquez de Menchaca] tendría una influencia enorme y sostenida en Grocio –cuyo propio ataque del universalismo es poco más que un sumario de las conclusiones de Vázquez– y, a través de Grocio, en discusiones posteriores sobre las bases jurídicas de las relaciones entre estados". *Lords of all the World: Ideologies of Empire in Spain, Britain and France c. 1500-c. 1800* (New Haven, Yale University Press, 1995), p. 56. Annabel S. Brett analiza el pensamiento de Vázquez de Menchaca en *Nature, Rights, and Liberty: Individual Rights in Later Scholastic Thought* (Cambridge, Cambridge University Press, 1997), pp. 165-204. Brett concluye: "La construcción política de Vázquez, fundada sobre la noción legal de una libertad original y natural absoluta ... se yergue tras una tradición de pensamiento político y jurídico radical cuyo principio se reconoce generalmente en Grotius, para quien Vázquez fue una fuente importante", p. 204.
10. José Antonio Maravall, *La philosophie politique espagnole au xviie siècle dans ses rapports avec l'esprit de la contre-réforme* (París, J. Vrin, 1955), pp. 137-141.
11. John G. A. Pocock, *The Machiavellian Moment: Florentine Political Thought and the Atlantic Republican Tradition* (Princeton, Princeton University Press, 1975). Sobre el tema véase también Maurizio Viroli, *For*

hispanos cultos recurrieron a Aristóteles, Polibio y Maquiavelo para entender la naturaleza del republicanismo clásico.

A finales del siglo XVIII, los nacionalistas de la Península reinterpretaron la historia para crear un nuevo mito nacional. Los españoles ilustrados sostenían que los primeros visigodos habían gozado de una forma de democracia tribal. Supuestamente, esos ancestros germánicos forjaron la primera constitución hispánica. Más tarde, en el siglo XII, España desarrolló el primer parlamento de Europa: las cortes. Como ha señalado David Brading: "fue Alfonso el Sabio, rey de Castilla en el siglo XIII, quien creó la constitución medieval al convocar a las Cortes no sólo a la nobleza y a los prelados, sino también a los representantes de las ciudades".[12] De acuerdo con esta interpretación de la historia, la España medieval había gozado de la democracia sólo hasta que ésta había sido destruida a manos de los despóticos reyes de la casa de los Habsburgo. Aunque las primeras Cortes representaban a reinos particulares, como Castilla y Aragón, y no a la nación entera, los reformadores del siglo XVIII pensaban en un cuerpo unificado cuando hablaban de restituir las Cortes. Las ideas de estos reformadores culminaron en las obras del más distinguido historiador español del derecho, Francisco Martínez Marina, cuya monumental *Teoría de las cortes* entrañaba la idea de que la restauración de un cuerpo nacional representativo era necesaria para revitalizar al país.[13]

En las universidades y los colegios de España y América se reinterpretaron las ideas de aquellos teóricos hispánicos, ideas que proporcionaron la base del pensamiento político hispánico moderno a finales del siglo XVIII y principios del XIX. Entre los conceptos formulados por los comentaristas legales de los siglos XVI y XVII, entre ellos Vázquez de Menchaca y Suárez, dos adquirirían importancia a principios del siglo XIX –la noción de un pacto (*pactum translationis*) entre el pueblo y el rey, y la idea de la soberanía

Love of Country: An Essay on Patriotism and Nationalism (Nueva York, Oxford University Press, 1995), pp. 18-94.

12. David A. Brading, *The First America: The Spanish Monarchy, Creole Patriots, and the Liberal State, 1492-1867* (Cambridge, Cambridge University Press, 1991), p. 541.

13. Richard Herr, *The Eighteenth Century Revolution in Spain* (Princeton, Princeton University Press, 1958), pp. 337-347. Francisco Martínez Marina, *Teoría de las cortes*, 2 vols. (Madrid, Biblioteca de Autores Españoles, Ediciones Atlas, 1968-1969). Su introducción crítica a *Siete Partidas* ha sido reeditada junto con un excelente estudio de su pensamiento en el volúmen 194 de la Biblioteca de Autores Españoles (Madrid, Ediciones Atlas, 1966).

popular–.[14] Las teorías de gobierno basadas en la ley natural también estaban ampliamente difundidas en el mundo hispánico. Joaquín Marín y Mendoza, nombrado catedrático de derecho en San Isidro por el rey Carlos III, por ejemplo, publicó su *Historia del derecho natural y de gentes* en 1776. Él y otros profesores de derecho presentaron a sus alumnos a varios autores europeos que desarrollaron teorías sobre el gobierno basado en el pacto entre el pueblo y el rey y en la ley natural, entre ellos Gaetano Filangieri, Christian Wolf, Emmerich de Vattel, y, sobre todo, Samuel Pufendorf. Fueron estos autores poco conocidos, antes que el renombrado Jean-Jacques Rousseau, quienes prepararon a varias generaciones de estudiantes hispánicos para reinterpretar la relación entre el pueblo y el gobierno.[15]

En la década de 1780 la Universidad de Salamanca se convirtió en un centro de liberalismo; más tarde, sus egresados se convertirían en dirigentes revolucionarios en las Cortes de Cádiz. Estos individuos recibieron la influencia del Sínodo de Pistoia y de dos importantes teólogos, Pietro Tamburini y Giuseppe Zola, quienes abogaban por una Iglesia menos centralizada y una mayor autoridad del Episcopado. En términos políticos, estos conceptos se traducían en un gobierno representativo con un poder ejecutivo débil.[16] Los futuros revolucionarios también recibieron con beneplácito las ideas de intelectuales angloparlantes de Inglaterra, Escocia y Estados Unidos –entre ellos John Locke, Adam Smith, Adam Ferguson y Benjamin Franklin–. Este intercambio intelectual fue la continuación de un diálogo ininterrumpido que comenzó en el siglo XVI. Las ideas británicas, en particular la del principio de gobierno mixto, ejemplificada en la constitución inglesa no escrita, podían ser incorporadas con facilidad al pensamiento hispánico porque ya antes los teóricos hispánicos, como Vázquez de Menchaca, habían influenciado a los pensadores británicos como Thomas Hobbes.[17]

14. Francisco Suárez, *Tratado de las leyes y de Dios legislador*, traducción de Jaime Torrubiano Ripoll (Madrid, Reus, 1918). Véase también O. Carlos Stoetzer, *The Scholastic Roots of the Spanish American Revolution* (Nueva York, Fordham University Press, 1979).
15. Herr, *The Eighteenth Century Revolution in Spain*, pp. 172-183; José Carlos Chiaramonte, "Fundamentos iusnaturalistas de los movimientos de independencia" en Marta Terán y José Antonio Serrano Ortega (eds.), *Las guerras de independencia en la América española* (Zamora, El Colegio de Michoacán, 2002), pp. 99-122.
16. Juan Marichal, "From Pistoia to Cádiz: A Generation's Itinerary, 1786-1812" en A. Owen Aldrige (ed.), *The Ibero-American Enlightenment* (Urbana, University of Illinois Press, 1971), pp. 97-110.
17. John H. R. Polt, *Jovellanos and His English Sources, Economic, Philosophical, and Political Writings* (Filadelfia, Transactions of the American Philosophical Society, 1964); Manuel Moreno Alonso, *La forja del liberalismo en*

El pensamiento científico de la Ilustración no transformó súbitamente el ambiente escolástico de la España y la América de los Habsburgo. Más bien, el cambio comenzó en las décadas de 1670 y 1680, cuando algunos intelectuales españoles comenzaron a cuestionar ciertos aspectos de la escolástica. A finales del siglo XVII y durante las primeras décadas del siglo XVIII, estos individuos, a los que se conoce como *eclécticos*, introdujeron la *filosofía moderna*, como sería llamada, al mundo hispánico.[18] El nuevo enfoque crítico se diseminó ampliamente a través de los textos de Benito Gerónimo Feijóo, quien buscaba introducir y popularizar los logros intelectuales y científicos de la época. Feijóo insistía en que la monarquía española requería de la ciencia moderna, la cual no entraba en discordia con la religión. A partir de 1739, con su obra en nueve volúmenes *Teatro crítico universal*, Feijóo disertó sobre el arte, la literatura, la filosofía, la teología, las matemáticas, la ciencia natural, la geografía, la economía y la historia. Posteriormente, publicó cinco volúmenes adicionales de ensayos titulados *Cartas eruditas*. Su enfoque era crítico y desvelaba la falibilidad de los médicos, los santos y milagros falsos, y en todos los casos pugnaba por la causa del pensamiento analítico moderno. Como ha señalado Richard Herr, Feijóo "nunca cuestionó la grandeza de las figuras intelectuales españolas que le antecedieron, ni expresó una opinión que creyera opuesta en lo más mínimo a la religión católica".[19] Sin embargo, defendía el método experimental de la ciencia inglesa protestante y rechazaba los sistemas demasiado teóricos y la filosofía materialista de algunos autores franceses.[20] Aunque las publicaciones de Feijóo suscitaron gran controversia, sus obras se volvieron extremadamente populares y aparecieron en un

España. Los amigos españoles de Lord Holland, 1793-1840 (Madrid, Publicaciones del Congreso de Diputados, 1997). Sobre la influencia de Vázquez de Menchaca en Hobbes, véase Brett en *Nature, Rights and Liberty*, capítulos 5 y 6. Es interesante observar que John Adams, quien creía que la cultura castellana era retrógrada, autoritaria y que estaba dominada por el clero católico oscurantista, consideraba, sin embargo, la Antigua constitución de la mítica República Vasca como un elemento importante en su defensa de la Constitución de Estados Unidos de 1787. Véase su "A Defense of the Constitution of the Government of the United States", en Adams, *The Life and Works of John Adams*, 4: 310-314.

18. Olga Victoria Quiroz-Martínez, *La introducción de la filosofía moderna en España* (México, El Colegio de México, 1949). Véase también Bernabé Navarro, *La introducción de la filosofía moderna en México* (México, El Colegio de México, 1948).
19. *Ibid.*
20. José Antonio Pérez Rioja, *Proyección y actualidad de Feijóo (ensayo de interpretación)* (Madrid, Instituto de Estudios Políticos, 1965), pp. 40-41, 163.

sinnúmero de ediciones en las décadas siguientes. De hecho, fueron los *bestsellers* de la época, superadas sólo por el *Don Quijote* de Cervantes. Las obras de Feijóo han sido encontradas en casi todas las bibliotecas coloniales de la América española, particularmente en las de Nueva España. En 1750, el rey Fernando VI expidió un decreto real mediate el cual se prohibía hacer la crítica de la obra de Feijóo debido a que sus escritos "eran del real agrado".[21]

Los intelectuales españoles también estaban al tanto de la evolución del pensamiento económico. Los exponentes británicos de la economía de libre mercado de finales del siglo XVII influenciaron a los tratadistas hispánicos.[22] Durante la segunda mitad del siglo XVIII, las sociedades que apoyaban el conocimiento útil se convirtieron en un vehículo para difundir las ideas económicas. En 1774 se fundó la Sociedad Vascongada de Amigos del País en la ciudad de Vergara, una organización inspirada en la Sociedad Real de Londres, la Sociedad de Dublín y las academias reales de París, Berlín y San Petersburgo, que se dedicaba a apoyar la educación en la región. La Sociedad Vascongada se convirtió en un centro privilegiado de discusión de toda suerte de conocimientos prácticos, incluidas la ciencia y la tecnología. En ella se agruparon los hombres más importantes de las Provincias Vascas. En poco tiempo la Sociedad admitió a otros españoles importantes y a distinguidos extranjeros. Conforme ganó influencia extendió su membresía para incluir a americanos. Para 1773 había admitido a numerosos miembros de ultramar, la vasta mayoría de Nueva España: 120 en la ciudad de México, cinco en Querétaro y cinco en San Luis Potosí, cuatro en Oaxaca, tres en Valladolid, dos en Zacatecas, uno en Guadalajara y uno en Veracruz. Después, otras sociedades de amigos del país se establecieron en España y América. Inevitablemente, las sociedades pusieron su atención en cuestiones relativas a la economía y las últimas teorías económicas. En sus debates y publicaciones estas agrupaciones difundían las obras de exponentes de la economía del *laissez-faire*.[23]

21. Herr, *The Eighteenth-Century Revolution in Spain*, p. 39.
22. Sobre los comentaristas británicos del siglo XVII véase Joyce Appleby, *Economic Thought and Ideology in 17th Century England* (Princeton, Princeton University Press, 1978). Sobre España, véase Herr, *The Eighteenth-Century Revolution*, 52, y Marcelo Bitar Letayf, *Los economistas españoles del siglo XVII y sus ideas sobre el comercio con las Indias* (México, Instituto Mexicano de Comercio Exterior, 1975).
23. Robert J. Shafer, *The Economic Societies in the Spanish World, 1763-1821* (Syracuse, Syracuse University Press, 1958); Robert Sidney Smith, "The *Wealth of Nations* in Spain and Spanish America, 1780-1830" en *The Journal of Political Economy*, 65:2 (abril, 1957), pp. 104-125.

Durante el reinado de Carlos III algunos distinguidos reformadores aplicaron la nueva filosofía y la nueva teoría económica a la monarquía española. Su trabajo culminó en las actividades del gran economista y estadista español Gaspar Melchor Jovellanos, quien, como Feijóo, fue un admirador del pensamiento británico. En 1774, aún antes de que Adam Smith publicara *La riqueza de las naciones*, Jovellanos emitió una opinión legal que defendía el libre mercado: "Quisiéramos restituir del todo la libertad, que es el alma del comercio, la que da a las cosas comerciales aquella estimación que corresponde a su abundancia o escasez, y la que fija la justicia natural de los precios con respecto a la estimación de las mismas cosas". Tanto en sus acciones políticas como en sus posteriores publicaciones, Jovellanos buscó eliminar los privilegios y fomentar la libertad comercial y política. Jovellanos afirmó: "[El] primer principio político ... aconseja dejar a los hombres la mayor libertad posible, a cuya sombra crecerán la industria, el comercio, la población y la riqueza".[24] Durante su larga y sobresaliente trayectoria Jovellanos abogó por el libre comercio y atacó toda forma de privilegio. Él defendía los derechos de propiedad e interés individual, y por consiguiente se oponía a la interferencia del gobierno en la economía. Desde su punto de vista, el papel del gobierno consistía en proteger la propiedad y los intereses privados mediante leyes que aseguraran la libertad económica, así como proporcionar educación al pueblo e infraestructura –caminos, canales, irrigación, puertos y otras instalaciones– para la economía. Sobre todo, el gobierno debía cobrar impuestos justos, impuestos que todos –sin excepción– deberían pagar de acuerdo con su capacidad.[25]

Los grupos cultos de América conocían los conceptos económicos, legales y políticos europeos. A finales del siglo XVIII y principios del XIX, los estudiosos del Nuevo Mundo –en especial, los profesores de las facultades de derecho en las universidades del continente– reinterpretaron la teoría del pacto de Vázquez de Menchaca y Suárez para ampliar sus intereses.[26] Los americanos, como los españoles, basaron sus mitos nacionales en una

24. Citado en Polt, *Jovellanos and His English Sources*, p. 25.

25. *Ibid.*, pp. 15-43.

26. Virginia Guedea, "Criollos y peninsulares en 1808: Dos puntos de vista sobre lo español" (tesis de Licenciatura, Universidad Iberoamericana, 1964), y José Castán, *La influencia de la literatura española en las codificaciones americanas* (Madrid, Instituto de Estudios Jurídicos, 1984).

constitución histórica. De acuerdo con esta interpretación, los derechos de los americanos provenían de dos fuentes: sus progenitores indígenas, quienes poseían originalmente el territorio, y sus antecesores españoles, quienes al conquistar el Nuevo Mundo obtuvieron privilegios de la Corona, incluido el derecho a convocar sus propias Cortes. Ese pacto, empero, no se daba entre América y España, sino entre cada reino del Nuevo Mundo y el monarca. Las leyes de las Indias afirmaban el estatus especial de las Américas dentro de la monarquía española. Desde el siglo XVI los estudiosos del derecho, tanto europeos como del Nuevo Mundo, habían comentado sobre la naturaleza única del "derecho indiano". La publicación de la gran *Recopilación de leyes de los Reynos de las Indias* en 1680 proporcionó ímpetu a numerosas interpretaciones nuevas sobre la naturaleza de los derechos americanos. En la segunda mitad del siglo XVIII varios juristas publicaron nuevas colecciones de leyes expedidas en América.[27]

Esas obras fomentaron la noción de que el Nuevo Mundo poseía su propia "constitución no escrita". Como declaró fray Servando Teresa de Mier, uno de los más distinguidos defensores de la tesis de los derechos americanos: "Lejos de haber pensado nuestros reyes en dejar nuestras Américas en el sistema colonial moderno de otras naciones, no sólo igualaron las nuestras con España, sino con lo mejor de ellas". Y sostuvo, "Es evidente en conclusión: que por la Constitución dada por los reyes de España a las Américas, son reinos independientes de ella sin tener otro vínculo que el rey ... el cual, según enseñan los publicistas, debe gobernarnos como si sólo fuese rey de ellos". Más aún, señaló:

> Cuando yo hablo del pacto social de los americanos, no hablo del pacto implícito de Rousseau. Se trata de un pacto del reino de Nueva España con el soberano de Castilla. La ruptura o suspensión de este pacto ... trae como consecuencia inevitable la reasunción de la soberanía por la nación ... cuando tal ocurre, la soberanía revierte a su titular original.[28]

27. Compilaciones de leyes, como la de Eusebio Ventura Beleño, *Recopilación sumaria de los autos acordados de la Real Audiencia y Sala del Crimen de esta Nueva España*, 2 vols., María del Refugio González (ed.) (México, Universidad Nacional Autónoma de México, 1981), proveyó a los americanos de un sentido de identidad único.
28. Servando Teresa de Mier, "Idea de la Constitución dada a las Américas por los reyes de España antes de la invasión del antiguo despotismo" en *Obras completas de Servando Teresa de Mier*, vol. 4, *La formación de un republicano*, Jaime E. Rodríguez O. (ed.) (México, Universidad Nacional Autónoma de México, 1988), pp. 57, 31-91.

Estas nociones, por supuesto, se derivan directamente de Soto, Suárez y Vázquez de Menchaca.[29]

Carlos III, el monarca ilustrado, presidió una transformación importante en el mundo hispánico. Durante su reinado, la Ilustración se extendió por todo el territorio. La variante hispánica no fue ni radical ni anticristiana, como lo fue en Francia. Pero, así como en todas partes, la Ilustración en España admiraba la antigüedad clásica y prefería la ciencia y la razón por encima de la autoridad y el conocimiento práctico por encima de la teoría. Como indicaba José Miranda, "No fue la Ilustración una teoría ni una doctrina sino un nuevo modo de ver las cosas y de concebir la vida ... Tuvo, eso sí, la ilustración un principio común a la multitud de ideas que brotaron en su seno: el de la libertad o autonomía de la razón".[30] Aun cuando la Ilustración hispánica no desafió la autoridad de la Iglesia ni de la Corona, su interés sobre la ciencia y la razón creó el ambiente intelectual que, en última instancia, inclinaría a algunos a adoptar nuevas ideas políticas. Aunque unos cuantos, en particular dentro de la Iglesia, se opusieron a algunos aspectos del nuevo sistema de pensamiento, sus preocupaciones fueron acalladas por el apoyo que el monarca prestó al movimiento.[31]

Las publicaciones periódicas, conocidas como "gazetas", cumplieron un papel central en la difusión de "un nuevo modo de ver las cosas y de concebir la vida" en el mundo hispánico. La *Gazeta de Madrid*, que apareció en 1701, y la *Gazeta de México* (1722, 1728-1730, 1784-1809) tuvieron como propósito registrar los eventos políticos y culturales de importancia, otros acontecimientos de interés y los descubrimientos médicos y científicos relevantes. El *Diario de Madrid*, fundado en 1758, se convirtió en el primer periódico diario de Europa. El ritmo de la publicación se aceleró en la década de 1780 cuando un gran número de publicaciones periódicas, que abordaban diversos temas, aparecieron en España y América. Madrid y la ciudad de México se convirtieron en los principales centros de publicación. Entre los

29. Estas cuestiones son tratadas en forma diferente, pero con una mayor extensión, en Stoetzer, *The Scholastic Roots of the Spanish American Revolution*.

30. José Miranda, *Humboldt y México* (México, Universidad Nacional Autónoma de México, 1962), p. 11.

31. Varios aspectos de la Ilustración se discuten en Jorge Cañizares-Esguerra, *How to Write the History of the New World: Historiographies, Epistemologies, and Identities in the Eighteenth-Century Atlantic World* (Stanford, Stanford University Press, Stanford, 2001).

periódicos importantes de Madrid se contaban el *Semanario erudito* (1781-1791), *El Observador* (1781-1877), *El Correo literario de Europa* (1781-1791), *El Mercurio de España* (1784-1830), *El gabinete de la lectura Española* (1787-1791), y el *Espíritu de los mejores diarios* (1787-1791), una selección de las publicaciones más importantes de Europa que circulaban en gran parte de América, así como en España. Entre las publicaciones más influyentes de la ciudad de México se contaban el *Diario literario de México* (1768), el *Mercurio volante* (1772-1773) y la *Gazeta de literatura de México* (1788-1795). A finales del siglo la prensa floreció tanto en la capital de Nueva España como en provincias importantes como Veracruz.[32]

Los periódicos también informaban a sus lectores sobre historia, arte, literatura, filosofía y acontecimientos importantes. Las obras de los principales escritores de la época, incluidos los *philosophes* ingleses y franceses, se tradujeron o se presentaron en forma resumida. En algunos casos, los periódicos reportaron que ciertas obras, como la *Historia de la decadencia y ruina del Imperio romano*, de Edward Gibbon, habían sido prohibidas "por contener doctrinas erróneas, heréticas, impías, injuriosas a la religión católica".[33] Pero otros escritores, como Thomas Paine, fueron traducidos o parafraseados sin comentarios. Más aún, los eventos que hubieran podido tener implicaciones revolucionarias fueron reportados abiertamente; los periódicos de Madrid, por ejemplo, llevaron el recuento de la lucha de Estados Unidos por su independencia. Posteriormente, esos periódicos publicaron una edición de la Constitución de Estados Unidos de 1787 en español.[34] En forma similar,

32. Herr, *The Eighteenth-Century Revolution*, 183-200; Virginia Guedea, *Las gacetas de México y la medicina: Un índice* (México, Universidad Nacional Autónoma de México, 1991); Ruth Wold, *Diario de México: Primer cotidiano de Nueva España* (Madrid, Editorial Gredos, 1970); Ignacio Bartolache, *Mercurio volante*, Roberto Moreno (ed.) (México, Universidad Nacional Autónoma de México, 1979); José Antonio Alzate, *Obras*, vol. i, *Periódicos*, Roberto Moreno (ed.) (México, Universidad Nacional Autónoma de México, 1980).

33. *Diario de México*, II, núm. 1454 (septiembre 24, 1980).

34. La *Gazeta de Madrid* (mayo 7 de 1776) y el *Mercurio histórico y político* (julio de 1776), por ejemplo, anunciaron la aparición de *Common Sense*, de Thomas Paine. Respecto de la independencia de Estados Unidos, véase José de Covarrubias, *Memorias históricas de la última guerra con la Gran Bretaña, desde el año de 1774: Estados Unidos de América* (Madrid, Imprenta de Antonio Ramírez, 1783). Véase también Luis Ángel García Melero, *La independencia de los Estados Unidos de Norteamérica a través de la prensa española* (Madrid, Ministerio de Asuntos Exteriores, 1997), y Mario Rodríguez, *La revolución Americana de 1776 y el mundo hispánico: ensayos y documentos* (Madrid, Editorial Tecnos, 1976).

periódicos como *La Gazeta de México* abordaban aspectos de la revolución francesa al tiempo que defendían la fe católica y la monarquía española.[35]

Las nuevas ideas se difundieron ampliamente. Los periódicos y los folletos, que se volvieron cada vez más populares tras la revolución francesa, alcanzaron un público importante, aunque limitado, en España y América. Sin embargo, no se debe suponer, como sucede a menudo, que los índices de alfabetización eran bajos en comparación con otras naciones durante esa época. Como ha señalado François-Xavier Guerra, "el *Diario de México* del 4 de noviembre de 1811 hace tres ediciones ese día, con una tirada total que sobrepasa los 7.000 ejemplares, cifra enorme para una ciudad que tendría entonces alrededor de 140.000 personas, lo que da un periódico para 20 habitantes (niños incluidos)".[36]

La comunicación oral en los espacios públicos, un concepto popularizado por Jürgen Habermas, desempeñó un papel central en la difusión de ideas para un público más amplio. Las "tertulias", que originalmente consistían en reuniones familiares informales en las que hombres y mujeres se reunían y conversaban con amigos y conocidos, se extendieron en la segunda mitad del siglo XVIII hasta convertirse en reuniones sociales para discutir literatura, filosofía, ciencia y eventos de actualidad. En España y América, las tertulias reunieron a las elites –nobles y no nobles–, los mercaderes, los funcionarios gubernamentales, los clérigos, los profesionistas y otras personas cultas para discurrir sobre diversos temas. A finales de la década de 1770 ya era común que algunas tertulias tuvieran lugar en cuartos privados de posadas. Para finales de la siguiente década, los cafés y las tabernas se convirtieron en la nueva arena del discurso social. Al terminar el siglo, distinguidas mujeres nobles de las grandes ciudades capitales, como Madrid y México, organizaban en sus casas elegantes tertulias que atraían a los personajes más sobresalientes de la región.[37]

35. Carlos Herrejón Peredo, "México: Luces de Hidalgo y de Abad y Queipo" en CARAVELLE: *Cahiers du Monde Hispanique et Luso-Brasilien*, 54 (1990), pp. 107-135.

36. François-Xavier Guerra, *Modernidad e independencias; Ensayos sobre las revoluciones hispánicas* (Madrid, Editorial MAPFRE, 1992), p. 281.

37. Sobre el papel de las mujeres, véase Alfonso E. Pérez Sánchez y Eleanor A. Sayre, *Goya and the Spirit of the Enlightenment* (Boston, Little, Brown, 1989). En la ciudad de México, por ejemplo, María Ignacia Rodríguez de Velasco, conocida popularmente como *la Güera* Rodríguez, fue anfitriona de las más notables tertulias durante el periodo independentista. Jaime E. Rodríguez O., "The Transition from Colony to Nation: New

Los cafés pasaron de ser lugares en que se iba a merendar a ser lugares en que la sociedad sostenía animadas discusiones. Se hizo común que los suscriptores de periódicos los leyeran en voz alta en los cafés y que los patrones hablaran durante horas de asuntos relevantes. Como apuntó Antonio Alcalá Galiano, "En los pobres cafés [de Madrid] de aquel tiempo ... era costumbre leer la *Gazeta* [en voz alta] al lado del brasero de sartén en invierno, y cerca de la ventana en verano ... Tocándome, como solía tocarme, el papel de lector entre los concurrentes".[38] La ciudad de México también poseía cafés que, para la década de 1780, se habían convertido en lugares donde los individuos leían gazetas y discutían acontecimientos actuales, historia, arte y filosofía. Como un escritor comentó: "En los cafés concurre un público, y cuando no se cultiven las ciencias, se puede enriquecer nuestra lengua española, y se exercita el raciocinio, al mismo tiempo que cada uno desenvuelve las ideas que le asisten". En forma similar, las capitales de provincia se convirtieron en centros de una vida pública activa.[39]

Mientras que las tertulias y los cafés complacían a los segmentos más acaudalados de la sociedad, las tabernas, las avenidas, los parques y otros lugares públicos se convirtieron en centros de discusión para el público en general. Ahí, los sectores populares de la sociedad –artesanos, pequeños comerciantes, empleados medios, arrieros y, a menudo, desempleados– se reunían para hablar sobre los acontecimientos del día. Como el *Diario de México* señaló en 1806, "Aunque la gente ruda y grosera no lea los diarios y demás papeles públicos, ignorando acaso hasta su existencia, las útiles instrucciones que ellos pueden comunicar, pasan insensiblemente por medio de las personas ilustradas. Así se difunden poco a poco las luces".[40] Con un interés en los acontecimientos diarios tan franco y extendido, era simplemente natural que las autoridades en España y América se preocuparan por la posibilidad de

Spain, 1820-1821" en Jaime E. Rodríguez O., *Mexico in the Age of Democratic Revolutions, 1750-1850* (Boulder, Lynne Rienner, 1994), p. 116. Sobre las tertulias y reuniones populares, véase Virginia Guedea, *En busca de un gobierno alterno: Los Guadalupes de México* (México, Universidad Nacional Autónoma de México, 1992).

38. Citado en Guerra, *Modernidad e independencia*, p. 292.

39. *Diario de México*, xii, núm. 1616 (marzo 5 de 1810); Isabel Olmos Sánchez, *La sociedad mexicana en vísperas de la independencia (1787-1821)* (Murcia, Universidad de Murcia, 1989), pp. 277-278.

40. *Diario de México*, II, núm. 105 (enero 13, 1810). Una década y media más tarde Joel R. Poinsett señaló que en México "La mayoría de la gente en las ciudades puede leer y escribir. No quiero decir que incluyo a los *léperos*; pero frecuentemente he notado que hombres ataviados con ropas de una pobreza extrema leen las Gazetas en las calles", *Notes on Mexico made in the Autumn of 1822* (Filadelfia, H. C. Carey and Lea, 1824), pp. 277-278.

que las discusiones generaran inquietud. Las tabernas, en particular, preocupaban a los funcionarios de gobierno, quienes las percibían como los lugares en que el descontento popular podría estallar. En 1791, cuando el miedo a las ideas revolucionarias francesas llegó a su punto máximo, las autoridades restringieron las actividades en lugares públicos durante un breve periodo. Más tarde, en 1809 en la ciudad de México, por ejemplo, "Fue denunciado Dn. Nicolás Calero, Agente de negocios, de haber llevado al Café Medina un papel anónimo, que se leyó en alta voz y que ... [contenía afirmaciones en contra del gobierno]".[41]

Las numerosas universidades y colegios de España y América también se transformaron en centros de fermentación intelectual en la última parte del siglo XVIII. Aunque los jesuitas y los franciscanos ya se habían encargado de introducir la filosofía moderna, la transformación más importante ocurrió en 1771 con la reforma que modernizó el programa de estudios de la Universidad de Salamanca, la institución más distinguida de España y el modelo de las universidades americanas. De ahí en adelante, a pesar de la oposición conservadora, las opiniones científicas modernas fueron impartidas en las instituciones superiores de enseñanza del mundo español. El nuevo programa de estudios tuvo un efecto profundo. Los egresados de la universidad de las décadas de 1780 y 1790, tanto de España como de América, encabezaron la revolución política del mundo español después de 1808.[42]

Al final del siglo XVIII, Nueva España poseía una de las redes de instituciones educativas y científicas más extensas y diversificadas en el mundo occidental. Su capital, la ciudad de México, la más grande del hemisferio oeste, estaba dotada de una gran universidad –la más vieja del continente–, la Real Escuela de Medicina, el Colegio de Minería –la segunda institución de este tipo fundada en el mundo después de la de París–, los Jardines Botánicos, la Academia de Arte de San Carlos, varios colegios importantes y varios seminarios. De acuerdo con Alejandro von Humboldt, "ninguna ciudad del nuevo

41. Citado en Guerra, *Modernidad e independencias*, p. 292. Sobre las tabernas, véase Virginia Guedea, "México en 1812: Control político y bebidas prohibidas" en *Estudios de Historia Moderna y Contemporánea de México*, núm. 8 (1980), pp. 23-65.
42. George M. Addy, *The Enlightenment in the University of Salamanca* (Durham, Duke University Press, 1966). Véase también Batia B. Siebzehner, *La universidad Americana y la ilustración: Autoridad y conocimiento en Nueva España y el Río de la Plata* (Madrid, Editorial MAPFRE, 1992).

continente, sin exceptuar a Estados Unidos, posee establecimientos científicos tan grandes y sólidos como los de la capital de México".[43] Guadalajara –la capital de la segunda Audiencia del reino– también poseía una universidad, colegios y seminarios. Además, se fundaron incontables escuelas primarias en todas las ciudades del reino y más de mil escuelas se ubicaban en pueblos y aldeas, muchas de ellas en repúblicas de indios. De hecho, Guerra consideraba la infraestructura educativa de Nueva España "análoga a la de la España o la Francia [en aquella época]".[44]

Los novohispanos cultos, como sus contrapartes españoles, eran individuos modernos, ilustrados, que se hallaban bien preparados para abordar los numerosos y complejos problemas de su tiempo. Esos individuos eran versados en el pensamiento político contemporáneo, que destacaba la libertad, la igualdad, los derechos civiles, el régimen de derecho, el gobierno constitucional representativo, y la economía del *laissez-faire*. Muchos de ellos eran *liberales* antes de que el término se acuñara en las Cortes de Cádiz en 1810; esto es, adoptaron la nueva ideología. Estos hombres estaban comprometidos en el proceso de transformar la monarquía española en un estado moderno liberal. Tal transformación no habría sido fácil ni rápida, puesto que importantes grupos de intereses defendían el *status quo*. Pero la invasión francesa a España y el derrumbe de la monarquía en 1808 proporcionaron a la minoría liberal una oportunidad sin precedentes para instrumentar sus objetivos de libertad, igualdad, derechos civiles, imperio de la ley, gobierno constitucional y economía de *laissez-faire*.

La Revolución constitucional hispánica

La desintegración de la monarquía detonó una serie de acontecimientos que culminaron en el establecimiento de un gobierno representativo en el mundo español. El paso inicial de ese proceso fue la formación de juntas de gobierno en España y América, juntas que invocaron el principio hispánico legal que

43. Citado en Guerra, *Modernidad e independencias*, p. 277.

44. *Ibid.* Sobre la educación primaria véase Dorothy Tanck de Estrada, *La educación ilustrada (1786-1836)* (México, El Colegio de México, 1977), y *Pueblos de indios y educación en el México colonial, 1750-1821* (México, El Colegio de México, 1999). Sobre Guadalajara véase Carmen Castañeda, *La educación en Guadalajara durante la colonia, 1552-1821* (México, El Colegio de México, 1984).

afirmaba que, en la ausencia del rey, la soberanía recaía en el pueblo. En España, las provincias aseguraron su autonomía al insistir en que la soberanía les pertenecía ahora. Mientras que las provincias peninsulares pasaron por esa transición fácilmente, los reinos americanos enfrentaron la oposición de los funcionarios reales, los residentes europeos y sus aliados en el Nuevo Mundo.

Las noticias de los acontecimientos suscitados en la Península llegaron a la ciudad de México en los meses de junio y julio de 1808. En todo el virreinato, la gente expresó su apoyo a Fernando VII y su oposición a Napoleón. En la capital y en las principales ciudades de provincia se organizaron celebraciones en honor del rey que, de acuerdo con Hira de Gortari Rabiela, constituyeron "una breve catarsis que alivió instantáneamente los pesares y reclamos; así las fiestas permitieron olvidar momentáneamente los sentimientos de incertidumbre y temor provocados por la ocupación francesa del territorio español".[45]

A pesar de las muestras de unidad, la nueva situación dividió a las clases altas. Casi todos los españoles peninsulares querían contemporizar, o bien, reconocer alguna autoridad –cualquier autoridad– en España. Por otra parte, en la ciudad de México, los americanos abogaban por la autonomía. El 19 de julio el ayuntamiento de la ciudad de México, dominado por los americanos, presentó al virrey José de Iturrigaray una resolución en la que le solicitaban continuar *provisionalmente* al frente del gobierno. El ayuntamiento justificó su posición sobre la base de la teoría política tradicional hispánica, recordando a Iturrigaray que "por su ausencia [la del rey] o impedimento, reside la soberanía representada en todo el reino y las clases que lo forman, y con más particularidad en los tribunales superiores que lo gobiernan, administran justicia y en los cuerpos que llevan la voz pública".[46] Los americanos proponían convocar una junta similar a las formadas en la Península para gobernar Nueva España. El virrey Iturrigaray aceptó y, el 1 de septiembre de 1808, solicitó que los ayuntamientos de Nueva España nombraran representantes para una reunión en la capital. Sin embargo, los peninsulares

45. Hira de Gortari Rabiela, "Julio-agosto de 1808: 'La lealtad mexicana'" en *Historia mexicana*, 39:1 (julio-septiembre, 1989), p. 201.

46. "Testimonio de la sesión celebrada por el Ayuntamiento de México, el 19 de julio de 1808" en *Documentos históricos mexicanos*, 7 vols., Genaro García (ed.) (México, Museo Nacional de Arqueología, Historia y Etnología, 1910), I, p. 27.

derrocaron al virrey la noche del 15 de septiembre de 1808, con el fin de evitar que el congreso de las ciudades tuviera lugar. Muchos americanos se encolerizaron por el golpe de estado de 1808, ya que los europeos habían violado la ley y tomado control del reino. Los rumores de conspiraciones se volvieron comunes en toda Nueva España.[47] El golpe fue la causa más importante de la insurgencia que surgiría en 1810.

La creación en España de la Junta Suprema Central Gubernativa del Reino como gobierno de defensa nacional en septiembre de 1808 proporcionó una solución aparente a la crisis de la monarquía. Ese cuerpo gubernativo no sólo reconocía los derechos de las provincias españolas, sino que también aceptaba la aserción de los americanos de que sus territorios no eran colonias, sino reinos que constituían partes iguales e integrales de la monarquía española, y que poseían el derecho a la representación en el gobierno nacional, algo que ninguna otra nación europea había concedido a sus posesiones. Cada provincia de España envió dos representantes a la Junta Central, mientras que a cada uno de los nueve reinos americanos se les asignó un diputado. Muchos americanos, empero, se opusieron al hecho de que no tendrían una representación equivalente.[48]

En 1809 los reinos americanos organizaron las primeras elecciones de representantes para un gobierno que abarcara toda la monarquía: la Junta Central. Las elecciones constituyeron un paso importante en la conformación de un gobierno representativo moderno para toda la Nación Española, como se llamaba ahora a la monarquía española. Es claro que los procesos electorales –el uso de la terna, por ejemplo– se apoyaban en los procedimientos de elección existentes para las organizaciones corporativas. La diferencia principal era que los procesos electorales tradicionales se estaban adaptando para los nuevos propósitos políticos. Más aún, el proceso reconocía implícitamente

47. Virginia Guedea, "Criollos y peninsulares en 1808. Dos puntos de vista sobre lo español", tesis de Licenciatura, Universidad Iberoamericana, 1964; Jaime E. Rodríguez O., "From Royal Subject to Republican Citizen: The Role of the Autonomists in the Independence of Mexico" en Jaime E. Rodríguez O. (ed.), *The Independence of Mexico and the Creation of the New Nation* (Los Angeles, UCLA Latin American Center, 1989), pp. 19-43. La Audiencia de Guadalajara se opuso a la convocatoria de cualquier congreso de ciudades. Más tarde, el ayuntamiento de Guadalajara apoyó el derrocamiento de Iturrigaray. Lucas Alamán, *Historia de Méjico*, 5 vols. (México, Fondo de Cultura Económica, 1985), I, pp. 212, 258.

48. Rodríguez O., *La independencia de la América española*, capítulo II.

el antiguo derecho putativo de las capitales de provincia de América para tener representación en los congresos de las ciudades.[49]

Sin embargo, las autoridades del Nuevo Mundo pusieron en práctica el decreto de elección de diversas maneras. En Nueva España los peninsulares golpistas que controlaban el reino interpretaron el decreto de la forma más estrecha, concediendo el privilegio de llevar a cabo elecciones sólo a las capitales de doce intendencias y a otras dos ciudades que lograron convencer a las autoridades de sus derechos. Se autorizaron elecciones en Antequera, Arizpe, Durango, Guadalajara, Guanajuato, Mérida, México, Puebla, Querétaro, San Luis Potosí, Tlaxcala, Valladolid, Veracruz y Zacatecas.[50] Las elecciones fueron largas y complicadas. En Nueva España, de acuerdo con Virginia Guedea, la "mayoría [de los individuos elegidos]–ocho de catorce– habían nacido en la Península, con cuyos intereses estaban directamente vinculados ... y se habían destacado, o se destacarían después, como decididos defensores del régimen ... y de mantener el estado de cosas".[51] Aunque los intereses familiares, regionales, económicos y profesionales influenciaron las elecciones, en muchos casos el conflicto opuso al "partido europeo" contra el "partido americano". La predominancia de los peninsulares en las elecciones de Nueva España sin duda reflejó el control que los europeos habían ejercido sobre ese reino desde el golpe de estado de 1808. Aquélla sería la última elección dominada por los peninsulares.

Los ayuntamientos de Nueva España enviaron a sus representantes a la Junta Central con instrucciones detalladas. Todos declararon su lealtad a Fernando VII, y casi todos insistieron en el tema de la igualdad de América. Así, los habitantes del Nuevo Mundo reafirmaron su apoyo a la monarquía al tiempo que hacían valer sus derechos dentro de la Nación Española. La ciudad de Guanajuato declaró:

49. *Ibid.*; Julio V. González, *Filiación histórica del gobierno representativo argentino*, 2 vols. (Buenos Aires, Editorial La Vanguardia, 1937-1938), I.

50. Véase, por ejemplo, "Sobre derecho de las Provincias Internas para elegir en cada una Diputado que sea comprendido entre los demas del Reyno donde se ha de sortear el que baya a la Suprema Junta", Archivo General de la Nación de México (en adelante AGN), Historia, vol. 416, y Nettie Lee Benson, "The Elections of 1809: Transforming Political Culture in New Spain", *Mexican Studies/Estudios Mexicanos*, 20:1 (invierno de 2004), pp. 1-20.

51. Virginia Guedea, "Las primeras elecciones populares en la ciudad de México, 1812-1813" en *Mexican Studies / Estudios mexicanos*, 7:1 (invierno de 1991), pp. 2-3.

> Que sea tenida esta América [conforme a la declaración de la Junta Central] no como colonia, sino como una parte esencial de la Monarquía de España, y ... que bajo este concepto fundamental e invariable en todas constituciones, providencias y deliberaciones, y aun variaciones de las leyes y gobierno nacional, sea considerada la Nueva España igualmente que la Antigua sin variación alguna.[52]

La ciudad de Zacatecas enunció sus deseos de reforma de la manera más clara. Demandó "que se restituya a la Nación congregada en Cortes el poder legislativo, se reformen los abusos introducidos por el executivo y los Ministros del Rey sean responsables de los que se introduxeren ...". Ésa era una referencia clara a la administración del ministro Manuel Godoy, ampliamente considerado un funcionario corrupto. Zacatecas también insistió en

> que se establezca el más perfecto, justo e inviolable equilibrio no sólo entre los dos poderes [el ejecutivo y el legislativo], sino también en la representación nacional en otras Cortes, mediante el aumento que debe recibir a consecuencia de la Soberana declaración citada de que las Américas son parte esencial integrante de la Monarquía ...[53]

Pero las decisivas victorias francesas de 1809 destruyeron el frágil equilibrio establecido por la Junta Central. Cuando este cuerpo se disolvió en enero de 1810, y se nombró un Consejo de Regencia en su lugar, algunas provincias de España y varios reinos de América se rehusaron a reconocer la legitimidad del nuevo gobierno. Algunos americanos creían que había llegado el momento de establecer gobiernos autónomos en sus territorios. La decisión del Consejo de convocar a cortes, sin embargo, respondió a las preocupaciones de las provincias de España y de muchas partes del Nuevo Mundo. En 1810, los americanos organizaron elecciones extensas, no para una junta de gobierno, sino para un parlamento que abarcaría la monarquía entera, y que poseería la autoridad para transformar el mundo español. Las cortes proporcionaron a los americanos, quienes deseaban la autonomía, un medio pacífico de obtener el gobierno local. Además, los largos debates en

52. Cita en José Miranda, *Las ideas y las instituciones políticas mexicanas, primera parte, 1521-1820*, 2da edición (México, Universidad Nacional Autónoma de México, 1978), pp. 227-228.
53. Citado en Guerra, *Modernidad e independencia*, pp. 212-213.

ese parlamento, que fueron ampliamente difundidos por la prensa durante el periodo de 1810 a 1812, influenciaron en forma significativa tanto a los americanos que lo apoyaban como a los insurgentes que se oponían al nuevo gobierno de la monarquía española.

Los diputados de España y América que promulgaron la Constitución de la monarquía española en 1812 transformaron el mundo hispánico; iniciaron una de las más grandes revoluciones de los tiempos modernos. La Constitución de 1812 no era un documento español, era una Carta Magna para el mundo español. Los diputados americanos en las cortes desempeñaron un papel central en la redacción de la Constitución. Sus argumentos y propuestas convencieron a los españoles de adoptar cambios sustanciales en la Península, así como en América. Más aún, muchas de las reformas liberales que caracterizaron la Constitución española de 1812 son atribuibles directamente a los diputados de Nueva España como Miguel Ramos Arizpe y José Miguel Guridi y Alcocer.[54] Éstos tomaron la iniciativa de introducir las principales instituciones de gobierno local: el ayuntamiento constitucional y la diputación provincial.[55]

La Constitución de Cádiz, la Carta Magna más radical del siglo XIX, abolió las instituciones señoriales, el tributo a los indígenas, el trabajo forzoso y declaró el control del Estado sobre la Iglesia. Esta Constitución creó un Estado unitario con leyes iguales para cada parte de la monarquía española y restringió sustancialmente la autoridad del rey al confiar a las cortes poder de decisión. Al conceder el derecho de sufragio a todos los hombres adultos –excepto aquellos de ascendencia africana, miembros de las órdenes regulares, sirvientes domésticos, criminales convictos y deudores públicos–, sin requerir ni el saber leer ni los requisitos de propiedad, la Constitución de 1812 sobrepasó a todos los gobiernos representativos existentes, entre ellos Gran Bretaña, Estados Unidos y Francia, en el otorgamiento de derechos

54. Rodríguez O., *La independencia de la América española*, capítulo III; véase también Manuel Chust, "De esclavos, encomenderos y mitayos. El anticolonialismo en las Cortes de Cádiz" en *Mexican Studies / Estudios mexicanos*, 11:2 (verano 1995), pp. 179-202.

55. Nettie Lee Benson, *La Diputación Provincial y el federalismo mexicano* (México, El Colegio de México, 1955), pp. 13-21; Manuel Chust, "Legislar y revolucionar. La trascendencia de los diputados novohispanos en las Cortes hispanas, 1810-1814" en Virginia Guedea (coord.), *La independencia de México y el proceso autonomista novohispano, 1808-1824* (México, Universidad Nacional Autónoma de México / Instituto Mora, 2001), pp. 23-82.

políticos a la vasta mayoría de la población masculina.[56] El análisis que hace François-Xavier Guerra del censo electoral de 1813 en la ciudad de México concluye, por ejemplo, que 93% de la población masculina adulta de la capital tenía derecho al voto.[57]

La tradición liberal que surgió en Cádiz conformó la base del posterior desarrollo político, económico e institucional mexicano. La Constitución de 1812 estableció un gobierno representativo en tres niveles: las ciudades y pueblos (el ayuntamiento constitucional), las provincias (las diputaciones provinciales) y la monarquía (las Cortes). Cuando permitió que las ciudades y pueblos de mil habitantes o más formaran ayuntamientos, la Constitución transfirió el poder político del centro a la periferia e incorporó a un gran número de personas al proceso político.[58] La Constitución de Cádiz también abordó importantes cuestiones socioeconómicas. Aunque algunos diputados americanos y españoles abogaban por la abolición de la esclavitud, la

56. Rodríguez O., *La independencia de la América española*, pp. 70-120; Manuel Chust, *La cuestión nacional Americana en las Cortes de Cádiz* (Valencia, Fundación Instituto Historia Social, 1999).

57. François-Xavier Guerra, "El soberano y su reino: Reflexiones sobre la génesis del ciudadano en América Latina" en Hilda Sabato (coord.), *Ciudadanía política y formación de las naciones: Perspectivas históricas de América Latina* (México, Fondo de Cultura Económica, 1999), p. 45.

58. Más tarde, un decreto de las Cortes redujo a 200 el número de habitantes necesario para formar un ayuntamiento constitucional. Los estudios sobre las elecciones populares en la América española demuestran que, mientras que las elites controlaban la política, cientos de miles de hombres de las clases media y baja, incluidos indígenas, mestizos y castas, participaban en esos procesos. Véase Nettie Lee Benson, "The Contested Mexican Election of 1812" en *Hispanic American Historical Review*, XXVI (agosto de 1946), pp. 336-350; Guedea, "Las primeras elecciones populares en la ciudad de México", pp. 1-28; Virginia Guedea, *En busca de un gobierno alterno: Los Guadalupes de México* (México, Universidad Nacional Autónoma de México, 1992), pp. 233-315; y Virginia Guedea, "El pueblo de México y la política capitalina, 1808-1812" en *Mexican Studies/Estudios mexicanos*, 10:1 (invierno de 1994), pp. 27-61; Jaime E. Rodríguez O., "La revolución hispánica en el Reino de Quito: las elecciones de 1809-1814 y 1821-1822" en Marta Terán y José Antonio Serrano Ortega (eds.), *Las guerras de Independencia en la América española* (Zamora, El Colegio de Michoacán/INAH/Universidad Michoacana de San Nicolás Hidalgo, 2002), pp. 485-508; y Peter Guardino, "'Toda libertad para emitir sus votos': Plebeyos, campesinos y elecciones en Oaxaca, 1808-1850" en *Cuadernos del Sur*, año 6, núm. 15 (junio de 2000), pp. 87-114. Estudios sobre las elecciones en la ciudad de México, Veracruz, Guadalajara, Guatemala y Guayaquil demuestran que se les concedió el derecho de sufragio a las personas de ascendencia africana; véase Guedea, "Las primeras elecciones populares"; Patrick J. Carroll, *Blacks in Colonial Veracruz* (Austin, University of Texas Press, 1991), pp. 134-141; Jordana Dym, "A Sovereign State in Every Village: City, State and Nation in Independence-era Central America, ca. 1760-1850", tesis de doctorado (New York University, 2000); Jaime E. Rodríguez O., "*Rey, Religión, Yndependencia y Unión": el proceso político de la independencia en Guadalajara* (México, Instituto de Investigaciones José Luis Mora, 2003), y Jaime E. Rodríguez O., "De la fidelidad a la revolución: el proceso de la independencia de la Antigua Provincia de Guayaquil, 1809-1820", *Procesos: Revista ecuatoriana de historia* 21 (II semestre/2004), pp. 35-88.

mayoría no estaban dispuestos a terminar con esa odiosa forma de la propiedad. En forma similar, los diputados se dividieron en torno a la cuestión del libre comercio. Muchos diputados americanos y españoles creían que el libre comercio permitiría que la economía creciera enormemente y contribuiría al bienestar nacional. Sin embargo, la mayoría de los representates americanos y españoles favorecieron la protección de sus industrias. Los diputados de Nueva España tenían diferencias sobre la cuestión y se abstuvieron en el voto final. La mayoría de los diputados americanos y españoles apoyaba las "contribuciones directas" como la mejor forma, y la más equitativa, de financiar el gobierno. De igual manera, los diputados concordaban en que todos los hombres tenían la responsabilidad de defender a la nación. Como el *Catecismo político*, un texto escolar de primaria, apuntaba en 1813:

> Todo español debe amar a su patria, ser justo y benéfico, sujetarse a la Constitución, obedecer las leyes, respetar las autoridades establecidas, contribuir sin distinción alguna en proporción de sus haberes para los gastos del Estado, y defender la patria con armas cuando sea llamado por la ley: es decir, que no debe haber privilegio alguno ni en orden a las contribuciones, ni en órden al servicio de las armas.[59]

El nuevo gobierno representativo liberal fue introducido plenamente en el virreinato de Nueva España más que en cualquier otra parte de la monarquía española, incluida la Península española. A pesar de la confusión, los conflictos y el retraso, las primeras elecciones constitucionales en Nueva España contribuyeron a la formación de una nueva cultura política. Los ciudadanos participaron en el gobierno tanto en lo local como en el provincial. Se establecieron más de un millar de ayuntamientos constitucionales en todo el territorio. En algunas áreas como las Diputaciones Provinciales de Yucatán y Nueva Galicia se organizaron hasta tres elecciones de ayuntamiento sucesivas en el periodo de 1812 a 1814. En esos tres años se establecieron cinco diputaciones provinciales; las de Yucatán y Nueva Galicia organizaron dos elecciones en el periodo, la primera para establecer y la segunda para

59. D. J. C., *Catecismo político arreglado a la Constitución de la Monarquía Española; para la ilustración del Pueblo, instrucción de la juventud, y uso de las escuelas de primeras letras*, 2da. edición (Puebla, Imprenta San Felipe Neri, 1820).

renovar los gobiernos provinciales.[60] Así, los habitantes del antiguo virreinato de Nueva España aprendían la naturaleza e importancia del autogobierno y de la autonomía local a través de su propia experiencia. Su apreciación del gobierno autónomo se extendería y maduraría con el tiempo.

La Insurgencia

La revolución constitucional, empero, no fue la única transformación que ocurrió en Nueva España. El golpe de 1808 había exacerbado las divisiones entre los europeos y los americanos. Los novohispanos autonomistas nunca aceptaron las acciones de los españoles. Algunos recurrieron a la violencia para alcanzar un gobierno autónomo. En el otoño de 1809 las autoridades descubrieron una conspiración importante en la ciudad de Valladolid. La caída de Iturrigaray en septiembre de 1808 y la posterior arrogancia de los españoles habían encendido el ánimo de los americanos. Los conspiradores tenían seguidores en otras ciudades de provincia como Guanajuato, Querétaro, San Miguel el Grande y Guadalajara. Prepararon un levantamiento para el 21 de diciembre de 1809 y esperaban respaldo del ejército y la milicia. Esperaban atraer a miles de hombres entre los indígenas y las castas por la promesa de abolición del tributo. La diferencia entre este plan y el anterior movimiento por la autonomía suscitado en la ciudad de México consistía sólo en que debía recurrir a la fuerza porque los españoles habían tomado el gobierno. Cuando el movimiento fue descubierto, las autoridades decidieron ser indulgentes, pues muchos personajes importantes declararon abiertamente que los conspiradores sólo eran culpables de intentar, con justicia, resarcir agravios de una forma inadecuada.[61]

La conspiración de Valladolid alentó un movimiento similar en Querétaro, donde los capitanes de milicia Ignacio Allende y Juan Aldama y el corregidor Miguel Domínguez comenzaron pláticas informales. Para marzo de 1810, los conspiradores habían reclutado al padre Miguel Hidalgo y a otros criollos desafectos. Ellos, como el grupo de Valladolid, buscaban deponer a los españoles europeos con la ayuda de los trabajadores rurales y urbanos

60. Jaime E. Rodríguez O., "Las elecciones a las Cortes Constituyentes Mexicanas" en Louis Cardaillac y Angélica Peregrina (coords.), *Ensayos en homenaje a José María Muriá* (Zapopan, El Colegio de Jalisco, 2002), pp. 80-85.

61. Rodríguez O., *La independencia de la América española*, pp. 96-98.

del Bajío y establecer una junta americana para gobernar en nombre del rey Fernando VII. Los conspiradores planearon un levantamiento para octubre de 1810 pero las autoridades los descubrieron el 13 de septiembre y el grupo de Querétaro fue arrestado.

Sin embargo, Hidalgo, Allende y Aldama emprendieron la revuelta desde el próspero pueblo de Dolores en la mañana del 16 de septiembre de 1810. De acuerdo con Aldama, alrededor de las ocho de la mañana

> Ya se habrían juntado más de seiscientos hombres de pie y a caballo por ser día Domingo y haber ocurrido a misa de los ranchos inmediatos, y el cura [Hidalgo], que los exhortaba a que se uniesen con él, y que le ayudasen a defender el reino porque [los españoles] querían entregarlo a los franceses: que ya se había acabado la opresión, que ya no había más tributos, que a los que se alistaban con caballos y armas se les pagaría a peso diario y los de a pie a cuatro reales.[62]

La revuelta de Hidalgo, que comenzó como un movimiento por la autonomía, fue recibida inicialmente con beneplácito por la elite de Nueva España. Sin embargo, las clases altas retiraron su apoyo cuando se hizo evidente que los dirigentes rebeldes no podían controlar a sus seguidores. El saqueo de Guanajuato constituyó el punto de transición en la revuelta. El pillaje, la matanza y la destrucción de la ciudad del Bajío indicaron claramente que la insurrección promovía un conflicto de clases incontrolable. La elite temía que una revolución encendiera una guerra de razas. Los indígenas y los campesinos con tierras comunales también temían que los pobres sin tierras alistados en las fuerzas de Hidalgo pudieran arrebatarles su propiedad. El ejército real y casi toda la milicia, constituida por 95% de americanos, permanecieron leales a la Corona. Finalmente, los realistas vencieron a los insurgentes. Posteriormente, Hidalgo fue capturado, juzgado, depuesto del sacerdocio y ejecutado.[63]

62. Juan Aldama, "Declaración rendida por ... en la causa que se le instruyó por haber sido caudillo insurgente" en García, *Documentos*, VI, p. 529.

63. El mejor estudio sobre la revuelta de Hidalgo sigue siendo el de Hugh M. Hamill, *The Hidalgo Revolt: Prelude to Mexican Independence* (Gainesville, University of Florida Press, 1966). Aunque fue publicado originalmente en 1849, el trabajo de Lucas Alamán, *Historia de Méjico desde los primeros movimientos que prepararon su independencia en el año de 1808 hasta la época presente*, 5 vols. (México, Fondo de Cultura Económica, 1985), es aún el mejor, más detallado y más sutil recuento de aquellos acontecimientos.

Su muerte no terminó con la insurgencia. Ignacio Rayón, un abogado que fungía como secretario de Estado, asumió la dirección del movimiento tras la ejecución de Hidalgo en 1811. Al principio, Rayón intentó llevar a cabo la reconciliación con las autoridades reales. Cuando éstas rechazaron su intento de obtener la autonomía Rayón y otros dirigentes insurgentes organizaron la Suprema Junta Nacional Americana como un gobierno alterno. En enero de 1812 las fuerzas realistas tomaron el pueblo de Zitácuaro, donde la junta tenía su sede. Aunque Rayón escapó, fue perdiendo gradualmente su posición como dirigente de los rebeldes. El padre José María Morelos, quien estaba librando una guerra de guerrillas en el sur, se convirtió en el caudillo insurgente más importante.[64]

En contraste con la revuelta de Hidalgo, la insurgencia de Morelos prosperó porque éste dirigió un movimiento ordenado que redujo la posibilidad de un conflicto bélico de raza o clase. Durante 1811 y 1812, Morelos y sus comandantes se concentraron en cortar las líneas de comunicación de la capital y en lograr el control del sur. El triunfo más grande de Morelos llegó en 1812, cuando tomó la ciudad de Oaxaca. La siguiente primavera Morelos inició un sitio de siete meses sobre Acapulco. A pesar de sus logros militares Morelos no pudo alcanzar la autoridad meramente por la fuerza de las armas, particularmente porque las Cortes hispánicas habían ratificado la noción de soberanía popular y gobierno representativo. Después de la promulgación de la Constitución hispánica de 1812 y la realización de elecciones populares en el territorio de Nueva España, los seguidores urbanos de Morelos lo apremiaron a convocar un congreso.

En junio de 1813, Morelos convocó a elecciones en la región controlada por los insurgentes con miras a un congreso que se realizaría en Chilpancingo, un pueblo pequeño, amigable y que podría defenderse fácilmente. Tal parece que las elecciones tuvieron lugar en las provincias de Oaxaca, Puebla, Veracruz y Michoacán, áreas dominadas por los insurgentes; en la provincia insurgente de Tecpan y, en secreto, en la ciudad de México y tal vez en otros centros urbanos. A diferencia de las elecciones organizadas bajo la Constitución hispánica de 1812, las elecciones insurgentes fueron

64. Alamán, *Historia de Méjico*, III, pp. 443-580; Virginia Guedea, *En busca de un gobierno alterno: Los Guadalupes de México* (México, Universidad Nacional Autónoma de México, 1992), pp. 48-125.

menos populares y parecen haber sido controladas o influenciadas por los dirigentes insurgentes.[65]

Desde el principio se generaron conflictos entre el poder ejecutivo y la legislatura insurgente. Aunque el Congreso ratificó el mando de Morelos como "generalísimo" y declaró la independencia de "América Septentrional", el cuerpo representativo asumió la soberanía nacional e intentó ejercer el poder supremo. El 22 de octubre de 1814 el Congreso expidió el Decreto Constitucional para la Libertad de la América Mexicana, conocido como la Constitución de Apatzingán por el pueblo en que fue promulgada. La nueva Carta establecía una república con un ejecutivo plural y una legislatura poderosa. El Congreso rechazó las pretensiones de Morelos al poder y le retiró la autoridad suprema, pero mantuvo su apoyo al convocarlo como miembro del triunvirato ejecutivo. Sin embargo, en noviembre de 1815, las fuerzas realistas vencieron a Morelos, que fue capturado, juzgado, depuesto del sacerdocio y ejecutado el 22 de diciembre de 1815. Unos días antes otros dirigentes insurgentes disolvieron el Congreso. La Constitución de Apatzingán nunca fue instrumentada y no ejerció ninguna influencia sobre el desarrollo constitucional posterior en Nueva España / México.[66]

La Constitución restaurada

El primer periodo constitucional terminó en 1814 cuando Fernando VII regresó y abolió las Cortes y la Constitución, restaurando el absolutismo. El Antiguo Régimen, que Fernando VII había reinstaurado en 1814, duró hasta marzo de 1820. En España los liberales se valieron del desencanto militar en torno a la guerra en América y finalmente forzaron al rey a restaurar la Constitución. El Antiguo Régimen restaurado (1814-1820) había demostrado el valor de las instituciones del gobierno autónomo creadas por la Carta de Cádiz. Los habitantes de Nueva España reestablecieron con entusiasmo las instituciones que les otorgaban el control político de sus territorios.

65. Virginia Guedea, "Los procesos electorales insurgentes" en *Estudios de Historia Novohispana*, 11, 1991, pp. 222-248.

66. *Ibid.*, pp. 203-249; Ana Macías, *Génesis del gobierno constitucional en México, 1808-1820* (México, Secretaría de Educación Pública, 1973), y Alamán, *Historia de Méjico*, III, pp. 545-584.

Las noticias de la restauración de la Constitución de 1812 desataron una extensa actividad política en Nueva España. Sin esperar instrucciones del virrey, las ciudades costeras de Mérida y Campeche juraron lealtad a la Carta Magna a principios de mayo. Después, Veracruz y Jalapa les siguieron ese mismo mes. La presión pública forzó al virrey a proclamar la Constitución en la capital el 31 de mayo.[67] A partir de entonces, las autoridades enviaron en poco tiempo casi un millar de copias de la Constitución a lo largo y ancho del reino.[68] En los siguientes meses las ciudades y los pueblos establecieron o restauraron más de mil ayuntamientos constitucionales. Tan sólo en la provincia de Puebla, 164 ayuntamientos constitucionales, entre ellos muchos pueblos de indios, habían sido constituidos para enero de 1821. Los habitantes del antiguo Virreinato de Nueva España también restauraron el segundo escaño del gobierno local, las diputaciones provinciales. Para finales del año seis diputaciones provinciales recién electas estaban funcionando en lo que había sido el virreinato.[69]

La prensa, que se convirtió en el instrumento indispensable de la política, avivó la explosión de la actividad política. En la ciudad de México y en otras ciudades capitales las noticias importantes, los decretos, las leyes, las circulares, las minutas de reuniones especiales y otras cuestiones de interés se publicaban casi inmediatamente. Circulaban miles de folletos, periódicos y hojas sueltas. El ayuntamiento de la ciudad de México y otras capitales de provincia, así como las diputaciones provinciales, informaban a sus contrapartes de sus actividades, a menudo por medio de documentos impresos. Los novohispanos políticamente activos tuvieron noticia de acontecimientos significativos a pocos días de haber ocurrido, poseían copias de documentos importantes y se aseguraban de ejercer sus derechos.[70] Una cultura política

67. Rodríguez O., *"Rey, Religión, Yndependencia y Unión"*; Jaime E. Rodríguez O., "La transición de colonia a nación: Nueva España, 1820-1821", *Historia mexicana*, XLIII:2 (octubre-diciembre de 1993), p. 270.

68. "Número de ejemplares de la Constitución repartidos en el circular de 19 de junio de 1820", AGN: Historia, vol. 404, f. 329.

69. "Bando de la Junta Preparatoria de Nueva España", *Gazeta del Gobierno de México*, xl, núm. 91 (13 de julio de 1820), pp. 683-688. Rodríguez O., *"Rey, Religión, Yndependencia y Unión"*; Rodríguez O., "La transición de colonia a nación", pp. 270-272; Benson, *La Diputación Provincial*, p. 47; Herrejón, *Actas de la Diputación Provincial*, p. 26; "Actas de la Diputación Provincial de Yucatán, 1820", Centro de Apoyo a la Investigación Histórica de Yucatán; "Actas de la Diputación Provincial de Nueva Galicia, 1820-1821", Nettie Lee Papers, Benson Latin American Collection, Universidad de Texas en Austin.

70. Rodríguez O., "La transición de colonia a nación", pp. 272-273.

nacional había comenzado a formarse antes de que la nación se estableciera formalmente.

Aunque el debate político atraía la atención pública, eran las elecciones, más que ninguna otra actividad, las que politizaban a la sociedad novohispana. Puesto que no existían requisitos de saber leer o de propiedad para ejercer el voto, casi todos los hombres adultos tenían derecho a participar. Durante la segunda mitad de 1820 más de mil pueblos y ciudades organizaron elecciones para ayuntamientos constitucionales. En diciembre de 1820 se organizaron elecciones adicionales para los ayuntamientos de 1821. Entre agosto y noviembre de 1820 tuvieron lugar las elecciones para los diputados de las Cortes y para miembros de las seis diputaciones provinciales. Las nuevas elecciones para las Cortes de 1822-1823 y para reemplazar a la mitad de los miembros de las diputaciones provinciales comenzaron en diciembre de 1820 en el nivel parroquial y concluyeron en las capitales provinciales en marzo de 1821. De esta forma, de mayo de 1820 hasta marzo de 1821 las campañas políticas y las elecciones preocuparon a la población políticamente activa de Nueva España –que ascendía a más de un millón de personas–.[71] Esta intensa actividad proveyó una educación política práctica que aseguró que el pueblo se mantuviera activo y se comprometiera con la nueva cultura política liberal.

En el segundo periodo constitucional las provincias no estaban satisfechas con el reducido número de diputaciones asignadas al virrcinato de Nueva España por las Cortes anteriores, y se organizaron para obtener su propia diputación provincial. Poco tiempo después de haberse reestablecido el Ayuntamiento Constitucional de Puebla, por ejemplo, envió una representación formal a las Cortes solicitando que le fuera asignada una diputación provincial de acuerdo con el Artículo 325 de la Constitución, que afirmaba: "En cada provincia habrá una diputación llamada provincial, para promover su prosperidad, presidida por un jefe superior".[72] Aunque cada provincia de

71. Las actas de las elecciones a las Cortes y a las Diputaciones Provinciales para 1820 y 1821 se encuentran en el Archivo del Congreso de Diputados de las Cortes en Madrid y el Archivo General de Indias en Sevilla. Véase también "Diputados a Cortes para los años de 1822 y 1823", AGN: Gobernación: Sin Sección, Caja 16, exp. 2, ff.1-86.

72. Artículo 325, "Constitución Política de la Monarquía Española" en Felipe Tena Ramírez, *Leyes fundamentales de México, 1808-1991*, 16a. ed. (México, Editorial Porrúa, 1991), p. 97; Ayuntamiento de Puebla, *Representación que hace a S. M. las Cortes el…, para que en esta ciudad, cabeza de provincia, se establezca Diputación provincial, como dispone la Constitución* (Puebla, Imprenta de Gobierno, 1820); Junta Electoral, *Representación, que hace al soberano congreso de Cortes la… de la provincia de Puebla conforme al artículo 325 de la Constitución* (Puebla, Imprenta de Pedro de la Rosa, 1820).

Nueva España insistía en que le fuera concedida una diputación provincial, las Cortes autorizaron sólo una nueva diputación en 1820, la de Michoacán y Guanajuato, con sede en Valladolid.

Durante el receso parlamentario del 10 de noviembre de 1820 al 1 de marzo de 1821 los diputados americanos organizaron la preparación de un esfuerzo unificado para extender el gobierno provincial en América. La llegada a Madrid de nuevos diputados propietarios incrementó el número de representantes y las provincias americanas mismas fortalecieron la actuación de sus representantes al enviar peticiones detalladas en las que se justificaba la creación de nuevas diputaciones. El golpe maestro ocurrió en las Cortes de 1821, cuando los diputados americanos insistieron en que a cada antigua intendencia en el Nuevo Mundo le fuera concedida una diputación provincial. Después de un largo debate, el 8 de mayo de 1821, las Cortes accedieron.[73] Los representantes americanos habían ganado una concesión significativa en su esfuerzo por obtener el gobierno local.

En la ciudad de México los miembros de la elite nacional, quienes estaban preocupados por la necesidad de conservar el gobierno autónomo, se mantuvieron en contacto directo con individuos que sostenían la misma opinión en las capitales provinciales. Les preocupaban muchos asuntos. La elevada participación del pueblo en el proceso político era nueva y desconcertante. Algunos miembros del ejército y el clero se tornaron hostiles al sistema constitucional porque las Cortes promulgaron medidas que eliminaban a los jesuitas y a las órdenes monásticas y que abolían los fueros eclesiásticos y militares.

Tal vez lo que más afectaba a los autonomistas eran las noticias sobre la desintegración política en la península. ¿Acaso la revolución política y social era inminente? De ser así, ¿qué debía hacerse para proteger el orden del gobierno representativo en Nueva España? Quizás había llegado el momento de asumir el control de su destino político. Algunos autonomistas hablaban abiertamente de la independencia. Un grupo que incluía a varias facciones, entre ellas clérigos descontentos, oficiales militares y funcionarios gubernamentales, así como a un elevado número de autonomistas, concluyó que la independencia podría ser necesaria para conservar el gobierno local bajo la

73. Rodríguez O., "La transición de colonia a nación", pp. 280-281; Benson, *La Diputación Provincial*, pp. 49-55.

Constitución de 1812, esto es, para establecer una monarquía constitucional limitada en Nueva España.

Durante el periodo de 1820 a 1821, los dirigentes de Nueva España buscaron dos vías de acción. Los diputados de Nueva España a las Cortes propusieron un proyecto para la autonomía del Nuevo Mundo que crearía tres reinos americanos gobernados por príncipes españoles bajo la Constitución de 1812 y que estarían aliados a la Península. Al mismo tiempo, los autonomistas de Nueva España alentaron y apoyaron al coronel realista Agustín de Iturbide, quien aceptó su plan de autonomía –una versión de la propuesta que entonces se debatía en las Cortes de Madrid–. La mayoría española en las Cortes, aunque en principio a favor, rechazó finalmente la propuesta que habría concedido a los americanos el gobierno local que habían buscado desde 1808.[74]

La independencia

Los dirigentes de Nueva España declararon la independencia cuando se dieron cuenta de que la madre patria no les concedería la autonomía que deseaban. Mientras que la elite de Nueva España se proponía gobernar el país, estos individuos buscaron, a pesar de todo, mantener lazos fuertes con España. Su Plan de Iguala proponía establecer una monarquía constitucional con el nombre de Imperio mexicano, con el rey de España o algún miembro de la familia real como soberano y reconociendo la Constitución hispánica de 1812 y los estatutos promulgados por las Cortes como ley del territorio. La independencia se aseguró cuando Juan O'Donojú, el último jefe político superior de Nueva España, ratificó el Plan de Iguala al firmar el Tratado de Córdoba. O'Donojú alcanzó un rápido acuerdo con Iturbide porque el Plan de Iguala era, en esencia, la propuesta que los diputados americanos habían presentado a las Cortes para formar regencias americanas, y que el jefe político creía aprobada por el parlamento. Como declaró más tarde Iturbide, el español aceptó la propuesta del americano "como si él me hubiese ayudado a redactar el plan [de Iguala]".[75]

74. Rodríguez O., "La transición de colonia a nación", pp. 287-304.
75. Citado en Nettie Lee Benson, "Iturbide y los planes de Independencia", *Historia mexicana*, II:3 (enero-marzo de 1953), p. 442. Yo sostengo que los autonomistas fueron los autores intelectuales del Plan de Iguala, no

Los fundadores del Imperio mexicano consideraban sus acciones consistentes con la tradición política hispánica, a la que consideraban su patrimonio legítimo. Reconocían la primacía de la Constitución hispánica de 1812 y las leyes emitidas por las Cortes hispánicas porque éstas eran parte de su experiencia política reciente. Distinguidos novohispanos habían participado en su redacción y para muchos mexicanos era *su* Constitución tanto como era la Carta Magna de la monarquía española. Sin embargo, las extraordinarias circunstancias de la nueva nación encauzarían la política en una dirección que pocos hubieran imaginado en 1821.

Los autonomistas consideraban que la independencia era la culminación de un esfuerzo de más de una década para acceder al poder. Pero la emancipación había requerido la ayuda de los militares. Así, al tiempo que los autonomistas consideraban la independencia como su logro, el ejército, encabezado por Iturbide consideraba que la victoria era suya.[76] Aunque México había logrado su emancipación, existía tensión entre los militares y los civiles. Como he indicado: "dos tradiciones políticas opuestas ... surgieron entre 1808 y 1821 ...; una, forjada en el crisol de la guerra, enfatizaba el poder ejecutivo, y la otra, basada en la experiencia parlamentaria civil, insistía sobre el dominio legislativo".[77] Es posible que un administrador experimentado y liberal comprometido como O'Donojú hubiera resuelto con éxito y pacíficamente esas tensiones. Desafortunadamente, O'Donojú enfermó justo después de entrar a la capital y no pudo atender las ceremonias de la Declaración de Independencia el 28 de septiembre. Como ya hemos dicho, murió de pleuresía el 8 de octubre de 1821.

---

así Agustín de Iturbide. Véase Rodríguez O., "La transición de colonia a nación", pp. 265-314, y Jaime E. Rodríguez O., "Los caudillos y los historiadores: Riego, Iturbide y Santa Anna" en Manuel Chust y Víctor Mínguez (eds.), *La construcción del héroe en España y México, 1789-1847* (Valencia, Universitat de Valencia, 2003), pp. 309-335. Para una interpretación distinta de estos acontecimientos véase Manuel Ferrer Muñoz, *La formación de un Estado nacional en México. El Imperio y la República Federal, 1821-1835* (México, Universidad Nacional Autónoma de México, 1995). No cito la apología de Iturbide que hace Timothy E. Anna en Lincoln, *The Mexican Empire of Iturbide* (University of Nebraska Press, 1990), porque adolece de serias fallas y porque mi investigación del periodo es más amplia y más completa que la suya.

76. Agustín de Iturbide expresa esa opinión en sus *Memorias escritas desde Liorna* (México, Editorial Jus, 1973), 27: "Cuando entré en México mi voluntad era ley, yo mandaba la fuerza pública, los tribunales no tenían más facultades que las que emanaban de mi autoridad. ¿Pude ser más absoluto?".

77. Citado en Jaime E. Rodríguez O., "The Struggle for Dominance: The Legislature versus the Executive in Early Mexico" en Christon I. Archer (ed.), *The Birth of Modern Mexico* (Wilmington, SR Books, 2003), p. 205; Rodríguez O., "La transición de colonia a nación", pp. 265-314.

Los mexicanos recién independizados siguieron cuidadosamente los precedentes del sistema político hispánico. Formaron un Consejo de Regencia para ejercer el poder Ejecutivo y una Soberana Junta Provisional Gubernativa para funcionar como una legislatura hasta que se convocara a unas Cortes mexicanas. Cuando el gobierno en España rechazó su propuesta, y al enfrentar las demandas populares y militares, los dirigentes políticos del país aceptaron renuentemente a un natural, Agustín de Iturbide, como el primer emperador de la nación. Pero pronto estalló el conflicto entre el emperador Agustín I, quien creía en la primacía del poder Ejecutivo, y las Cortes Constituyentes, que insistían sobre el dominio del Legislativo. A pesar de que Iturbide disolvió las Cortes en octubre de 1822, las provincias lo forzaron a abdicar en marzo de 1823.[78]

La República federal

Las provincias de México, gobernadas por diputaciones provinciales establecidas por la Constitución de 1812, insistieron en elegir un nuevo congreso constituyente encargado de asegurar su autonomía. Las provincias rechazaron la declaración de las Cortes Constituyentes, basada en las acciones de las Cortes españolas, de que las primeras eran depositarias de la soberanía nacional. En cambio, las provincias sostuvieron que la soberanía les pertenecía y que estaban renunciando a una porción de esa soberanía para crear un gobierno nacional. A mediados de 1823 las provincias se consideraban como los árbitros de la nación.

El Segundo Congreso Constituyente, que se reunió el 7 de noviembre de 1823, se enfrentó a circunstancias muy distintas a las que había visto su antecesor. Puesto que las provincias, muchas de ellas ya organizadas como estados, determinaron que México debía tener una república federal, el debate en el Congreso se centró en la cuestión crítica de quién sería soberano: la nación o los estados. Sobre este asunto los diputados se dividieron en cuatro facciones: los defensores extremos de los derechos de los estados; aquellos que favorecían un sistema federal, pero que creían que solamente la nación podía ser soberana; aquellos que creían que la nación y los estados podían compartir

78. *Ibid.*

la soberanía (los confederalistas), y una pequeña minoría de centralistas que deseaban un gobierno altamente centralizado. Ni quienes abogaban por los derechos de los estados ni quienes proponían la soberanía nacional triunfaron. Más bien, surgió el acuerdo de una forma de soberanía compartida. No obstante, los estados obtuvieron un poder impositivo considerable a expensas del gobierno nacional, que perdió aproximadamente la mitad de los ingresos que antes recaudaba por medio de la administración virreinal. Para compensar esta pérdida los estados acordaron pagar al gobierno nacional un "contingente" gravado para cada estado de acuerdo con sus recursos.

El acuerdo de compartir la soberanía no solucionó la cuestión de la división de poderes dentro del gobierno nacional. Fieles a las tradiciones hispánicas, la mayoría de los congresistas creían que la legislatura debía mantener el predominio. Tras la abdicación de Iturbide, las Cortes Constituyentes habían establecido un triunvirato conocido como el Supremo Poder Ejecutivo, que alternaba la presidencia mensualmente. La mayoría de los miembros del Segundo Congreso Constituyente abogaron por alguna clase de ejecutivo plural. Pero una revuelta suscitada el 20 de enero de 1824, y la dificultad que había experimentado el Supremo Poder Ejecutivo para mantener el orden, convencieron a los congresistas de la complejidad del ejecutivo plural. A la larga, el Congreso optó por un presidente y un vicepresidente. Esa decisión, empero, no significó que el Congreso aceptara una presidencia fuerte. Casi todos los mexicanos continuaron prefiriendo la superioridad del congreso; crearon un sistema *quasi* parlamentario al hacer que los secretarios de Estado respondieran frente al Congreso.

La Constitución mexicana de 1824 fue moldeada sobre la base de la Constitución hispánica de 1812 y no, como se suele afirmar, sobre la Constitución de Estados Unidos de 1787. Si la Constitución mexicana poseía cualquier similitud con la Carta Magna de Estados Unidos sería con la primera constitución de este país, los Artículos de Confederación, ya que la república de México era *confederalista* antes que federalista. Secciones enteras de la Carta de Cádiz fueron repetidas *verbatim* en el documento mexicano porque los individuos que redactaron la Constitución mexicana eran distinguidos novohispanos que habían servido en las Cortes de Cádiz y que habían contribuido a la redacción de la Carta de 1812. Tanto la Constitución española de 1812 como la Constitución mexicana de 1824 establecieron legislaturas poderosas y ejecutivos débiles. Pero sería un error considerar la Constitución de 1824 como una mera copia del documento de 1812. Los acontecimientos ocurridos en México, en particular la afirmación de los derechos locales por las antiguas provincias, forzaron al congreso a ubicar la constitución en el marco de las circunstancias únicas de la nación.

Las principales innovaciones –republicanismo, confederalismo y una presidencia– fueron adoptadas para abordar la nueva realidad de México. La monarquía fue abolida porque Fernando VII y Agustín I habían fracasado como dirigentes políticos. El federalismo se erigió en forma natural sobre la base de la experiencia política previa de México. Las diputaciones provinciales creadas por la Constitución de Cádiz simplemente se convirtieron en estados. Los novohispanos distinguidos que habían asumido el liderazgo en las Cortes hispánicas continuaron promoviendo sus opiniones en la nueva nación mexicana que estaban formando.[79]

Como resultado de la gran revolución política del mundo hispánico México desarrolló una nueva legitimidad que duró un siglo. A pesar de los numerosos levantamientos políticos, casi todos los mexicanos creían en los principios de la soberanía popular, los derechos locales y el gobierno civil, representativo y constitucional. No estaban de acuerdo sobre el grado de participación popular y de gobierno local, pero no cuestionaban la validez ni del gobierno representativo ni de la supremacía de la legislatura. Aunque los mexicanos establecieron una república centralista en 1836 no lograron imponer ni un gobierno altamente centralizado ni una presidencia poderosa. En cambio, redujeron el papel político de los pueblos, concentrando el poder en las ciudades principales. Bajo las constituciones centralistas la legislatura mantuvo su predominio. Incluso aquellos que buscaban restaurar la monarquía favorecían la monarquía constitucional. La Constitución de

79. Véanse mis ensayos "La transición de colonia a nación: Nueva España, 1820-1821", *Historia mexicana*, vol. 43, núm. 170 (septiembre-diciembre de 1993), pp. 265-232; "La Constitución de 1824 y la formación del Estado mexicano", *Historia mexicana*, vol. 40, núm. 3 (enero-marzo de 1991), pp. 507-535; "The Struggle for Dominance"; "Las Cortes Mexicanas y el Congreso Constituyente" en Virginia Guedea (coord.), *La independencia de México y el proceso autonomista novohispano, 1808-1824* (México, Universidad Nacional Autónoma de México/Instituto Mora, 2001), pp. 285-320, y "The Struggle for the Nation: The First Centralist-Federalist Conflict in Mexico", *The Americas*, vol. 49, núm. 1 (julio de 1992), pp. 1-22. Véase también Nettie Lee Benson, *La Diputación Provincial y el federalismo mexicano* (México, El Colegio de México, 1955), y José Barragán y Barragán, *Introducción al federalismo (la formación de los poderes 1824)* (México, Universidad Nacional Autónoma de México, 1978).

1857, promulgada para resolver las fallas ostensibles de la Carta Magna federal anterior, no concentró el poder en el gobierno nacional ni estableció una presidencia fuerte. Ningún presidente, incluyendo a Benito Juárez y Porfirio Díaz, dominó México durante el siglo XIX. Aunque la Revolución mexicana y los gobiernos posrevolucionarios que le siguieron transformaron el sistema político del país, concentrando el poder en la capital y en el presidente, los ideales de la soberanía popular, los derechos locales y el gobierno representativo se mantuvieron como metas del pueblo mexicano.

16. "NINGÚN PUEBLO ES SUPERIOR A OTRO": OAXACA Y EL FEDERALISMO MEXICANO*

> Oaxaca sola e independiente de Méjico eres feliz... Separate de Méjico, y esta acción misma, la veras identificada con tu felicidad: establece un nuevo orden de cosas: muda el sistema que has observado hasta aqui, y dentro de pocos años, seras la embidia de las Naciones... Considera el estado actual de Méjico, y ... veras ... que ocupado el Soberano Congreso en las vastas atenciones que demanda el Septentrión entero; no puede dedicarse a este punto solo, con aquel empeño, que seguramente tendran sus propios indigenas.
>
> Antequera de Oaxaca, 25 de mayo de 1823

En la mañana del domingo 1 de junio de 1823, un grupo numeroso de personas se congregó en la plaza mayor de la ciudad de Antequera de Oaxaca para exigir la fundación de "un Gobierno Republicano Federado, con Yndependencia de esa Capital [México]".[1] Como resultado, la Provincia de Oaxaca se convirtió en la primera en establecer un gobierno interino y la primera en convertirse en un estado independiente y soberano dentro de la esfera superior de la nación mexicana.

El triunfo del federalismo en Oaxaca fue la culminación de varias décadas de cambios institucionales, económicos, políticos e ideológicos. Este ensayo analiza los eventos oaxaqueños y los ubica dentro de un contexto más

* Una versión de este artículo apareció en Brian Connaughton (coord.), *Poder y legitimidad en México, siglo XIX. Instituciones y cultura política* (Mexico, Universidad Autónoma Metropolitana-Iztapalapa/Miguel Ángel Porrúa, 2003), pp. 249-309. A Linda Alexander Rodríguez, Peter Guardino, José Antonio Serrano y Aldo Flores Quiroga agradezco sus valiosas sugerencias para mejorar este trabajo. Asimismo, agradezco a Saúl Jiménez Saldoval la traducción de este ensayo.

1. Antonio de León al Supremo Poder Ejecutivo, Oaxaca, 4 de junio de 1823, Archivo General de la Nación (en adelante AGN), Gobernación, Sin Sección (en adelante G: SS), Caja (en adelante C) 48, ff. 18-20.

amplio que considera las transformaciones extraordinarias que tomaron lugar durante los años anteriores.

Durante la segunda parte del siglo XVIII la región prosperó como resultado de la producción de la grana de cochinilla y los textiles. A finales del siglo, la población de la ciudad capital de Antequera había aumentado a aproximadamente 19 mil habitantes. Rodeada por una fuerte población indígena, Antequera era la principal ciudad constituida por una población no indígena. Los alcaldes mayores, la mayoría de ellos españoles europeos, administraban la región y servían como enlaces entre los productores y los mercaderes –principalmente de la ciudad de México–, especialmente en relación con el sistema de repartimiento de comercio. Las relaciones de poder cambiaron en 1786 cuando Oaxaca se convirtió en una intendencia, ya que los subdelegados reemplazaron a los alcaldes mayores y el repartimiento de comercio se abolió. Dado que el repartimiento servía como un sistema importante de crédito, y los alcaldes mayores facilitaron el mercadeo y la exportación de productos locales, las modificaciones ocasionaron un nivel considerable de descontento. Los procedimientos comerciales también cambiaron, puesto que el establecimiento del Consulado de Veracruz socavó las ya establecidas conexiones de crédito y comercio que se hacían con los grandes comerciantes del Consulado de México. Las guerras europeas que se desataron a causa de la Revolución francesa de 1789 redujeron y transformaron aun más el comercio del área. La Intendencia de Oaxaca se veía en el proceso de adaptarse a estos cambios tan drásticos cuando fue afectada por los trastornos de 1808.[2]

La revolución hispánica

El colapso de la monarquía española, como resultado de la invasión francesa a la Península y la abdicación de sus gobernantes, puso en marcha una serie de acontecimientos que dieron inicio a una gran revolución política en todo

2. John K. Chance Chance, *Race & Class in Colonial Oaxaca* (Stanford, Stanford University Press, 1978), pp. 144-185); Marcello Carmagnani, *El regreso de los dioses. El proceso de reconstitución de la entidad étnica en Oaxaca. Siglos XVII-XVIII* (México, Fondo de Cultura Económica, 1988), pp. 109-230; Carlos Sánchez Silva, "Indians, Merchants, and Bureaucracy in Oaxaca, Mexico, 1786-1880" (tesis de doctorado: Universidad de California, San Diego, 1998); Brian Hamnett, *Politics & Trade in Southern Mexico, 1750-1821* (Cambridge, Cambridge University Press, 1971); Jeremy Baskes, "Coerced or Voluntary? The *Repartimiento* and Market Participation of Peasants in Late Colonial Oaxaca", *Journal of Latin American Studies*, 28:1 (febrero, 1996), pp. 1-28.

el mundo hispánico. El primer paso en ese proceso fue la formación de juntas de gobierno locales en España –las cuales invocaron el principio legal hispánico que afirmaba que, en la ausencia del rey, la soberanía revertía al pueblo–.

Las noticias sobre los eventos que ocurrían en España, al igual que los acontecimientos en otras partes de la monarquía, se diseminaron rápida y anchamente. En el Antiguo Régimen las noticias y la información se difundían en varias formas. Las leyes impresas, los decretos y los informes oficiales se distribuían a las autoridades relevantes. A la vez, los funcionarios las hacían saber a la gente al exhibirlas en lugares públicos y al emplear pregoneros para que se las leyeran al pueblo. Mucha de la información se transmitía oralmente. Los curas a menudo discutían cuestiones importantes tanto formalmente durante la misa, o informalmente fuera de ella. Funcionarios públicos e individuos particulares escribían cartas a amigos y a colegas que contenían informes o comentarios sobre los hechos del día. Los que recibían tales noticias informaban, a su vez, a sus amigos, colegas y vecinos. Asimismo, los escribanos se aseguraban que el público analfabeto estuviera informado de los últimos acontecimientos. Arrieros, mercaderes y viajeros mantenían a los pueblos y aldeas de provincia al tanto de los hechos que ocurrían en la capital virreinal o en Europa. La gente discutía los acontecimientos del día en reuniones sociales –tertulias, cafés, tabernas, paseos, etc.–. Por tanto, aun la vasta población analfabeta estaba mucho más informada de lo que comúnmente se ha creído.[3] El discurso público se intensificó después de 1808. La imprenta, que se convirtió en el instrumento indispensable de la política, dio pábulo a una explosión de actividad política en todo el mundo hispánico. En los meses y años que siguieron, noticias importantes –en especial las que trataban de la lucha contra los franceses– decretos, leyes, circulares, actas de reuniones especiales, informes de elecciones, declaraciones de personas prominentes y otros asuntos de interés se publicaban rápidamente. Las noticias provenientes de Europa y América circulaban extensamente en la ciudad de México y en las capitales provinciales. Los

3. Un funcionario, por ejemplo, escribió en enero de 1810: "y como son tan interesantes las noticias" las enviaba de inmediato a su colega. AGN: Historia, vol. 326, exp. 7, f. 1. Los documentos oficiales a menudo incluían la siguiente instrucción: "y para que llegue a noticia de todos los habitantes, mando que se publique y se fije en los parajes acostumbrados". Jaime E. Rodríguez O., *La independencia de la América española* (México, Fondo de Cultura Económica, 1996), pp. 55-67.

novohispanos dedicados a la política se enteraban de los sucesos relevantes a escasos días de que hubieran sucedido; poseían ejemplares de documentos importantes y procuraban aprovechar al máximo sus derechos.[4]

Si bien las ideas, estructuras y prácticas políticas cambiaron con rapidez vertiginosa después de 1808, mucho quedó del Antiguo Régimen. La naturaleza de las relaciones sociales, económicas e instucionales cambió lentamente; los nuevos procesos y las instituciones liberales necesitaban de más tiempo para asentarse con vigencia. Como lo mostrará este ensayo, la Provincia de Oaxaca pasó por un drástico cambio político durante las primeras décadas del siglo XIX. Sin embargo, los nuevos procesos, al igual que las nuevas instituciones liberales, a menudo se entretejían con prácticas y tradiciones ya arraigadas en Oaxaca. Los conceptos de la autoridad, la soberanía, la legitimidad, el pueblo, la representación y la independencia permanecían débilmente definidos. No hubo una ruptura drástica con el pasado, ya que el Antiguo Régimen y el nuevo liberalismo se entremezclaron mediante el desarrollo del proceso.[5]

Las noticias del colapso de la monarquía española desorientaron a las autoridades y al pueblo. ¿Quién mandaba en España? ¿Quién, si es que había alguno, debía ser obedecido? ¿Qué debía de hacerse? Repentinamente, la naturaleza de la autoridad, la legitimidad y la soberanía se pusieron en tela de juicio –lo cual causó la división de los grupos en poder en Antequera–. La mayoría de los españoles europeos creían que se debería obedecer a quien fuera que estuviera en el poder en la Península, mientras que muchos americanos

4. Amaya Garritz, Virginia Guedea y Teresa Lozano (coords.), *Impresos novohispanos, 1808-1821*, 2 vols. (México, UNAM, 1990); y Rocío Meza Olivier y Luis Olivera López (comps.), *Catálogo de la colección La Fragua de la Biblioteca Nacional de México, 1800-1810* (México, UNAM, 1993) y Rocío Meza Olivier y Luis Olivera López (comps.), *Catálogo de la colección La Fragua de la Biblioteca Nacional de México, 1811-1821* (México, UNAM, 1996). Los archivos de los ayuntamientos en todo México contienen varios ejemplares de impresos. Aunque el Archivo Histórico del Ayuntamiento de Oaxaca (en adelante AHAO) ya no posee la mayoría de los libros de actas del ayuntamiento que pertenecen a este periodo, los volúmenes que sí existen (1820 y 1824) contienen una variedad grande de impresos de la época.

5. Para clarificar la distinción entre los conceptos corporativos del Antiguo Régimen y los del liberalismo, véase: Annick Lempériere, "Reflexiones sobre la terminología política del liberalismo" en Brian Connaughton, Carlos Illades y Sonia Pérez Toledo, compiladores, *Construcción de la legitimidad política en México* (Zamora y México, El Colegio de Michoacán/Universidad Autónoma Metropolitana/Universidad Nacional Autónoma de México/El Colegio de México, 1999), pp. 35-56; y Peter Guardino, "Bourbon Judges, Spanish Liberals, and Republican Reformers: Changes in Oaxaca's Political Culture, 1750-1850", ponencia presentada en la Reunión Anual de la Conferencia sobre la Historia de América Latina, Seattle, 9 de enero de1998.

favorecían un tipo u otro de gobierno local en la Nueva España. Para algunos, la crisis ofreció una oportunidad para socavar, y posiblemente hasta para invertir los cambios que se habían puesto en marcha con la introducción de la intendencia en 1786. Los mercaderes, en particular los peninsulares, también se quejaban del mal gobierno. Esos comerciantes acusaban al intendente de ser corrupto, y lo identificaban con el despotismo ministerial del ya desacreditado Manuel Godoy en Madrid.

En el Antiguo Régimen los ayuntamientos funcionaban como capitales de provincia. Por tradición, los ayuntamientos poseían la voz y la representación en la región. En el siglo XVI, el rey Carlos I había reconocido el derecho de los ayuntamientos de la Nueva España a participar en cortes regionales y le había otorgado a la ciudad de México, como capital virreinal, una posición preeminente en cualquier asamblea de ciudades. En junio de 1808 el ayuntamiento de México, al invocar el principio de que en la ausencia del rey la soberanía revertía al pueblo, propuso que una junta, con semejanza a las que se formaron en España, se convocara para que gobernara la Nueva España. El virrey José de Iturrigaray parecía aceptar sus argumentos cuando solicitó el 1 de septiembre de 1808 que los ayuntamientos de la Nueva España nombraran a sus representantes para una reunión en la capital. Pero la incertidumbre incrementó cuando los peninsulares derrocaron al virrey Iturrigaray en la noche del 15 de septiembre de 1808 para prevenir que el congreso de las ciudades se llevara a cabo. El evento tuvo repercusiones significativas en Oaxaca, ya que los españoles europeos tomaron el control de la ciudad y destituyeron a varios criollos de puestos importantes. En Antequera, al igual que en el resto de la Nueva España, los peninsulares gobernaban a una población americana descontenta.[6]

El año siguiente la Junta Central Gubernativa del Reino, la cual se había formado en la Península en oposición a los franceses, invitó a los reinos de América a elegir delegados para ese cuerpo. Como apunta Virginia Guedea, "a través de este proceso electoral los ayuntamientos novohispanos comenzaron a recuperar esa posición ... de ser estas corporaciones en quienes

6. Virginia Guedea, "Criollos y peninsulares en 1808. Dos puntos de vista sobre lo español" (tesis de licenciatura: Universidad Iberoamericana, 1964); Jaime E. Rodríguez O., "From Royal Subject to Republican Citizen: The Role of the Autonomists in the Independence of Mexico" en Jaime E. Rodríguez O., (ed.), *The Independence of Mexico and the Creation of the New Nation* (Los Angeles, UCLA Latin American Center, 1989), pp. 19-43.

recaía ... la representación de las provincias del reino".[7] El ayuntamiento de Antequera de Oaxaca, al igual que los de otras intendencias en Nueva España, elegiría a tres personas de notoria probidad, talento e instrucción para al final escoger a una de ellas por sorteo. A continuación el Real Acuerdo en México elegiría a tres de tal grupo para seleccionar al representante definitivo, también por sorteo. Además, los ayuntamientos de las capitales provinciales dotarían a sus delegados con credenciales e instrucciones. El proceso electoral –por ejemplo el uso de la terna– se basaba claramente en los procedimientos de elección de los organismos corporativos. La diferencia principal consistía en que los procedimientos electorales tradicionales se adaptaban a los nuevos propósitos políticos.[8]

El ayuntamiento de Antequera, dominado por europeos, eligió a fray Ramón Casar, obispo auxiliar de Jaca, Aragón, como su representante. Pero más importante aún es que el ayuntamiento dotó a su delegado con una instrucción muy sombría –afirmaba que las reformas del rey Carlos III habían dañado severamente la economía de la región–. El ayuntamiento atribuía la baja de producción de grana de cochinilla a la abolición de las alcadías mayores y a la eliminación del repartimiento de comercio. Desde entonces, afirmaba el ayuntamiento, los indios trabajaban menos, lo cual resultaba en un descenso en la colección de alcabalas, tributo y obvenciones parroquiales. Para reforzar la economía, el ayuntamiento solicitaba que se abolieran el sistema de intendencia y numerosos impuestos, que se estableciera un consulado de comercio en Antequera y que se permitiera el libre comercio con los puertos en Guatemala y Perú. Además, pedía mejoras locales, las cuales incluían la fundación de una universidad.[9]

Las elites del área tuvieron otra oportunidad en 1809 para expresar su opinión sobre la naturaleza del gobierno y hacer saber sus necesidades. El 22 de mayo de ese año la Junta promulgó una "Consulta a la Nación" dirigida a España y América, en la que pedía a las juntas provinciales, ayuntamientos, tribunales, obispos, universidades y personas eruditas que sugirieran cuál

7. Virginia Guedea, "Las primeras elecciones populares en la ciudad de México, 1812-1813", *Mexican Studies/Estudios Mexicanos*, 7:1 (invierno 1991), pp. 1-28, 3-4.
8. Rodríguez O., *La independencia,* pp. 82-88.
9. "Poder e Instrucciones de Antequera de Oaxaca", 18 de agosto de 1809, AGN, Historia, vol. 417, ff. 302-316.

sería la mejor manera de organizar el gobierno.[10] Las acciones de la Junta Central cambiaron de forma significativa las prácticas tradicionales de hacer política. En formas que aún tratamos de comprender, tal solicitud dio inicio a un proceso de devolución de poder político a las regiones y engendró nuevas relaciones sociopolíticas.

El 1 de enero de 1810 la Junta Central decretó la celebración de elecciones para formar las Cortes nacionales. Esta vez, a cada provincia en el Nuevo Mundo se le permitió elegir un diputado por el ayuntamiento de la capital provincial. El decreto, aparte de aportarle a América una representación más fuerte, también indicaba que los diputados tenían que ser oriundos de las provincias que representaban. Ese requerimiento fortificó los derechos políticos de los americanos. Dicha acción no sólo debilitó sustancialmente el poder político de los españoles europeos, sino que también legitimó el concepto de los derechos locales.[11] El ayuntamiento de Antequera eligió a Manuel María Mexía, cura de Tamasulapa como su diputado a las Cortes. Cuando el cura renunció, el ayuntamiento nombró al regidor honorario Juan María Ybáñez Corbera como suplente.[12] Aunque Ybáñez Corbera no pudo viajar a España, en Antequera, al igual que en el resto de América, todos recibieron noticias con detalle sobre lo que ocurría en las Cortes. Los numerosos periódicos y folletos publicados en esos tiempos también suplieron y analizaron los acontecimientos y las decisiones de ese congreso.

Los diputados de España y América, quienes expidieron la Constitución de la monarquía española en marzo de 1812, transformaron el mundo hispánico. La Carta de Cádiz creó un Estado unitario con leyes iguales para todas las partes de la monarquía española. Además, aumentó el electorado cuando concedió el sufragio a todos los hombres, con excepción de los de descendencia africana, sin requirir ni el saber leer ni los requisitos de propiedad, y de manera notoria incrementó la esfera de la actividad política.

10. Aunque no se han podido localizar las respuestas a la "Consulta" en México, yo pude localizar la petición en el Archivo Histórico del Ayuntamiento de Jalapa, lo cual indica que se envió a otros ayuntamientos; como el de Antequera de Oaxaca. "Consulta a la Nación", Archivo del Ayuntamiento de Jalapa, Actas del Cabildo, 1809.

11. Guedea, "Las primeras elecciones", pp. 1-4.

12. "Sobre haber sido electo diputado en Cortes por la Provincia de Oaxaca Dn. Manuel María Ybañez Corbera, Regidor honorario del Ayuntamiento de aquella Ciudad", Archivo del Congreso de Diputados de las Cortes (en adelante ACDC), Documentación Electoral (en adelante DE), núm. 31, leg 3.

La nueva Constitución estableció tres niveles de gobierno representativo: la ciudad (el ayuntamiento constitucional), la provincia (la diputación provincial) y la monarquía (las Cortes). Al permitir que las ciudades y los pueblos con mil o más habitantes formaran ayuntamientos transfirió el poder político del centro a las localidades al incorporar una fuerte cantidad de personas al proceso político.[13]

El régimen insurgente en Oaxaca

Aunque la Constitución de la monarquía española se publicó en la Nueva España durante los meses de septiembre, octubre y noviembre de 1812, su impacto fue mínimo en la provincia de Oaxaca porque el 25 de noviembre de 1812, José María Morelos ocupó la ciudad de Antequera y gobernó la región hasta marzo de 1814.[14] La peculiaridad de las circunstancias de los tiempos influyó y complicó el ámbito político. Numerosos grupos en Oaxaca y otras partes de la Nueva España se habían opuesto a los insurgentes, especialmente al principio, porque los consideraban de una naturaleza violenta, desordenada y destructiva. Aun los que estaban descontentos con las autoridades reales en función desconfiaban de los insurgentes. Para reducir dichos temores, los insurgentes decidieron institucionalizar el movimiento en 1811. Después de una consulta extensa, los dirigentes insurgentes establecieron la Suprema Junta Nacional Americana como "un centro de autoridad de quien todos los jefes dependiesen y que pudiese dirigir uniforme y acertadamente todos

13. Los estudios de las elecciones populares en Hispanoamérica demuestran que a pesar de que la elite dominaba la política, cientos de miles de hombres de la clase media y baja, incluyendo indios, mestizos y castas, participaron en la política. Véase Guedea, "Las primeras elecciones", pp. 1-28; Guedea, *En busca de un gobierno alterno: Los Guadalupes de México* (México, UNAM,1992), pp. 233-315, y Guedea, "El pueblo de México y la política capitalina, 1808-1812", *Mexican Studie /Estudios Mexicanos*, 10:1 (invierno 1994), pp. 27-61; Richard Warren (1996): "Elections and Popular Political Participation in Mexico, 1808-1836" en Vincent C. Peloso y Barbara A. Tenenbaum (eds.), *Liberals, Politics & Power: State Formation in Nineteenthy-Century Latin America* (Athens, University of Georgia Press, 1996), pp. 30-58; y Jaime E. Rodríguez O., "La revolución hispánica en el Reino de Quito: Las elecciones de 1809-1814 y 1821-1822" en Marta Terán y José Antonio Serrano (eds.), *Las Guerras de Independencia en la América Española* (Zamora, El Colegio de Michoacán/ INAH/Universidad Michoacana de San Nicolás de Hidalgo, 1999), pp. 485-508; Rodríguez O., *"Rey, Religión, Yndependencia, y Unión: el proceso político de la Independencia de Guadalajara* (México, Instituto Mora, 2003).
14. Virginia Guedea, *José María Morelos y Pavón* (México, UNAM, 1981), pp. 107-170.

los movimientos...".[15] La Suprema Junta consistía de cuatro vocales, Ignacio Rayón, José María Liceaga, José Sixto Verduzco y José María Morelos; se elegiría a otros vocales en cuanto más provincias ingresaran al ámbito del poder insurgente. A principios de 1812, varios grupos autonomistas, algunos en la ciudad de México y otros localizados en otras partes, comenzaron a apoyar a los insurgentes en secreto. En particular, estos grupos apoyaban a Morelos, quien surgió como el dirigente más importante del movimiento. De hecho, algunos autonomistas que estaban descontentos con las autoridades reales –y quienes estaban obstinados en obtener la autonomía a cómo diera lugar– consideraron la posibilidad de unirse al gobierno insurgente aunque ellos mismos hubieran ganado las elecciones constitucionales hispánicas de 1812-1813. Por ejemplo, Carlos María de Bustamante, un abogado y periodista oaxaqueño que había estado viviendo en la capital virreinal durante casi una década y quien había sido seleccionado elector parroquial en noviembre de 1812, huyó de la ciudad de México en diciembre y se unificó a los insurgentes porque la naturaleza incendiaria de sus artículos había provocado la ira de las autoridades.[16]

La victoria insurgente en Oaxaca afectó a la política de la provincia. A los realistas más prominentes de la región el ambiente político en Oaxaca ya no les era favorable. Así, el obispo Agustín Bergoza y Jordán se vio forzardo a huir y varios oficiales reales de alto rango fueron capturados, juzgados y ejecutados. Morelos prosiguió a expropiar la propiedad de los españoles europeos, en especial la de los mercaderes.[17] Y si bien la Constitución hispánica reemplazó a la elite –que hasta el momento había controlado los ayuntamientos por virtud hereditaria– con funcionarios que habían sido popularmente elegidos, la ocupación insurgente de Oaxaca previno la instrumentación de elecciones populares en la provincia. En vez del cambio que se vio en otras provincias con el resultado de las elecciones constitucionales, en Oaxaca, José María Morelos sostuvo y afirmó las viejas estructuras de poder corporativo. Después de recibir el juramento de las instituciones constituidas, como eran el cabildo eclesiástico, el ayuntamiento y los gremios, Morelos nombró a

15. Lucas Alamán, *Historia de Méjico desde los primeros movimientos que prepararon su Independencia en el año 1808 hasta la época presente,* 5 vols. (México, Fondo de Cultura Económica, 1985), III, pp. 378-379.

16. Guedea, *En busca de un gobierno*, pp. 67-151.

17. Alamán, *Historia de Méjico,* III, pp. 318-327.

criollos, en vez de españoles, en posiciones de gobierno. Designó al prominente hacendado José María Murguía y Galardi intendente y nombró un ayuntamiento nuevo para Antequera, el cual se constituía totalmente de criollos. Los americanos también reemplazaron a los peninsulares en todos los puestos de gobierno, incluyendo el del subdelegado.[18] Aunque los cambios eliminaron a los españoles europeos del gobierno, esta acción en sí no constituyó una revolución social, ya que los americanos designados, como sus predecesores, eran miembros de la elite social y económica de la provincia.[19]

La ocupación de Oaxaca brindó la oportunidad de elegir a un quinto vocal a la Suprema Junta. El 30 de abril de 1813, Morelos envió al ayuntamiento y al cabildo eclesiástico de Antequera de Oaxaca una convocatoria para elegir un nuevo vocal. El proceso de elección del quinto vocal se vio influenciado por una mezcla extraña de las tradicionales prácticas corporativas y los nuevos procedimientos puestos en marcha por las Cortes de Cádiz. Como indica Virginia Guedea, "Debían reunirse en 'Junta General Provincial' los principales sujetos, tanto seculares como eclesiásticos, exceptuando a los regulares, 'todos los criollos y adictos a la causa', junto con los oficiales de plana mayor para elegir una terna para el quinto vocal".[20]

La elección del quinto vocal dio a la elite de Oaxaca la oportunidad de ser una fuerza importante en el momento de reestructurar el gobierno insurgente. Al recibir la convocatoria, el gobernador de la diócesis, el doctor Antonio José Ibáñez y Corvera, y el intendente, José María Murguía y Galardi, convocaron en reunión al cabildo eclesiástico y al ayuntamiento el 22 de mayo de 1813. Los 16 miembros de las dos corporaciones que se reunieron ese día, estuvieron de acuerdo en instrumentar la elección. Subsecuentemente, Carlos María de Bustamante, quien había llegado a su ciudad natal de Antequera como inspector general de Caballería Americana, propuso al gobernador militar de la plaza, Benito Rocha, que Oaxaca solicitara la convocación de un congreso insurgente. Rocha aceptó y convocó "una junta solemne y general a

18. Alamán, *Historia de Méjico,* III, pp. 327-330.

19. Como Lucas Alamán observó, "todos estos nombramientos recayeron en sugetos de gran mérito". Alamán, *Historia de Méjico,* III, pp. 329-330. Véase también la obra de Silke Hensel, la cual indica que Morelos no nombró a miembros de la clase media o baja a ningún puesto de gobierno. Silke Hensel, *Die Entstenhung des Foderalismus in Mexiko. Die politische Elite Oaxacas zwischen Stadt, Region und Staat, 1786-1835* (Stuttgart, Franz Steiner Verlag, 1997), pp. 124-127.

20. Virginia Guedea, "Los procesos electorales insurgentes", *Estudios de Historia Novohispana,* 11 (1991), p. 214.

la que debían concurrir los cabildos secular y eclesiástico, los prelados de las religiones, los jefes militares, otros funcionarios y las personas principales y de distinción".[21]

El 31 de mayo, 69 personas se reunieron en la catedral. Carlos María de Bustamante exhortó a los presentes a que firmaran una representación dirigida a Morelos, como individuos y como representantes de sus corporaciones, al igual que como vecinos de la ciudad, para que se convocara un congreso. Insistió, aun más, en que "un Cuerpo Augusto depositario de su Soberanía" debería formarse para ejercitar la autoridad en América. Dicho cuerpo requería de "un crecido número de individuos que, aunque suplentes, representen los derechos de sus provincias".[22] Además, propuso que Antequera se nombrara ciudad sede del nuevo congreso insurgente. Bustamante, quien había participado en las elecciones en la ciudad de México y había asumido el título de Elector del pueblo de México, proclamó dos principios importantes establecidos por la revolución hispánica: la soberanía yacía en el congreso de representantes de la nación y sus diputados representaban "los derechos de sus provincias". Esos principios encarnaban dos perspectivas opuestas en relación con la definición de la naturaleza de la soberanía. La primera sostenía que el pueblo era soberano. En consecuencia, el congreso, como cuerpo gubernativo que representa al pueblo, era la personificación de la soberanía nacional. Por tanto, sólo esa institución tenía el derecho de organizar y administrar la nación. Esa había sido la posición de las Cortes de Cádiz. El segundo principio sostenía que la soberanía residía en las provincias, las cuales colectivamente cedían una parte de su soberanía para formar un gobierno nacional. Las provincias, sin embargo, como los poseedores originales de la soberanía, tenían el derecho de retomar el poder que habían cedido para la formación de la nación. La segunda posición contenía dentro de sí la semilla para lo que subsecuentemente se desarrollaría como el confederalismo en México.

El debate que causó la propuesta de Bustamante reveló las diferencias que dividían a la elite oaxaqueña en relación con el movimiento insurgente. El clero, el cual incluía a españoles europeos, se opuso a los insurgentes, ya que no quería contribuir a la legitimización del movimiento. Como Morelos

21. Guedea, "Los procesos electorales insurgentes", p. 215.
22. Citado en Guedea, "Los procesos electorales insurgentes", p. 216.

había advertido al clero que no criticara al gobierno insurgente, el cabildo eclesiástico se vio obligado a favorecer las elecciones para el quinto vocal.[23] El ayuntamiento, mientras se constituía plenamente de americanos, también mantenía una postura reticente en relación con el movimiento insurgente. Los militares, sin embargo, eran todos insurgentes y, naturalmente, querían fortalecer su gobierno. Después de debatir, el cabildo eclesiástico, con la excepción del canónigo doctor José de San Martín, votó en favor de las elecciones para el quinto vocal, y así se decidió manejar la propuesta de Bustamente independientemente. "De este modo, [la castigada corporación afirmaba,] el Cavildo no influirá ni directa ni indirectamente en materias de Govierno, a quien privativamente toca el arreglo en lo político y a esta Corporación Eclesiástica el obedecer con toda deferencia".[24] El ayuntamiento concurrió con la excepción de dos de sus miembros. Los militares favorecían la elección del quinto vocal y la resolución "que se estableciese un Congreso Nacional compuesto de los representantes de las Provincias del Reino de la Nueva España".[25] Prevalecieron los que favorecían las elecciones para el quinto vocal exclusivamente.

Después de extensas consultas sobre los procedimientos, la elección final tuvo lugar en la catedral el 3 de agosto de 1813. Ochenta y cinco participantes representaron al cabildo eclesiástico, el ayuntamiento, el comercio, los funcionarios, los religiosos, los jefes militares, los vecinos principales y los electores de los ocho cuarteles de Antequera y de los cinco partidos, tres doctrinas y diecisiete subdelegaciones de la provincia. El procedimiento autorizado por Morelos mezcló prácticas tradicionales con las nuevas prácticas liberales, ya que comenzó como una terna tradicional –los electores pusieron sus votos en "tres vasos de crystal con los rótulos 1, 2 y 3"–, pero terminó

23. Morelos se quejaba de que los clérigos "son unos declamadores perpetuos del gobierno americano" y advirtió que tomaría la acción necesaria para frenarlos. Le advirtió al cabildo eclesiástico: "es necesario que entienda que los derechos de la patria ... son mas sagrados que los de qualquiera individo o corporación...". "Orden del Sr. Morelos, fecha 5 de Julio de 1813, preveniendo al Cabildo Eclesiástico que se abstenga de hablar en contra del gobierno independiente" en J. E. Hernández y Dávalos, *Colección de documentos para la historia de la guerra de independencia de México de 1808-1821,* 6 vols. (México, José María Saldoval, 1882), VI, p. 480. Véase también Hensel, *Foderalismus in Mexiko,* pp. 131-133.

24. "Votos sobre la proposición de Bustamante", Hernández y Dávalos, *Colección de documentos,* VI, p. 470.

25. *Ibid.*

dentro del nuevo sistema liberal cuando se le otorgó la posición al individuo que obtuvo la mayoría de los votos, José María Murguía y Galardi.[26]

Morelos, quien de antemano había decidido celebrar elecciones para un Soberano Congreso Nacional, determinó que Murguía y Galardi sería considerado el representante de Oaxaca al susodicho cuerpo político. Las elecciones para elegir a representantes para el Soberano Congreso tomaron lugar en otras regiones controladas por los insurgentes, como Puebla, Veracruz, Michoacán, la provincia insurgente de Tecpan, y secretamente en la ciudad de México y quizás en otras áreas urbanas. Las elecciones insurgentes fueron menos populares y parecen haber sido controladas, a diferencia de las que se celebraron bajo el auspicio de la Constitución hispánica.[27] Aunque el Soberano Congreso promulgó en octubre de 1814 el Decreto Constitucional para la Libertad de la América Mexicana, más conocido como Constitución de Apatzingán, esa Carta nunca se instrumentó y, por tanto, influyó mínimamente al desarrollo posterior constitucional mexicano.

El constitucionalismo hispánico

Como resultado de las victorias realistas, los insurgentes abandonaron Oaxaca en marzo de 1814. El intendente Murguía y Galardi cedió la ciudad de Antequera al comandante realista Melchor Álvarez a finales del mes. Álvarez publicó la Constitución hispánica el 12 de abril y celebró elecciones para el Ayuntamiento Constitucional de Antequera el 16 del mismo mes. Los procedimientos electorales eran indirectos, largos y complejos. Las elecciones para los ayuntamientos constitucionales se constituían de dos etapas: la selección de electores parroquiales por los ciudadanos tomó lugar primero y después se llevó a cabo la designación de los alcaldes, regidores y síndicos nuevos. La ciudad se dividió en cuatro cuarteles mayores para mejor ordenar las elecciones. Los vecinos de los cuatro cuarteles seleccionaron a los 32 electores parroquiales que le pertenecían a la ciudad. Los 32 electores parroquiales subsecuentemente eligieron a los dieciséis miembros del ayuntamiento constitucional de Antequera. La primera elección popular en la capital de Oaxaca

26. Guedea, "Los procesos electorales insurgentes", pp. 220-221.
27. Guedea, "Los procesos electorales insurgentes", pp. 222-249.

dio resultados interesantes; la mitad de los seleccionados eran españoles europeos y la otra mitad eran americanos, incluyendo a un indio y a un mestizo.[28] En contraste con las elecciones que se llevaron a cabo bajo los insurgentes, cuya membrecía pertenecía a la elite, las nuevas elecciones constitucionales parecían reflejar el cambio que se dio en las relaciones de poder de la ciudad.[29]

El sistema constitucional tuvo vigencia sólo algunos meses, ya que fue abolido a finales de agosto de 1814; así, el viejo orden fue reinstituido. Pero, como Silke Hensel observa, muchos miembros del antiguo ayuntamiento ya no se encontraban en Antequera; algunos habían muerto mientras que otros habían salido de la ciudad. Aún más, muchos europeos abandonaron la provincia a causa del peligro que la insurgencia representaba.[30] Por tanto, el cambio que se dio debido a las condiciones políticas previno que el viejo orden fuera plenamente restaurado y por consecuencia fortaleció la posición de los americanos.

El Antiguo Régimen restaurado sobrevivió hasta 1820. En España los liberales aprovecharon el descontento con la guerra en América y finalmente forzaron al rey a restablecer la Constitución en marzo de 1820. La restitución del orden constitucional transformó al sistema político hispánico por tercera vez en una década. En el caso de Oaxaca, la cual había sido ocupada por los insurgentes, se manifestó como el cuarto cambio político en una docena de años. La restauración de la Constitución desató toda una ola de actividad política en Nueva España. Las ciudades costeras de Mérida y Campeche no esperaron noticias del virrey y así juraron su adhesión a la Carta de Cádiz en

28. "Convocatoria" en Rosalba Montiel (ed.), *Documentos de la guerra de independencia en Oaxaca* (Oaxaca, Archivo General del Estado de Oaxaca, 1986), pp. 195-197; Hensel, *Foderalismus in Mexiko*, pp. 134-137; Peter Guardino, "'Toda libertad para emitir sus votos': Plebeyos, campesinos, y elecciones en Oaxaca, 1808-1850", *Cuadernos del Sur.*

29. De acuerdo con Hensel, las elecciones para diputados a las Cortes y a la Diputación Provincial se llevaron a cabo en agosto de 1814. Eso no parece factible, sin embargo. Las elecciones a esos dos cuerpos requerían el establecer un censo electoral que dividiera la provincia en partidos. Las elecciones indirectas tendrían que llevarse a cabo a nivel de la parroquia, partido y provincia. Ese era un proceso complejo que llevaba mucho tiempo. En el caso del Reino de Quito, el cual he estudiado, ese proceso llevó varios meses para desarrollarse. Aún más, Guardino indica: "No he encontrado evidencia de que hubiera elecciones constitucionales en ningún pueblo del distrito [de Villa Alta]". Si ese es el caso, entonces las elecciones para las Cortes y la Diputación Provincial tampoco pudieron haber tenido lugar. Hensel, *Foderalismus in Mexiko*, pp. 137-138; Peter Guardino, "Toda libertad para emitir sus votos: Plebeyos, campesinos, y elecciones en Oaxaca, 1808-1850", *Cuadernos del* Sur, 6:15 (junio de 2000), pp. 87-114; y Rodríguez O., "La revolución hispánica en el Reino de Quito", pp. 494-503.

30. Hensel, *Foderalismus in Mexiko*, pp. 256-258.

los primeros días de mayo. Veracruz y Jalapa hicieron lo mismo en los últimos días del mes. Y aunque hubiera preferido esperar instrucciones formales, la presión pública forzó al virrey Juan Ruiz de Apodaca a proclamar la vigencia de la Constitución en la capital el 31 de mayo. El ayuntamiento de Antequera juró obediencia a la Constitución el 7 de junio de 1820 y restauró a las personas que habían sido elegidas anteriormente al ayuntamiento constitucional en abril de 1814. La Constitución fue formalmente publicada el 12 de junio, en combinación con las ceremonias de juramento que tomaron lugar en la Plaza Mayor.[31]

La transformación política también dio inicio a una amplia discusión pública sobre la importancia del recién restaurado orden constitucional. Como Vicente Rocafuerte después recordaría: "¿Cuál sería el placer con que ... vieron renacer [la Constitución] en su Segunda época? Se le tributaban los más tiernos elogios: no había papel público ni poesía, que no tuviese por objeto alabarla y recomendarla".[32] La cuantiosa bibliografía que se publicó da cuenta no sólo del entusiasmo con que el público veía el sistema constitucional, sino también del acalorado debate que se suscitó en torno al tipo de gobierno que se deseaba para la Nueva España. Los grupos oaxaqueños involucrados en la política participaron en la discusión. El 16 de junio, una hoja suelta apareció en Antequera con el título *Oaxaqueños,* la cual loaba la Constitución, "cuyo objeto es hacernos felices", y declaraba que la Carta contenía las bases fundamentales para un buen gobierno: "Tales son, proteger la Religión, defender, y respetar al Monarca; conservar y salvar los ultrajados derechos del hombre".[33]

Aunque los debates políticos atraían la atención pública, fueron las elecciones las que, tal vez más que cualquier otra actividad, sirvieron para politizar a la sociedad de la Nueva España. Desde junio de 1820 hasta marzo de 1821 las campañas electorales y las elecciones fueron la principal ocupación de la población políticamente activa. Se llevaron a cabo las elecciones para elegir a miembros de los ayuntamientos constitucionales de 1820 y

31. Jaime E. Rodríguez O., "La transición de colonia a nación: Nueva España, 1820-1821", *Historia Mexicana* 43:170 (septiembre-diciembre 1993), pp. 270-272; AHAO: Libro de Acuerdos, 1820, ff. 220-226v.

32. [Vicente Rocafuerte] *Bosquejo ligerísimo de la Revolución de Mégico [sic] desde el grito de Iguala hasta la proclamación imperial de Iturbide* (Filadelfia, Imprenta de Teracruef y Naroajeb, 1822), p. 4.

33. *Oaxaqueños* (Oaxaca, Impreso en la Oficina del R. P. Preposito D. José María Idiaquez, 1820).

posteriormente para los de 1821. Dos elecciones separadas se llevaron a cabo para las Cortes: se celebró una de manera rápida en el otoño de 1820 para las Cortes de 1821-1822, y una segunda para la sesión de 1822-1823 del parlamento. Las elecciones también se implementaron para las seis diputaciones provinciales del virreinato.[34]

Durante el transcurso de este periodo, Oaxaca se vio inundada por documentos enviados por las autoridades superiores en la ciudad de México: ejemplares de la Constitución, instrucciones para llevar a cabo elecciones, decretos de las Cortes y hasta una exhortación del rey en apoyo de la Constitución. Además, el Ayuntamiento Constitucional de la ciudad de México distribuyó informes impresos que relataban su organización y sus actividades.[35] Con las armas que esa información les proveyó, las autoridades en Antequera rápidamente procedieron a reintroducir el sistema constitucional. Las elecciones constitucionales para el ayuntamiento de Antequera tuvieron lugar el 2 de julio de 1820. Al igual que en las elecciones de 1814, la ciudad fue dividida en cuatro cuarteles por razones electorales. Esta vez, sin embargo, las autoridades sólo permitieron la elección de 25 electores, en vez de los 32 que se habían elegido en 1814. Y aunque la elección siguió los nuevos procedimientos liberales, las autoridades recurrieron a prácticas tradicionales para resolver el empate entre tres candidatos que competían por las posiciones de los electores números 24 y 25. Tres personas recibieron 56 votos cada una. Y como sólo se permitía elegir a 25 electores, eliminaron al tercero; el candidato perdedor fue seleccionado por sorteo. El domingo siguiente, el 9 de julio, los electores escogieron a los dos alcaldes, a los doce regidores y a los dos síndicos de la ciudad. Al igual que había ocurrido en la elección de 1814 tanto españoles europeos como americanos recibieron puestos, y al igual que en 1814, no todos los ganadores representaban a la elite. Esta vez, como indica Peter Guardino, "se eligieron cuatro regidores de posición social humilde".[36]

34. Rodríguez O., "La transición de colonia a nación", pp. 275-276.

35. Los documentos están en el Archivo del Estado de Oaxaca, en la Biblioteca del Estado de Oaxaca-Colección de Mariano Martínez Grácida, y en el Archivo de Histórico del Ayutamiento de Oaxaca. El volumen empastado, "Acuerdos, 1820", el cual es en realidad el libro de actas de 1820, incluye varios de esos documentos. Las fechas de las actas indican, más o menos, cuando llegó el documento.

36. Guardino, "Toda la libertad para emitir sus votos", p. 95; AHAO: Acuerdos, 1820, ff. 37-38, 256; Hensel, *Foderalismus in Mexiko*, pp. 142-144. De acuerdo con Helsel (p. 143), 11 de los 16 individuos elegidos al ayuntamiento eran mercaderes.

Los detalles de las elecciones en los ayuntamientos rurales permanecen confusos. Un estudio reciente indica que en 1810 la provincia de Oaxaca contaba con 928 pueblos. Dado que el tamaño de la población de los pueblos no se proporciona, es imposible determinar cuántos pueblos calificaban para ser ayuntamientos constitucionales bajo la Constitución de 1812. Diversas fuentes de la época establecen diferentes cifras, desde el bajo número de 128 al alto de 232. No importa cuántos ayuntamientos constitucionales se establecieron, ya que podemos afirmar dos posiciones con base en la información disponible: primero, la cantidad de ayuntamientos constitucionales era numerosa, y segundo, la cifra de dichos cuerpos políticos era menos abundante que la de las repúblicas tradicionales bajo el Antiguo Régimen. Las elecciones en las áreas rurales de Oaxaca se han estudiado muy poco, pero la investigación sobre las prácticas políticas de los campesinos de por lo menos un área, Villa Alta, hecha por Guardino indica que las nuevas elecciones populares tuvieron un impacto profundo en el pueblo. En el nivel del partido, sin embargo, los campesinos solían elegir a curas y funcionarios como sus representantes.[37]

Los curas en los partidos rurales obtuvieron una influencia enorme debido a la compleja naturaleza de las elecciones para diputados a las Cortes y diputaciones provinciales. Como indica Guedea: "Las elecciones debían hacerse primero por parroquias, después por partidos y finalmente por provincias. Fue, necesario pues, que para su organización y cuidado se establecieran juntas preparatorias".[38] La Intendencia de Oaxaca pertenecía a la región de la Nueva España en cuanto a las elecciones para las Cortes y diputación provincial. Como resultado la Junta Preparatoria en México envió las instrucciones para esas elecciones. Se determinó que de acuerdo con el último censo, Oaxaca contaba con una población de 411 336 habitantes, de los cuales

37. Sánchez Silva, "Indians, Merchants, and Bureaucracy", p. 56. Dorothy Tank de Estrada, sin embargo, provee una cifra menor, de 873 en su *Pueblos de indios y educación en el México colonial, 1750-1821* (México, El Colegio de México, 1999), pp. 274, 579; "Lista de los Ayuntamientos Constitucionales establecidos en este Reyno como consta en las actas de su instalación recibidas hasta el del 31 de enero de 1821", AGN: Ayuntamientos, vol. 120. La misma lista, pero con las actas, se localiza en el Archivo General de Indias, México, 1680. Antonio Annino, "Cádiz y la revolución territorial de los pueblos mexicanos,1812-1821" en Annino, *Historia de la elecciones en Iberoamérica siglo XIX* (Buenos Aires, Fondo de Cultura Económica, 1995), p. 209; Guardino, "Toda la libertad para emitir sus votos", p. 105.

38. Guedea, "Las primeras elecciones", p. 6.

16 767 no calificaban para ser ciudadanos activos. Con una población de 394 569 con el derecho a representación, a Oaxaca le pertenecían seis diputados y dos suplentes a las Cortes. La provincia se dividió en veinte partidos, cada uno subdividido en una o más parroquias. La instrucción de la Junta le otorgaba mucha autoridad a los eclesiásticos. Los curas se responsabilizaban por establecer el número de ciudadanos que pertenecían a su parroquia, por determinar quiénes eran elegibles para votar, y por intentar "explicar a sus feligreses el objeto de estas juntas, y la dignidad a que en ellas son elevados los vecinos de cada pueblo, como que en su voto y voluntad toma orígen el alto carácter de los representantes de la Nación Soberana".[39]

Las elecciones para diputados a las Cortes de 1820-1821 que tomaron lugar en agosto y septiembre sacaron a relucir las vastas diferencias que existían entre las prácticas de los votantes urbanos y rurales. Las elecciones parroquiales se llevaron a cabo el domingo 13 de agosto de 1820, y las elecciones de partido el siguiente domingo 20 de agosto. Los electores del partido se reunieron en Antequera el 17 de septiembre de 1820 para seleccionar a los seis diputados de la provincia y a los dos suplentes. Las elecciones de parroquia, de partido y de provincia tomaron lugar en diferentes, y a menudo distantes, pueblos para los 19 partidos rurales. En el caso de la capital, ocurrió de manera diferente, puesto que en Antequera las tres elecciones tomaron lugar dentro de la misma ciudad. Los votantes rurales por lo general elegían a curas o a funcionarios que entendían y representarían sus intereses en los altos círculos del gobierno. En Antequera, donde la elite económica y política dominaba las elecciones, entre los ganadores se incluían mercaderes prominentes del área. La elite de la capital, sin embargo, no tenía el poder para dominar las elecciones al nivel de provincia. Como resultado, y en contraste con las elecciones para el ayuntamiento de Antequera, no se eligió a ningún comerciante a las Cortes. No obstante, se eligieron oaxaqueños prominentes que eran eclesiásticos, militares y funcionarios: Francisco María Ramírez, Luis Castellanos, Mariano Castillejos, Tomás Bustamante, Patricio López y José María Murguía y Galardi; al igual que los suplentes: Mariano Calvo y

39. "Instrucción, que para facilitar las elecciones Parroquiales y de Partido ... ha formado la Junta preparatoria de Méjico y remite a los pueblos para su comprehension", AHAO: Acuerdos, 1820, ff. 104 r-v. Veáse también: *Gazeta del Gobierno de México* (13 de julio de 1820), XI, núm. 22, pp. 684-685.

Ramón María Castellanos. Sólo Murgía y Galardi, López y Ramírez lograron asistir a las Cortes en Madrid.[40]

Las elecciones para diputados a las Cortes de 1822-1823, llevadas a cabo en marzo de 1821, ejemplificaron el mismo patrón. Una vez más, los electores de los 19 partidos rurales dominaron la elección provincial del 12 de marzo. En esta elección, los resultados una vez más fueron victoriosos para eclesiásticos, militares y funcionarios: José Miguel Valentín, Antonio Mantecón, Gregorio Miguel Vasconcelos, Domingo Garfias, Francisco Estevez y José Ortiz de la Torre, como diputados, y Domingo Rocoy y Nicolás Fernández del Campo como suplentes.[41]

La intendencia de Oaxaca no obtuvo su propia diputación provincial sino hasta 1822. En tiempos anteriores había pertenecido a la Diputación Provincial de la Nueva España. El pueblo de Oaxaca, sin embargo, no había elegido a un diputado provincial durante el primer periodo constitucional de 1812-1814 porque la región había estado bajo el dominio de los insurgentes. Para ese entonces, se eligieron los suplentes en la ciudad de México para representar a la provincia; José María Fagoaga en 1812 y Juan Bautista Lobo en 1813.[42] A los oaxaqueños se les presentó su primera oportunidad para elegir a su diputado provincial en 1820. Como era la costumbre, los mismos electores de partido que elegían a los diputados a las Cortes también se encargaban de seleccionar a los diputados a la diputación provincial. Aunque no he podido localizar las actas de la elección de 1820, las *Actas de la Diputación Provincial de Nueva España* indican que el licenciado Francisco Ignacio Mimiaga formó parte de la Diputación Provincial de la Nueva España en la ciudad de México el 7 de octubre de 1820 como el diputado que representaba a Oaxaca.[43]

Oaxaca, al igual que otras provincias de la Nueva España, no estaba satisfecha con el reducido número de diputaciones provinciales que se le

40. "Oaxaca. Acta de elección de Diputados a Cortes para la Legislatura de los años 1820 y 1821", ACDC: DE, núm. 21, leg 7.
41. "Oaxaca. Acta de elección de Diputados por esta provincia a Cortes de 1822 y 1823", ACDC: DE, núm. 20, leg. 2.
42. Guedea, "Las primeras elecciones", pp. 26-27; "Certificación de haberse instalado la Diputación Provincial de México" en Rafael Alba (comp.), *La Constitución de 1812 en la Nueva España,* 2 vols. (México, Archivo General de la Nación, 1912), I, pp. 220-221.
43. "Oaxaca. Acta de elección de Diputados a Cortes para la Legislatura de los años 1820 y 1821" ACDC, DE, núm. 21, leg. 7; Carlos Herrejón Peredo (ed.), *Actas de la Diputación Provincial de Nueva España, 1820-1821* (México, Camara de Diputados, 1985), p. 86.

habían asignado al virreinato por las Cortes anteriores. Todas las provincias inmediatamente se organizaron para obtener su propia diputación provincial. Poco después de ser reestablecido, el Ayuntamiento Constitucional de Puebla, por ejemplo, envió una representación formal a las Cortes pidiendo que se le asignara una diputación provincial conforme al artículo 325 de la Constitución, el cual decía: "En cada provincia habrá una diputación llamada provincial, para promover su prosperidad, presidida por un jefe superior".[44] El mayor esfuerzo por parte de las provincias para obtener diputaciones provinciales ocurrió en 1821, cuando los diputados americanos, entre ellos el oaxaqueño Murguía y Galardi, insistieron en que cada antigua intendencia en el Nuevo Mundo fuera asignada una diputación provincial. Después de debatir extensamente, las Cortes consintieron el 8 de mayo de 1821.

El Imperio mexicano

Antes de la instrumentación de esos cambios, la Nueva España se separó de la Península. Cuando comprendieron que España no les concedería la autonomía plena que ellos buscaban la elite de la Nueva España se dedicó a obtener la autonomía y el gobierno local que deseaba. Pudieron convencer a un militar, eficiente aunque un tanto despiadado, el coronel Agustín de Iturbide, para que asumiera la dirección del movimiento autonomista. Con la ayuda de la elite, en el pueblo de Iguala Iturbide promulgó un programa el 24 de febrero de 1821 con el objetivo de lograr la independencia. Como documento, el Plan de Iguala era un acuerdo cuidadosamente elaborado que sirvió para establecer un gobierno representativo y constitucional que no prevenía la reconciliación con la monarquía española. El plan se encargó de proveer protección al clero, al ejército y a los europeos. Estableció la fe católica como la religión oficial, "sin tolerancia de alguna otra", declaró "la abosoluta independencia de este reino", instituyó una monarquía constitucional e invitó a Fernando VII, a un miembro de su familia o cualquier miembro perteneciente a otra dinastía a gobernar.[45] Como notó Iturbide, el deseo por la autonomía se había arraigado fuertemente a través de toda

44. Rodríguez O., "La transición de colonia a nación", pp. 280-281.
45. Rodríguez O., "La transición de colonia a nación", pp. 281-301.

la Nueva España. Las elites de las provincias, entre ellas algunas de Oaxaca, apoyaron el movimiento.[46]

Aunque muchos miembros de la elite de Oaxaca favorecían el movimiento autonomista, un gran número titubeó ante el Plan de Iguala. La Constitución de 1812, restaurada, eliminó su obligación de financiar la guerra.[47] Y parecía que las Cortes hispánicas estaban dispuestas a proveerles una autonomía más fuerte al aprobar que cada intendencia tuviera la condición de diputación provincial. El apoyo para la Constitución restaurada se manifestó dentro de una línea de acción bastante prudente del Ayuntamiento Constitucional de Antequera, el cual se había opuesto al Plan de Iguala el 13 de marzo de 1821. La decisión del ayuntamiento se mantuvo en pie gracias al apoyo que la elite le otorgaba a causa del temor que sentía por la vasta aceptación que el movimiento de Iturbide tenía dentro de las clases bajas. Otros grupos de elites, en particular el clero, se preocupaban por la naturaleza radical de las Cortes hispánicas, las cuales habían aprobado leyes que limitaban los privilegios del clero y las fuerzas armadas. Así, el Plan de Iguala atraía a algunos grupos de la elite porque protegía los derechos de la Iglesia y las fuerzas armadas. El dilema se resolvió el 19 de junio cuando Antonio de León, un antiguo oficial realista que ya había aceptado el Plan de Iguala, declaró la independencia de la provincia de Oaxaca desde su pueblo natal de Huajuapan. Las fuerzas realistas se rindieron a finales de julio, y León y sus tropas prosiguieron a ocupar la ciudad de Antequera. Iturbide ascendió a León al rango de teniente coronel y comandante militar de Oaxaca.[48]

La independencia de la Nueva España se aseguró en septiembre cuando Juan O'Donojú, el último jefe político superior de la Nueva España, ratificó el Plan de Iguala al firmar los Tratados de Córdoba. Los mexicanos recientemente independizados siguieron cuidadosamente los precedentes del previo sistema político hispano. También formaron un Consejo de Regencia para que sirviera como el poder Ejecutivo y establecieron una Soberana Junta

46. Carlos María de Bustamante, *Cuadro histórico de la revolución mexicana,* 4 vols. (México, Cámara de Diputados, 1961), III, p. 130.
47. Christon I. Archer, "Where Did All the Royalists Go? New Light on the Military Collapse of New Spain, 1810-1821" en Jaime E. Rodríguez O. (ed.), *The Mexican and Mexican American Experience in the 19th Century* (Tempe, Bilingual Press, 1989), p. 37.
48. Guillermo Rangel Rojas, *General Antonio de León. Consumador de la Independencia de Oaxaca y Benemérito del Estado de Oaxaca* (Oaxaca, Ayuntamiento de Oaxaca de Juárez, 1997), pp. 21-29.

Provisional Gubernativa para que asumiera los poderes legislativos hasta que las Cortes mexicanas pudieran convocarse. En su primera sesión en la ciudad de México, la Soberana Junta revisó y aprobó la participación de los 32 miembros presentes y luego escogió a los cinco individuos que formarían el Consejo de Regencia, nombrando como presidente a Iturbide. De inmediato surgieron desacuerdos sobre la naturaleza de la convocatoria para la elección a cortes constituyentes. La Soberana Junta propuso seguir los procedimeintos establecidos por las Cortes hispánicas –o sea, llevar a cabo elecciones indirectas a base de una representación proporcional–. Pero Iturbide obligó a ese organismo a adoptar una convocatoria que asignaba a los diputados con base en una compleja combinación de representación corporativa y el número de partidos en cada provincia. Esa modificación produjo un desequilibrio regional y creó descontento en las provincias porque algunas áreas, especialmente las escasamente pobladas, obtuvieron más representantes de los que habrían tenido con un sistema basado en la población de cada provincia.[49]

La Soberana Junta decretó el 17 de noviembre de 1821 la convocatoria que mezclaba procedimientos liberales con prácticas tradicionales. Primero, habría elecciones para los ayuntamientos constitucionales. Se votaría por los electores parroquiales el 21 de diciembre, y por los alcaldes, regidores y síndicos el 24 del mismo mes. Los ayuntamientos nuevos, elegidos bajo leyes liberales, escogerían a continuación a los electores de partido el 27 de diciembre –dentro de las mismas normas que esos cuerpos habían elegido a otros tipos de representantes durante el Antiguo Régimen–. Los electores de partido seleccionarían después a los electores de provincia el 14 de enero de 1822, y a la vez éstos últimos seleccionarían a los diputados a las Cortes el 28 del mismo mes, y después a los diputados para la diputación provincial. Las provincias más grandes, incluyendo a Oaxaca, "nombrarán los diputados que les corresponen ..., y de ellos han de ser tres precisa e indispensablemente, un

49. Jaime E. Rodríguez O., "Las Cortes Mexicanas y el Congreso Constituyente" en Virginia Guedea (coord.), *La independencia de México y el proceso autonomista novohispano, 1808-1824* (México, UNAM/Instituto Mora, 2001), pp. 285-320.

eclesiástico del clero secular, otro militar natural o extrangero, y otro magistrado, juez de letras o abogado…".[50]

Con la nueva fórmula electoral, la provincia de Oaxaca eligió a 14 diputados a las Cortes mexicanas, y entre ellos se incluía al doctor José San Martín como el eclesiástico, al licenciado Carlos María de Bustamante como el abogado y al teniente coronel Antonio de León como el militar. A su vez, Oaxaca eligió a su primera diputación provincial en enero de 1822. Como había ocurrido en las elecciones a nivel de provincia anteriormente, los seleccionados eran abogados, militares y clérigos.[51]

La introducción de una nueva institución, la diputación provincial, con autoridad sobre los ayuntamientos produjo confusión y conflictos en la provincia. El sistema nuevo dividía la autoridad ejecutiva en la provincia entre un funcionario nuevo, el jefe político, que asumía responsabilidades en cuanto a las áreas de la *policía* –o sea tranquilidad pública, obras públicas, abastecimiento, etcétera–, *justicia* y, en remotos casos, *guerra*, y el funcionario antiguo, el intendente, se hacía cargo de la administración financiera del área. La situación se complica aún más cuando se considera que el jefe político presidía la diputación provincial. Además, ese funcionario residiría en la capital de la intendencia y también presidiría el ayuntamiento de la ciudad.[52]

Como resultado de los conflictos entre la Diputación Provincial y el ayuntamiento de Antequera, la Diputación Provincial no pudo arraigar una presencia fuerte en Oaxaca. En el Antiguo Régimen los ayuntamientos

50. "Decreto de 17 de Noviembre de 1821, sobre convocatoria a Cortes" en Manuel Dublan y José María Lozano, *Legislación mexicana o colección de las disposiciones legislativas expedidas desde la independencia de la República*, 34 vols. (México, Imprenta Dublan y Lozano,1876-1904), I, pp. 550-563.

51. Ayuntamiento de Antequera al ministro de relaciones, Oaxaca, 12 de octubre de 1821, AGN: G, leg. 1576, exp. 1; *Gaceta Imperial de México*, I, núm. 62 (5 de febrero de 1822), pp. 487-488. Los elegidos fueron: Lic. Luis Castellanos, cura Manuel Domínguez, Br. Lucal Almogavar, Lic. Manuel Nicolás de Bustamante –hermano de Carlos María de Bustamante–, Mariano Flores, coronel Manuel del Solar Campero, administrador Nicolás Fernández del Campo, y como suplentes, teniente coronel José López Ortigoza, hermano Lucas Morales Ibáñez y prepósito José María Idiáquez

52. Manuel Chust examina las intenciones de ambos americanos y peninsulares en el proceso de crear las diputaciones provinciales, Manuel Chust, *La cuestión nacional americana en las Cortes de Cádiz* (Valencia, UNED-Fundación Instituto de Historia Social/UNAM, 1999), pp. 218-238. Véase también: "Del gobierno interior de las provincias y de los pueblos" en Felipe Tena Ramírez, *Constitución política de la Monarquía Española Leyes fundamentales de México, 1808-1991*, 16ª ed. (México, Editorial Porrúa, 1991), pp. 95-99, e "Instrucciones para el gobierno económico-político de las provincias" en *Colección de decretos y órdenes de las Cortes de Cádiz*, 2 vols. (Madrid, Publicaciones de las Cortes Generales, 1987), pp. 907-928.

a menudo tenían la función de servir como capitales de provincia y como tales de representar a su región, como había ocurrido antes en el caso de Antequera. Bajo la Constitución de 1812, sin embargo, el de Antequera era uno de los muchos ayuntamientos dentro de la intendencia. Inicialmente, la elite económica de la provincia supuso que controlaría la diputación provincial como lo había hecho con el ayuntamiento y por tanto asumió también que continuaría representando a la intendencia de Oaxaca. Pero las elecciones para diputados a las Cortes de 1820 y de 1821 demostraron que en las elecciones a nivel de provincia los 19 partidos rurales habían prevalecido y elegido a curas, militares y funcionarios que no necesariamente simpatizaban con los intereses de la elite económica de la provincia. La elite comercial, que dominaba el ayuntamiento de Antequera, por tanto, se resistió a perder su antiguo poder y no estaba dispuesta a aceptar la posición tan reducida que su institución ocupaba. Así, pronto pusieron en marcha un plan para disminuir el poder de la nueva institución.[53] Ni el jefe político, ni el intendente se encontraban en la ciudad cuando la Diputación Provincial de Oaxaca comenzó sus reuniones. Ya que el decreto de las Cortes sobre el gobierno de las provincias no había previsto tal eventualidad, los dirigentes del ayuntamiento impusieron una solución que benefició su propia posición. El Artículo XIX del Decreto sobre el Gobierno de las Provincias afirmaba que "el alcalde primer nombrado de los ayuntamientos de las cabezas de partido en donde no hubiere gefe político subalterno" debería asumir la posición del susodicho oficial durante su ausencia. Por lo tanto, el alcalde primero de Antequera, Juan José Estrella, tomó el puesto de jefe político e insistió en presidir la Diputación Provincial. Aún más, Joseph de Micheltorena, un funcionario de la Hacienda Provincial, insistió en que, como suplente del intendente, él también tenía el derecho a participar en las sesiones de la Diputación Provincial. El ayuntamiento de Antequera también se negó a cooperar con la Diputación en relación con otros aspectos. La institución nueva pidió ayuda al gobierno en la ciudad de México, pero el gobierno nacional, que a su vez

53. El ayuntamiento de Antequera de Oaxaca no se destacó como el único ayuntamiento de una capital provincial que se enfrentó al nuevo gobierno provincial porque se veía en la precaria posición de perder preeminencia. Un conflicto comparable tomó lugar entre el ayuntamiento de Guanajato y el Congreso Constituyente del estado. Véase José Antonio Serrano Ortega, *Jerarquía territorial y transición política: Guanajuato, 1790-1836* (Zamora, El Colegio de Michoacán/Instituto Mora, 2001), pp. 137-202.

enfrentaba numerosos problemas, no pudo solucionar la situación. En julio nombró al vocal más antiguo de la Diputación Provincial como jefe político interino.[54] El diputado de Oaxaca, Pedro Labayru también discutió ante las Cortes el problema e hizo saber que varias diputaciones provinciales carecían de jefes políticos. Labayru exhortó al gobierno a que resolviera el problema lo más pronto posible.[55] Subsecuentemente, el gobierno nacional nombró a José María Murguía y Galardi al puesto. Pero el nombramiento no aseguró la supremacía de la Diputación Provincial de Oaxaca porque el funcionario rindió su protesta formal primero ante el ayuntamiento y después ante el cuerpo provincial.[56]

El gobierno nacional no pudo resolver los conflictos en Oaxaca, en parte, porque internamente se encontraba demasiado dividido. Casi desde el principio, surgió un conflicto entre el presidente de la Regencia y la legislatura, primero con la Soberana Junta y después con las Cortes. La lucha se centró en diferencias sobre los conceptos de soberanía y poder nacional. Siguiendo el precedente establecido por las Cortes de Cádiz, los legisladores mexicanos creían que las Cortes mexicanas, como el cuerpo que representaba la nación, poseía la soberanía nacional. A la inversa, Iturbide estaba convencido de que él personificaba la voluntad nacional por haber sido el dirigente del movimiento que había logrado la independencia del país. Iturbide no estaba dispuesto a aceptar la primacía del poder Legislativo, y con la ayuda del ejército y con un fuerte apoyo popular, se coronó a sí mismo emperador. Al igual que Fernando VII antes que él, Iturbide encarceló a los legisladores que se oponían a él y, finalmente, disolvió las Cortes el 31 de octubre de 1822.

54. "El Soberano Congreso Constituyente para dar a la Administración pública un curso pronto y expedito, cual se requiere en las presentes circunstancias, sin que se embarace por las dudas que puedan ocurrir a cerca de quien deba substituir en la muerte, ausencia, o falla del Gefe Político de las Provincias...[decretó que] 1. A falta del Gefe Político, e Intendente propietarios, sea Gefe Político y presida la Diputación Provincial el vocal mas antiguo de ella, como no sea Eclesiástico, en cuyo caso lo será el Secular mas antiguo. 2. Que el Empleado que por Ordenanza substituya al Intendente ocupe en la Diputación el asiento inmediato despues del que preside" AGN: G, leg. 17, exp. 11.
55. Véase la documentación extensa sobre este tema en AGN: GSS, C. 13, exp. 7.
56. Hensel, *Foderalismus in Mexiko*, pp. 212-216. La membrecía de la diputación provincial cambió durante 1822. Un miembro murió, otro no cumplió su obligación y un tercero se fue a España. Los tres suplentes tomaron sus lugares. Como mandaba la Constitución, al siguiente año los tres miembros del cuerpo se vieron reemplazados por nuevos diputados elegidos: José Javier Bustamante, Ramón Ramírez de Aguilar y Joaquín Miura y Bustamante. Por tanto, en 1823, la Diputación Provincial de Oaxaca se constituía de militares, funcionarios y clérigos. *Ibid.*

Nombró la Junta Nacional Instituyente como un congreso sustituto con la esperanza de que acatara sus dictados.[57]

Sin embargo, el orden no vendría fácilmente, ya que el nivel de participación política se había incrementado enormemente entre 1820 y principios de 1823. La información se difundía por toda la nación con una rapidez asombrosa. Para asegurar la rapidez de las comunicaciones, el gobierno independiente emitió el 26 de abril de 1822 un decreto que ordenaba la destitución de cualquier funcionario que no diera a conocer de modo adecuado la información durante los tres días que siguieran su recepción.[58] El Archivo General de la Nación guarda múltiples comunicados, procedentes de todo el país, en los cuales se piden aclaraciones con respecto a los artículos de tal o cual decreto y se consulta sobre la relación que aquéllos tenían con las leyes anteriores. Esta voluminosa documentación indica que los ayuntamientos se habían convertido en el centro de la vida política mexicana. Las grandes ciudades provinciales tomaron la delantera en cuanto al incremento del número de diputaciones provinciales en el país. Había seis en 1814. Cuando se restableció la Constitución hispánica, en 1820, los novohispanos insistieron en aumentar el número de las diputaciones. Llegaron a 15 en 1821, a 18 en 1822 y a 23 en 1823.[59]

El nuevo orden político que Iturbide impuso resultó inviable. Como había ocurrido antes en España, el descontento con el gobierno se desató en rebeliones en las provincias. Y mientras los civiles orquestaron varias revueltas a través del país, la oposición al emperador se cristalizó dentro de un círculo de militares de alto rango. Durante la lucha por la independencia muchos comandantes se acostumbraron a gobernar sus respectivas regiones, y a menudo lo hacían a costa de las autoridades civiles. La restauración de la Constitución hispánica en 1820 redujo el poder de los militares. Sin embargo, después de la independencia, Iturbide creó nuevos comandos y otorgó puestos importantes a los militares que habían apoyado el Plan de Iguala. Por

57. Rodríguez O., "Las Cortes mexicanas", pp. 287-293.

58. "El Soberano Congreso constituyente con el fin de asegurar la mas puntual y exacta observancia de todas sus determinaciones, ha tenido a bien resolver con esta fecha: que todo funcionario público, que recibiendo algun Decreto o orden dentro de tercero dia no cumpla en la parte que le toca, quede por solo este hecho, privado del destino que tenía." AGN: G, leg. 17, exp. 6.

59. Jaime E. Rodríguez O., "La Constitución de 1824 y la formación del Estado mexicano", *Historia Mexicana*, XL, núm. 3 (enero-marzo1991), pp. 514-517; Benson, *La Diputación Provincial*, pp. 66-198.

tanto, en vez de restaurar el orden, los nuevos jefes militares contribuyeron a la inestabilidad del país.[60]

Aunque el descontento provincial surgió primero en el norte de México, fue el brigadier Antonio López de Santa Anna quien inició la exitosa insurrección en contra del emperador con su Plan de Veracruz el 2 de diciembre de 1822. Otros generales, incluyendo a varios españoles que habían optado por servir a la nación nueva, promulgaron el Plan de Casa Mata el 1 de febrero de 1823 y mantuvieron la insurrección hasta su conclusión. Las provincias aceptaron el Plan de Casa Mata porque incluía una provisión que concedía la autoridad local a las diputaciones provinciales. Pero el Plan no contemplaba una transformación profunda del gobierno nacional: no rechazaba la monarquía constitucional ni proponía una república, mucho menos una república federal. La reclamación principal del Plan de Casa Mata era la elección de una nueva legislatura, porque los dirigentes provinciales consideraban que la composición del primer congreso contenía algunas fallas.[61] Ese punto no era negociable. Al seguir el precedente de las Cortes hispánicas, los dirigentes políticos mexicanos consideraban que la rama ejecutiva estaba supeditada a la legislativa. Por tanto, un congreso nuevo que no tuviera las limitaciones del antiguo podría restaurar la confianza aun si el Ejecutivo permanecía en su lugar. Está claro que los políticos mexicanos proyectaban que el nuevo cuerpo legislativo dominaría al emperador. Aunque los dirigentes regionales deseaban obtener más control local, eran pocos los que realmente estaban en contra de la monarquía constitucional, y menos aun los que pedían el federalismo. En ese sentido, ni el republicanismo ni el federalismo eran aún inevitables. La mayoría de las provincias deseaba un gobierno nacional fuerte que garantizara cierto grado de autogobierno local, del orden del sistema de diputaciones provinciales creado por la Constitución hispánica de

60. Christon I. Archer, "The Royalist Army of New Spain, 1810-1821: Militarism, Praetorianism, or Protection of Interests?" *Armed Forces & Society*, 17:1 (Fall 1990), pp. 99-116, y Archer, "The Militarization of Mexican Politics: The Role of the Army, 1815-1821" en Virginia Guedea y Jaime E. Rodríguez O. (eds.), *Five Centuries of Mexican History/Cinco siglos de historia mexicana*, 2 vols. (México, Instituto Mora, 1992), I, pp. 285-302.

61. Nettie Lee Benson, "The Plan of Casa Mata", *Hispanic American Historical Review*, XXV (febrero 1945), pp. 45-56.

1812. Inicialmente, los dirigentes provinciales estaban satisfechos con la autonomía ligeramente aumentada que proveía el Plan de Casa Mata.[62]

Los residentes de Antequera, como los de otras capitales de provincia, se preocupaban y se veían afectados por los eventos nacionales. A finales de 1822, esos residentes también estaban preocupados por conflictos internos, sociales y políticos. Las elecciones para elegir a los miembros del ayuntamiento en diciembre de 1822 provocaron una notoria disención. Durante las elecciones anteriores de diciembre de 1821 la "nobleza" de Antequera había retado a cuatro munícipes porque no representaban a la elite de la región. En ese momento, las autoridades en la ciudad de México se negaron a cambiar el resultado de las elecciones. Un año después la situación en Antequera era tensa. El ayuntamiento averiguó si se debería reemplazar a todos los miembros del cuerpo o sólo a la mitad, como indicaban los decretos de las Cortes hispánicas. Las autoridades en la capital nacional respondieron al afirmar que las reglas permanecían en vigencia y que sólo se debería reemplazar a la mitad del ayuntamiento.

La campaña electoral de 1822 fue muy reñida y los perdedores pronto impugnaron los resultados. De acuerdo con la Constitución hispánica, "cohecho, o soborno para que la elección recaiga en determinada persona", era razón suficiente para anular la elección. Puesto que algunos individuos cuestionaban la lealtad de dos españoles europeos, porque afirmaban que no favorecían la independencia, se organizaron varios grupos, ya fuera en contra o en pro de esos individuos. Algunos electores se reunieron para formular una lista de candidatos aceptables que ganaron las elecciones el 22 de diciembre de 1822. Los que no habían participado en dicha reunión presentaron protestas para anular la elección. De acuerdo con el jefe político Murguía y Galardi, la nobleza se opuso a los grupos populares, a los que denominaba como "vinagrilla". El grupo popular, el cual llamó a los otros "aceites", contraatacó con una petición que contenía 367 firmas, muchas de ellas de militares, que afirmaba que sus adversarios habían violado la ley y habían socavado al nuevo régimen. El jefe político, quien confirmó que tanto divisiones étnicas como sociales habían contribuido al conflicto, remitió el asunto a las autoridades

62. Sobre la opinión política de las provincias, véase "Informes pedidos por Don Agustín de Yturbide a los Jefes de las Provincias, con respecto a la opinión de las poblaciones, en sistema de gobierno, administración pública, etcétera, en 1822", García Collection, Nettie Lee Benson Latin American Collection.

nacionales.[63] La lucha marcó el principio de las tensiones partidarias, las cuales dividirían a Antequera durante más de una década.

El conflicto político en Antequera, por otra parte, se ramificó en otros aspectos. El obispo Manuel Isidoro Pérez Suárez, al igual que el jefe político, indicó que las personas insatisfechas, en particular tres militares, habían manipulado a los grupos populares. Acusaron al teniente coronel Diego González, al capitán Manuel María Fagoaga y al subteniente Ángel Álvarez de organizar a "la plebe" en contra de las personas de bien. El obispo Pérez Suárez describió a los militares como temibles revolucionarios capaces de destruir la sociedad con tal de conseguir sus metas. Murguía y Galardi concordó con el obispo, y en particular afirmó que Álvarez parecía tener mucha influencia sobre la plebe. A los tres se les ordenó que fueran a la capital nacional para una investigación. Salieron a la ciudad de México protestando que todas sus acciones se justificaban en razón del poder que tenían de ejercer sus derechos como ciudadanos. Las autoridades en la capital nacional no los encontraron culpables y, después de varios meses, les permitieron regresar a Antequera.[64]

Soberanía e independencia

El conflicto en Antequera coincidió con el pronunciamiento en contra de Iturbide que implicó a la provincia dentro de una lucha más grande. En diciembre de 1822 los generales Vicente Guerrero y Nicolás Bravo se rebelaron en contra del emperador y exigieron que se restauraran las Cortes. Las tropas imperiales derrotaron a los dos rebeldes en Almolonga el 25 de enero de 1823. Guerrero fue gravemente herido y se le creía muerto; Bravo escapó para formar otra fuerza antigubernamental. Poco después, el 1 de febrero,

63. El jefe político indicaba que: "En la representación ... firmada por 367 individuos incluidos los Oficiales de aquella guarnición, exponen: que hallandose con derecho para representar con arreglo a la Constitución, sobre los defectos de dichas elecciones, lo verifican, sin que les mueva espiritu de partido ...: que los electores abusaron de su confianza; pues nombraron los sujetos de menos concepto de luces, y amor a la Patria, y fue hecha la elección en complot por 14 o 15 que repartieron listas ... [del] partido de la nobleza...". Véase el expediente intitulado: "Sobre las desagradables ocurrencias que se originaron en Oajaca con motivo de la renovación del Ayuntamiento", AGN: GSS, C. 58, exp. 1; Hensel, *Foderalismus in Mexiko*, pp. 32-237; Guardino, "Toda la libertad para emitir sus votos", pp. 95-96.

64. "Oaxaca. Teniente Coronel González, Capitán Fagoaga y Subteniente Alvarez, revolucionarios", AGN: GSS, C. 58, exp 16.

otras tropas imperiales pronunciaron el Plan de Casa Mata. Sin tener noticias de lo ocurrido, Bravo marchó con sus fuerzas hacia Oaxaca. El gobierno imperial le ordenó al teniente coronel Antonio de León, quien había declarado la independencia en Oaxaca en 1821, que interceptara a Bravo. Pero una vez más, León cambió su alianza y se unió a la oposición. La unificación de los dos ejércitos hizo posible la ocupación de Antequera el 9 de febrero. Dos días antes varios grupos en la ciudad habían declarado su adhesión al Plan de Casa Mata. Oaxaca fue la tercera provincia en favorecer el Plan después de que lo hicieran Veracruz (2 de febrero) y Puebla (6 de febrero).

En Oaxaca no ocurrió como en Veracruz y Puebla, en donde las diputaciones provinciales asumieron el poder. En Oaxaca había fuerte apoyo por establecer una institución nueva que sirviera como gobierno provincial hasta que se eligiera un congreso nacional. Bravo aceptó la propuesta de convocar una junta combinada entre la Diputación Provincial y el ayuntamiento de Antequera para seleccionar a los miembros que constituirían el nuevo cuerpo gubernamental. Aunque no todos acordaron establecer un nuevo cuerpo de gobierno, se formó la Junta Provisional Gubernativa el 24 de febrero. La Junta tenía 19 miembros e incluía la Diputación Provincial, representantes del ayuntamiento, el clero y el ejército. Manuel Nicolás Bustamante, el hermano de Carlos María, quien posteriormente se convertiría en un federalista, fue escogido como presidente de la Junta. Un *Manifiesto* anónimo, publicado el 22 de marzo, justificaba lo ocurrido porque afirmaba que Iturbide había sido un tirano que había llegado al poder con el apoyo de las masas y el ejército. El documento declaraba que Oaxaca había actuado apropiadamente al crear la Junta Provisional Gubernativa con la finalidad de establecer una autoridad en la provincia. A la vez, señalaba que la Diputación Provincial había sido una institución fallida y que la Junta, la cual se constituía de miembros de la Diputación Provincial, era un cuerpo más capacitado para defender los intereses de Oaxaca.[65]

65. Benson, *La Diputación Provincial*, p. 151; *Manifiesto que sobre la instalación de la Junta provisional gubernativa de Oajaca, se hace a los habitantes de la provincia* (Puebla, Pedro de la Rosa, 1823). Carlos María de Bustamante, *Diario histórico de México*, 3 vols. (México, INAH, 1980), tomo 1, vol. 1, pp. 186, 189. Bustamante creía que, aunque sólo provisionalmente, la creación de ese cuerpo era un paso hacia el federalismo, una forma de gobierno al cual se oponía. A raíz de esas críticas, a mediados de abril, el cuerpo "acordó no volver a reunirse, sino en caso extraordinario que exigiera sus servicios". Aparentemente, de este punto en adelante, la Diputación Provincial funcionó como el gobierno provincial. De acuerdo con Bustamante: "La Junta

La situación política nacional comenzó a cambiar para finales de febrero de 1823 cuando Iturbide no accedió al pedido de establecer un congreso nuevo. La intransigencia del emperador impulsó a las provincias a tomar posiciones más radicales, y a medida que la oposición aumentaba, las diputaciones provinciales y los ayuntamientos de las capitales provinciales empezaron a considerar cómo reestructurar al gobierno nacional. El 10 de marzo de 1823, Puebla invitó a las demás provincias a enviar dos delegados a una convención para formar un gobierno provisional. La Junta Provisional Gubernativa de Oaxaca eligió a sus diputados para la convención en Puebla el 17 de marzo. Pero antes de que los delegados pudieran reunirse en Puebla, Iturbide convocó de nuevo a las Cortes constituyentes y el 19 de marzo abdicó. Los delegados provinciales de la convención de Puebla reconocieron las Cortes, pero sólo para convocar a un nuevo congreso constituyente.[66]

Las recientemente reconstituidas Cortes constituyentes estaban formadas por varios diputados que favorecían un gobierno nacional fuerte. Algunos, como Carlos María de Bustamante, estaban convencidos de que "una facción de demagogos" había engañado a las provincias y creían que la naturaleza del gobierno del país se podría resolver en el debate parlamentario, a pesar de la adhesión de las provincias al Plan de Casa Mata (Irónicamente, Carlos María de Bustamante dirigió la oposición a cuerpos regionales, como la Junta Provisional Gubernativa de Oaxaca –la cual presidía su hermano Manuel–.[67]). Con 103 legisladores presentes, las Cortes se declararon en sesión el 29 de marzo y emprendieron la tarea de gobernar el país. Las Cortes abrogaron el Plan de Iguala y los Tratados de Córdoba, abriendo así el camino para una discusión total de la organización de la nación. Igual que las Cortes hispánicas anteriores, que abrigaban una profunda desconfianza de la autoridad ejecutiva, las Cortes mexicanas sostenían que sólo la legislatura

Gubernativa de Oaxaca se ha disuelto y merecido la aprobación y gracias del Gobierno, pero habiéndose reorganizado la antigua Provincia [Diputación Provincial?], resulta que ésta en la mayor parte está plagada de serviles; esto ha provocado una providencia del Poder Ejecutivo", Bustamante, *Diario histórico de México*, tomo 1, vol. 1, p. 224.

66. José Morán al Secretario de Relaciones Interiores, México, 23 de abril de 1823, AGN: G, leg. 25, exp. 12 (62); *Instrucciones* (1823); *Acta de la Junta de Puebla* (1823).

67. Lucas Alamán se refiere a "D. Manuel Nicolás de Bustamante, [como] hermano del escritor de este apellido", *Historia de Méjico*, V, p. 713. Pero Brian Hamnett lo considera su sobrino: "Oaxaca: las principales familias y el federalismo de 1823" en María de los Angeles Romero Frizzi (comp.), *Lecturas de historia del estado de Oaxaca*. 4 vols. (México, INAH, III, 1986-1990), III, pp. 51-69.

representaba realmente a la nación. Por tanto, las Cortes mexicanas establecieron un poder Ejecutivo débil, un triunvirato conocido como el Supremo Poder Ejecutivo, cuyos miembros ocuparían la presidencia alternativamente, un mes cada uno. El 31 de marzo, las Cortes eligieron a los generales Nicolás Bravo, Guadalupe Victoria y Pedro Celestino Negrete para que constituyeran el Supremo Poder Ejecutivo.[68]

Surgió entonces una lucha entre el recientemente reconstituido régimen nacional y las provincias acerca de la forma de gobierno que México debería tener. La creación de la Junta Provisional Gubernativa en Oaxaca estableció un precedente en favor del control local. Al considerar que la nación carecía de un gobierno eficaz, la Diputación Provincial de Yucatán y el ayuntamiento de Mérida se reunieron el 19 de abril para considerar qué hacer en respuesta a las nuevas circunstancias. Los dirigentes yucatecos formaron una Junta Provisional Administrativa, semejante a la que se había creado en Oaxaca, para mantener el orden y la tranquilidad en la provincia. La Junta de Yucatán votó el 25 de abril por reconocer la autoridad de las Cortes restauradas y el Supremo Poder Ejecutivo con dos condiciones: primero, que se celebraran elecciones para el nuevo congreso, y segundo, que el gobierno nacional se comprometiera a no interferir en los asuntos internos de la provincia.[69]

Los dirigentes locales en general creían que al dejar de existir el régimen de Iturbide la soberanía revertiría a las provincias. En esas circunstancias, la única función de las Cortes restauradas era el preparar la convocatoria de un congreso constituyente nuevo, que de acuerdo con los principios de la Constitución hispánica sería elegido con base en la población. Sin embargo, en las Cortes restauradas la mayoría de los diputados rechazó las solicitudes de las provincias, pues siguiendo la tradición constitucional hispánica consideraban que las Cortes constituyentes mexicanas eran depositarias de la soberanía nacional. Al igual que las Cortes de Cádiz en 1810, las Cortes mexicanas creían ser el único cuerpo con autoridad para escoger el gobierno más adecuado para el país. El 2 de abril las Cortes nombraron un comité para que

68. Bustamante, *Diario histórico,* tomo 1, vol. 1, p. 216.

69. Jaime E. Rodríguez O., "The Formation of the Federal Republic" en Virginia Guedea y Jaime E. Rodríguez, *Five Centuries of Mexican History/ Cinco siglos de historia de México,* 2 vols. (México, Instituto Mora, 1992), I, pp. 316-319.

éste decidiera qué pasos tomar. Los representantes de Oaxaca, Zacatecas, San Luis Potosí, Guanajuato, Michoacán, Guadalajara y Querétaro, que habían sido originalmente elegidos a la convención de Puebla y estaban en la ciudad de México para presionar a las Cortes a que accedieran a los reclamos de las provincias, se reunieron con el comité legislativo de las Cortes el 4 de abril para insistir en que se decretara una nueva convocatoria. A pesar de sus esfuerzos, el comité de las Cortes rechazó las peticiones de las provincias. En su lugar, el 12 de abril el comité recomendó que las Cortes continuaran su función de organizar el gobierno y redactar la constitución.[70] El parlamento nacional aceptó la recomendación.

Los represcntates provinciales respondieron de manera inmediata y enérgica. El 18 de abril informaron a las Cortes que las provincias de México desconfiaban de la presente legislatura y que exigían la elección de un nuevo congreso constituyente. El pueblo, declararon, no apoyaba las acciones de

> un Congreso cuyos miembros fueron elegidos sin la libertad que es debida, como nombrados en número limitado de clases determinadas. A un Congreso, en el que la representación nacional está monstruosamente fijada en el número de partidos y no en la población ... A un Congreso de Diputados escogidos de propósito y precisamente con el fin de crear una monarquía, y no con el de establecer la forma de gobierno mas conveniente a la Nación ... A un Congreso en el que gran parte de los que lo componen han desmerecido la confianza pública ... [Aunque los represcntates provinciales se habían referido a] *el voto de nuestras provincias* [afirmaban que en realidad representaban la voluntad] ... de toda la Nación.[71]

Algunas regiones retiraron su apoyo al gobierno nacional cuando se hizo pública la decisión de las Cortes de no celebrar elecciones nuevas. La Diputación Provincial de Jalisco, reunida en sesión especial el viernes 9 de mayo, votó por anular su reconocimiento anterior a las Cortes, declarando

70. *Ibid.*, 320-321.
71. *Representación de los comisionados de las provincias al Soberano Congreso* (México, Imprenta del Ciudadano Alejandro, 1823). Las cursivas se encuentran el el original. Firmaron: Martín García de Michoacán, Tomás Vargas y Rafael Márquez de San Luis Potosí, Anastasio Ochoa de Querétaro, Prisciliano Sánchez y Juan Cayetano Portugal de Guadalajara, Francisco de Arriera y Santos Vélez de Zacatecas, Juan Ignacio Godoy de Guanajuato y Vicente Manero Embides de Oaxaca.

que la provincia de Jalisco había reconocido al organismo únicamente con el objetivo de convocar una nueva legislatura. Tres días más tarde, la Diputación Provincial y el Ayuntamiento Constitucional de Guadalajara, reunidos en sesión extraordinaria, acordaron apoyar la creación de una república federal. Además, resolvieron que ya no obedecerían los decretos y órdenes de las Cortes y del Supremo Poder Ejecutivo; que durante la suspensión, la autoridad suprema de la provincia sería la Diputación Provincial; que en las deliberaciones de la Diputación Provincial participarían tres miembros del ayuntamiento, y que esas disposiciones serían comunicadas por escrito a las demás diputaciones provinciales de la nación, instándolas a establecer una federación general. Por tanto, Jalisco no sólo siguió el ejemplo de Oaxaca cuando estableció un nuevo gobierno provincial, sino que fue la primera provincia en rechazar la autoridad del gobierno nacional existente y de proponer la creación de una república federal.[72]

Las noticias de la rebelión de las provincias atemorizaron al gobierno nacional. Casi diariamente el *Águila mexicana*, órgano federalista, publicaba noticias sobre las provincias que se oponían al poder de la ciudad de México. Las Cortes efectuaron sesiones especiales el sábado y domingo (17 y 18 de mayo) para discutir la crisis nacional. El ministro de Relaciones Interiores, Lucas Alamán, expresó el temor de que la nación se desmoronara si no actuaban con rapidez. Eran muchos los que creían que sólo la convocación de un congreso nuevo podría calmar a las provincias. A solicitud del Supremo Poder Ejecutivo, las Cortes se reunieron en sesión especial la noche del martes 20 de mayo. José Mariano Michelena, presidente en turno del Supremo Poder Ejecutivo, y el ministro Alamán abogaron fuertemente por la conciliación. El siguiente día, después de un extenso debate, la mayoría acordó presentar una propuesta para convocar una nueva legislatura, pese a los apasionados pero infructuosos esfuerzos de impedirlo por partidarios del gobierno existente, como Carlos María de Bustamante. La votación favoreció la convocatoria de un congreso nuevo por 71 votos contra 33. A pesar de la derrota sufrida, no estaban dispuestos a capitular los que abogaban por un gobierno nacional fuerte. Retrasaron el decreto de la convocatoria y convencieron al Supremo Poder Ejecutivo a que enviara ejércitos a imponer orden a las provincias

72. Rodríguez O. "The Formation of the Federal Republic", I, p. 322.

recalcitrantes.[73] Aunque su propia provincia había sido la primera en establecer un gobierno autónomo local, Carlos María de Bustamante escribió a las autoridades en Antequera y declaró: "Tengo el honor de haber pertenecido a ese corto número [de diputados quienes se opusieron a la medida], y de no haber dado a mi desgraciada Nación este ultimo impulso para consumar su ruina".[74]

Muchos en Antequera se perturbaron al saber que una facción influyente de las Cortes restauradas estaba indispuesta a aceptar la voluntad de las provincias para convocar un congreso nuevo. Rumores de infidencia se divulgaron a través de toda la ciudad. Noticias anónimas informaron a las autoridades en la ciudad de México que los masones estaban urdiendo a favor de la independencia. A finales de mayo, antes de que se diera a conocer la decisión de convocar un congreso nuevo por las Cortes, apareció un impreso en Antequera con el título de *Invitación que hace un oaxaqueño a su suelo Patrio.* El autor aseveraba que Oaxaca poseía soberanía y que tenía la responsabilidad de guíar su propio destino. El gobierno en la ciudad de México había actuado en una forma despótica, y sólo como resultado de "fuerza de riesgos y trabajos imponderables", había dejado de existir. Pero nada garantizaba que el régimen respondiera de una forma menos represiva. La ciudad de México quedaba muy lejos y tenía la responsabilidad de asumir los problemas de toda la América Septentrional. En su lugar, el autor afirmaba: "Elije Gefes de tu confianza, dentro de tu propio seno, a quienes ocurras cuando te sea preciso, y no quedes sujeta a buscar la justicia en otra parte". El gobierno en la ciudad de México, continuaba, era por naturaleza corrupto, "los agentes de la Corte no dan un paso sin recibir primero sus expensas". Además, el gobierno nacional era irresponsable; "estando todas la Provincias por el sistema de república federada, nada se ha hecho por que la Corte resiste". El oaxaqueño concluía al sostener que era necesario que las clases educadas y los terratenietes actuaran. Al poner en práctica una decisión, el clero y el ejército apoyarían el movimiento autonomista.[75]

73. Rodríguez O. "The Formation of the Federal Republic", I, pp. 324-328; Bustamante, *Diario histórico,* tomo 1, vol. 1, pp. 258-261. La extensa convocatoria fue publicada el 17 de junio de 1823: *Decreto del Soberano Congreso Mexicano para las elecciones que deberán hacer las Provincias, de los Diputados que han de componer el que constituya la Nación* (México, Imprenta del Supremo Gobierno en Palacio, 1823).

74. Bustamante, *Diario histórico,* tomo 1, vol. 1, p. 258.

75. Y. M. O., *Invitación que hace un oaxaqueño a su suelo Patrio* (Oaxaca, s.i., 1823).

Los puntos de vista del oaxaqueño cuadraban bien con mucha gente. El nuevo jefe político Antonio de León informó que en la ciudad y la región la cuestión de la autonomía era una preocupación constante. Indicó que apenas llegó el correo de la ciudad de México con el informe de que el 21 de mayo las Cortes habían acordado en convocar un congreso nuevo, la noticia se había difundido rápidamente. Primero, grupos pequeños de personas, que después fueron aumentando, comenzaron a insistir en que Oaxaca formara su propio gobierno. Militares de medio rango, curas y grupos populares parecían ser los más determinados a que Oaxaca se separara de la capital y formara una república federal con el resto del país. El obispo Pérez Suárez temía que los mismos individuos que habían manipulado a la pleble durante los disturbios previos de las elecciones al ayuntamiento de Antequera comenzaran a trabajar una vez más. En la ciudad de México, Carlos María de Bustamante recibió información semejante desde la provincia.[76]

En la mañana del 1 de junio de 1823 numerosos grupos se reunieron en la plaza mayor de Antequera para exigir la separación de la provincia de Oaxaca del gobierno en la ciudad de México y para afirmar su deseo de que Oaxaca formara una república federal. Temeroso de que hubiera disturbios públicos, el jefe político y comandante general interino Antonio de León acuarteló la tropa, y a las 11:45 de la mañana convocó, apresuradamente, a los miembros del Ayuntamiento Constitucional de Antequera a una sesión extraordinaria "por exijirlo así la tranquilidad pública". En el llamado advertía: "al que nadie faltará, sin la mas grabe responsabilidad ..., y por lo mismo todo otro negocio deve abandonarse en el acto". Con el objetivo de imponer orden ante la multitud, el alcade decano, quien presidía el ayuntamiento, consintió en que una delegación de ciudadanos se reuniera con el ayuntamiento constitucional. Al ser admitidos a la cámara del ayuntamiento su portavoz declaró: "Que el pueblo estaba decidido, a constituirse en Provincia Libre, e independiente, de todas las demas del Estado Mejicano: bajo la forma de República federada". El pueblo "solicitaba y esperaba" que el ayuntamiento constitucional actuara.[77]

76. Antonio de León al Supremo Poder Ejecutivo, Oaxaca, 4 de junio de 1824, AGN: GSS, C. 48, f. 20; Bustamante, *Diario histórico,* tomo 1, vol 1, p. 271.

77. "Sesión extraordinaria", 1 de junio de 1823, AGN, G:SS, C 48, exp. 12, ff. 7r-v.

Los miembros del ayuntamiento, al verse indecisos sobre qué camino tomar, decidieron informar al jefe político "de los deseos del Pueblo", y pedirle que declarara "si en su opinión la presente [era], una asonada popular, o una solicitud que deve tomarse en consideración por las autoridades".[78] Al informarse de las preocupaciones del ayuntamiento, el jefe político León declaró "que [la solicitud del Pueblo] no era en su concepto, una asonada popular, sino el pronunciamiento de un Pueblo libre, cuyos derechos había respetado siempre".[79] Antes de actuar el ayuntamiento pidió al jefe político y comandante general León que consultara a los militares.

El jefe político Antonio de León pidió que los "Gefes y Oficiales del Ejército permanente, Cuerpos cívicos, sueltos y retirados" se reunieran en su casa ese mismo día a la una de la tarde. Sesenta y tres oficiales asistieron a la junta. Después de explicar los eventos que habían tenido lugar, el comandante general León pidió "que se sirviesen exponer cada uno su opinión, y voto, ya particular por sí, y ya por los cuerpos, compañías, y piquetes, que se hallan baxo sus órdenes, acerca de la libre, natural, y entusiasta proclamación de República Federada que ha hecho el Pueblo de esta Ciudad ...".[80] Después de una extensa consideración del asunto, todos asintieron "por votación nominal y por escrito" que "se unen a los patrioticos sentimientos del M.I.A. Constitucional, y heroico pueblo, que conociendo sus derechos, ha sabido este dia memorable hacer el noble uso de su natural, e indisputable Soberanía, y por consecuencia se ofrecen, y comprometen a sostener, y llevar al cabo la filantrópica resolución". Pidieron que el comandante general publicara su acta para que "la circule a los Generales de las demas Provincias, invitandoles a la unión y confraternidad de sentimientos para la resolución, como la única que puede hacer feliz a la gran Nación, que tenemos el honor y gloria de componer". Asimismo, insistieron que "por tal separación no se concedan ascensos, grados, premios, ni distinción alguna..." para ejemplificar que su meta exclusiva era "el amor al bien de la Patria, su engrandecimiento y felicidad...".[81]

78. *Ibid.*, f. 7v
79. *Ibid.*, f. 8r.
80. "Acta de la Junta de Guerra", *ibid.*, ff. 15-17.
81. *Ibid.*, 15-17. Todos los sesenta y tres oficiales firmaron la carta.

Al conocer los resultados de la junta de militares, el ayuntamiento despachó una comisión para informar "al Ciudadano Exmo. Prelado Diosesano de lo ocurido hasta este momento, que se sirva explorar la voluntad de sus subditos seculares y regulares, y comunicar los resultados con la possible oportunidad". Además, el ayuntamiento pidió que los alcaldes de los gremios, la diputación del comercio, y los funcionarios de gobierno reunieran a sus miembros "para que estos indaguen su voluntad sobre la forma de gobierno que el pueblo desea". Aunque el ayuntamiento tenía en mente "explorar en cuanto fuese posible la opinión general", el pueblo en la plaza mayor comenzó a perder la paciencia y pidió que se tomara una decisión inmediata. El jefe político León, no obstante, indicó que mantendría el orden con la fuerza militar, si llegara a ser necesario, y que el ayuntamiento "estaba en la mas completa libertad" de actuar como mejor lo considerara.[82]

El ayuntamiento recibió informes de que los gremios, la diputación del comercio y los empleados de la hacienda unánimamente apoyaban el punto de vista del pueblo. El obispo Pérez Suárez informó al ayuntamiento que había congregado al cabildo eclesiástico, el cual después de una larga discusión del asunto había determinado que no tenía la información necesaria para calificar la situación, y que en vista de "la importancia y trancendencia" de los hechos, el cuerpo se reuniría el próximo día para mejor estudiar las propuestas.[83]

Dado que las circunstancias eran un tanto delicadas, el ayuntamiento solicitó que la Junta Provisional Gubernativa, la cual se había formado en febrero e incluía a miembros de la diputación provincial y del ayuntamiento, se reuniera para discutir las propuestas del pueblo. Por consiguiente, León formalmente reunió al cuerpo indicando que habían surgido circunstancias extraordinarias y que éstas necesitaban de la atención inmediata de la Junta Provisional Gubernativa.

La Junta Provisional Gubernativa se reunió en sesión especial en las últimas horas de la tarde para decidir cómo actuar ante la presente situación. Después de recibir los informes, el diputado de la diputación provincial Ramón Ramírez opinó que era necesario saber la posición de "todas las cla-ses

82. "Sesión extraordinaria", f. 8r-v

83. "Acta del Cabildo Eclesiástico", 1 de junio de 1823, AGN: SS, C 48, exp. 12, ff. 34-38.

del Estado", ya fuera por parte de personas individuales o por representantes de las corporaciones. Aunque muchos miembros de la Junta estuvieron de acuerdo en hacer la consulta, el regidor Vicente Manero Embides indicó que el ayuntamiento ya tenía los resultados de dichas encuestas, con la excepción de las del clero que se reuniría el próximo día. Algunos propusieron que la Junta pospusiera su decisión y permaneciera en sesión hasta saber la opinión del clero, mientras otros insistían en que la Junta tomara una decisión inmediatamente. El regidor Juan Ignacio Aguirreurreta propuso "que se declare Gobierno Provisional Independiente de Méjico, reservando su forma, para que lo declare la representación que debe nombrarse por todos los Partidos de la Provincia". El regidor Manero Embides, sin embargo, insistía "que de hecho se declare República Federada". Cuando la Junta optó por consultar más sobre el asunto, Manero Embides propuso que el ayuntamiento tomara la decisión en una sesión secreta. En dicha reunión, el ayuntamiento unánimamente declaró "que Oajaca era Independiente, y Libre absolutamente, constituyendose en República Federada con todas las demas Provincias del Imperio baxo los auspicios de la única Religión C. A. R.". Cuando la Junta supo de la decisión que el ayuntamiento había tomado decidió votar a favor y formó una comisión para establecer la estructura del nuevo gobierno. El cuerpo incluía a tres miembros de la Junta, a tres del ayuntamiento, y a tres del ejército.[84]

El 2 de junio de 1823 un angustiado cabildo eclesiástico se reunió en la catedral para tratar los eventos del día anterior. El cabildo acordó que era importante discutir la situación "con toda la madurés, circunspeción, y buen tino que demandaba por si misma la gravedad de tan delicado asunto". Ante todo, los miembros del cabildo concluyeron que ya que se proponía establecer el nuevo gobierno "en unos terminos tan generales, e indeterminados", era imposible tomar una decisión acertada. También ignoraban "los nuevos motivos que hubieren ocurrido para el rompimiento con la Capital de México", en especial si se consideraba que las Cortes habían asentido a una reconstitución. El clero estaba preocupado porque la opinión de las fuerzas armadas parecía ser un factor importantísimo. Si bien la guarnición de México había errado

84. "Acta de la Junta Provisional Gubernativa", 1 de junio de 1823, AGN: SS., C 48, exp. 12, ff. 1-3v, 7-15v. Véase también: "Manifiesto de la Junta Provisional Gubernativa de Oajaca a los los habitantes de toda la provincia" en *Águila Mexicana*, núm. 86 (9 de julio de 1823), pp. 318-319.

al elegir a Iturbide como emperador, como muchos escritores de la época aseguraban, en sí tampoco sería apropiado que la guarnición de Oaxaca transformara el sistema político de la provincia. El clero mantenía "que en todo sistema liberal la fuerza armada ni tiene derecho de petición, ni a ella le toca el señalar, o pedir la forma de Gobierno que ha de constituirse, por ser esta atribución esencialmente propia de la Soberanía del Pueblo, puesto en estado de plena, y absoluta libertad para executarla, y desempeñarla...". Los representantes elegidos por el pueblo en un congreso eran los que tenían la responsabilidad y el poder de llevar a cabo cambios tan fundamentales. Igualmente perturbador era el hecho de que sólo la población de Antequera se movilizaba en torno a este cambio político. Para que una transformación de tal magnitud tomara efecto, "era necesaria la voluntad general, no solo del Pueblo de la Capital, sino también de toda la Provincia...". Y claro está que la población en el resto de la provincia constituía la mayoría, "cuya voluntad ni se había explicado de modo alguno, ni se había explorado ciertamente como era de absoluta necesidad...". Así, el cabildo eclesiástico, "por las razones ya expuestas no tenía por conveniente en las actuales circunstancias el pronunciamiento de emancipación del Gobierno Central de Méjico, ni la instalación de un nuevo Gobierno Supremo e independiente en esta Provincia".[85]

La respuesta tardía del cabildo eclesiástico, si bien negativa, no afectó la transformación política. Durante el mismo día una comisión constituida por varios miembros de la Junta Gubernativa, el ejército y el ayuntamiento promulgaron las *Bases Provisionales con que se Emancipó la Provincia de Oajaca*. Este documento establecía a la religión católica como la única para Oaxaca y determinaba que la provincia tenía derecho a ejercer su soberanía exclusivamente, si bien "federalmente". El documento también estableció un congreso provincial, constituido a base "de Igualdad, Libertad, Propiedad y Seguridad", el cual "será nombrado por los electores de Partido ...", e indicaba que las leyes existentes que no contradijeran ni la independencia ni la república federal mantendrían su vigencia, y además, cualquier ley nueva proveniente de la ciudad de México no tendría validez. Aún más, instruía a sus diputados a abandonar las Cortes nacionales y a regresar a Oaxaca. Por último, el documento establecía una junta de guerra para que supervisara al

85. "Acta del Cabildo Eclesiástico", 2 de junio de 1823, AGN: SS, C 48, exp. 12, ff. 40-43.

ejército, pero no le otorgaba el poder de hacer ascensos o declarar la guerra, a menos que tuviera permiso del gobierno provincial.[86]

El 3 de junio la comisión promulgó una convocatoria de elecciones para el congreso del Estado de Oaxaca. Siguiendo el mismo marco que la Constitución hispánica de 1812 había establecido para elecciones tripartidarias, el "día quince del presente Junio serán las Juntas parroquiales, el veinte y dos del mismo las de Partido, y el primero de Julio las de Provincia ... Al otro día se hará elección de Diputados para las Cortes generales [de la Provincia de Oaxaca]...". A semejanza de las condiciones establecidas por la Constitución de 1812, aquí tampoco se estipulaba que los votantes tuvieran propiedad ni que supieran leer. Aunque no hacía la distinción entre hombres y mujeres, se puede inferir que las mujeres no recibieron los mismos privilegios. Se elegiría a un diputado "por cada treinta mil almas", y de acuerdo con el censo más reciente, el congreso de Oaxaca tendría 14 diputados y cuatro suplentes. Para ser diputado, uno tenía que "ser Ciudadano en ejercicio de sus derechos, mayor de veinte y cinco años, tener cinco de residencia en la Provincia, [y] ser notoriamente adicto al sistema de República Federada...". Los diputados en las Cortes nacionales que no habían renunciado inmediatamente o quienes se oponían al sistema federal, serían excluidos.[87] La última estipulación era un ataque claramente orientado para la exclusión de Carlos María Bustamante –quien no sólo continuaba como diputado oaxaqueño a las Cortes mexicanas, sino que también se oponía al federalismo–.

Al igual que había ocurrido en el caso del colapso de la monarquía española en 1808, con el rechazo del gobierno de Iturbide en 1823 la soberanía revirtió al pueblo de Oaxaca. En 1808 el término *el pueblo* se había aplicado a los representantes de las corporaciones. Despues, el término *el pueblo* se aplicó al individuo, al ciudadano. En la mañana del 1 de junio de 1823 los grupos de personas que se habían congregado en la plaza mayor encarnaban la abstracción del término *el pueblo*. Todos, el ayuntamiento, el jefe político León, el ejército y el clero, determinaron que el pueblo poseía la soberanía y que tenía el derecho de decidir el futuro político de Oaxaca en un foro libre

86. *Bases Provisionales para el Gobierno Provincial de este Estado interin se da la Constitución General de la Nación* (Oaxaca, s.i., 1823).

87. "Convocatoria", AGN: SS, C 48, ff. 27-28v. Véase también: "Oaxaca: Ocurrencias del día", AGN: GSS, C. 47, exp. 29.

e imparcial. La realidad, no obstante, era otra, ya que el 1 de junio de 1823 el pueblo no actuó por cuenta propia. Al contrario, los grupos de personas en la plaza mayor esperaban que el antiguo pueblo, o sea las autoridades constituidas y las corporaciones, los guiara. Bajo la Constitución de 1812, la cual se mantenía vigente, la Diputación Provincial y el jefe político se consideraban las autoridades superiores de la provincia de Oaxaca. El 9 de febrero de 1823 la Junta Provisional Gubernativa, la cual incluía a miembros de la Diputación Provincial y del ayuntamiento de Antequera de Oaxaca, llegó a ser, teóricamente, la máxima autoridad en la provincia. Sin embargo, el jefe político León no se comunicó con la Diputación Provincial ni con la Junta Provisional cuando supo que una multitud se había congregado en la plaza mayor. En su lugar, convocó una reunión de emergencia del ayuntamiento de Antequera, como hubiera ocurrido en el Antiguo Régimen. Bajo la Constitución hispánica, sin embargo, ese cuerpo era uno de muchos ayuntamientos en la provincia y, por tanto, no poseía más autoridad que cualquier otro. Pero en el Antiguo Régimen el ayuntamiento de Antequera había funcionado como la capital de la provincia. Como entidad política, poseía la voz y el derecho de representar a la provincia. En sí, había sido la voz de la Provincia de Oaxaca para la elección a la Junta Central en 1809, para la Consulta a la Nación en ese mismo año, para la elección a las Cortes en 1810, y para la elección que José María Morelos sostuvo en 1813. Antequera había tomado ese papel una vez más en junio de 1823. Si bien el ayuntamiento de Antequera no había convocado una junta de notables, como había ocurrido en la ciudad de México en 1808 durante la crisis de la monarquía, el ayuntamiento, como era la tradición, consultó a las corporaciones principales en la capital de la provincia: las fuerzas armadas, el clero, los gremios, la diputación del comercio y los funcionarios gubernamentales. Sólo después de que recibió respuestas de todos estos grupos fue cuando el ayuntamiento consultó a la Junta Provisional Gubernativa. Cuando ese cuerpo no actuó como se esperaba, el ayuntamiento declaró la independencia y el federalismo.[88]

88. Silke Hensel ha ofrecido una explicación diferente al prominente papel que el ayuntamiento tuvo en los cambios políticos. Postula que los comerciantes dominaban esa corporación, un grupo que se oponía a los préstamos, impuestos y papel moneda que el gobierno imperial había introducido obligatoriamente. El resultado de estas medidas y de las deterioradas condiciones económicas fue que la elite que controlaba el ayuntamiento

Los papeles que desempeñaron las fuerzas armadas y el clero –las únicas dos corporaciones que mantuvieron sus fueros bajo la Constitución de 1812– son de gran importancia.[89] La influencia política de las fuerzas armadas se incrementó cuando Agustín de Iturbide y su ejército aparentemente lograron la independencia en 1821. Al siguiente año, las fuerzas armadas le otorgaron el cargo de emperador. Por ello, los militares fueron los primeros en oponerse a Iturbide. Como resultado, los generales y sus ejércitos se convirtieron en piezas importantes en toda la nación. En realidad, en todo el país las reuniones políticas siempre incluían a los militares de alto rango del área. Esto no quiere decir que el ejército como institución tenía el poder de determinar la naturaleza de la política de México, más bien esto significa que algunos militares tenían grandes aptitudes para la nueva política. Los militares eran figuras carismáticas que regían un dominio sobre la imaginación popular. Aún más, la figura del militar atraía a la gente desde diversas perspectivas, puesto que había un militar que sostenía cualquier posible punto de vista en política.[90] La junta de militares, la cual se reunió para aprobar la independencia de Oaxaca y el federalismo, no se limitaba a oficiales profesionales del ejército regular, sino que incluía a miembros de la milicia cívica, oficiales jubilados y militares en transición. Ya que muchos de los presentes eran civiles, quienes servían en el ejército irregularmente, la junta no representaba los intereses corporativos de la institución militar.[91] Algunos militares en lo individual, además, habían colaborado con los grupos populares en sus peticiones por establecer el estado independiente y soberano de Oaxaca. Esos individuos practicaban la nueva política liberal, pero a la vez no abandonaban las estructuras tradicionales.

concluyó que el gobierno nacional constituía un obstáculo para el bienestar económico. Así, optaron apoyar el federalismo para controlar su propio destino. Hensel, *Foderalismus in Mexiko,* pp. 162-163.

89. Ambos grupos estaban conscientes de las consecuencias que sus acciones representaban y mantenían un récord formal de las deliberaciones. El extenso legajo titulado "Oaxaca. Sobre el pronunciamiento en dicha Ciudad, de la República federada e independiente de los Supremos Poderes de la Nación", no incluye las deliberaciones de las otras corporaciones. Existen tanto una versión en manuscrito como impresa de las deliberaciones de las fuerzas armadas en el legajo. Sólo existen versiones en manuscrito de las dos reuniones del clero, pero ambas tienen escrito en el margen superior "para imprimir". AGN: SS, C. 48, exp. 12.

90. Rodríguez O., "The Formation of the Federal Republic", pp. 317-318.

91. De acuerdo con Hensel 19 militares eran miembros o parientes de la elite. Además, el grupo también incluía a regidores actuales y previos del ayuntamiento de Antequera. Hensel, *Foderalismus in Mexiko,* pp. 160-162.

El poder de la Iglesia, por otra parte, se había deteriorado durante el periodo. Las reformas borbónicas habían eliminado algunos de sus privilegios, por una parte, y la lucha independentista dividió al clero. Las Cortes hispánicas restauradas de 1820-1821 introdujeron medidas que limitaban el privilegio y la influencia del clero. Como resultado, algunos miembros del clero superior apoyaron el Plan de Iguala y la independencia de México. Pero la Iglesia no era una corporación monolítica; los intereses del clero superior y del bajo no solían concordar. Desde 1808 muchos curas se habían decidido por la política. En sí, muchos de ellos simpatizaban con los insurgentes, y a menudo ellos mismos eran los dirigentes insurgentes. Además, como resultado del nuevo orden constitucional, muchos curas obtuvieron influencia y poder político. Ya que muchos políticos liberales, entre ellos algunos curas, parecían mantener una posición anticlerical, la jerarquía de la Iglesia se alarmaba ante cualquier intento por instrumentar el cambio. En las primeras etapas de 1823, por ejemplo, el obispo y los miembros del cabildo eclesiástico de Antequera temían que el Plan de Veracruz fuera hostil hacia la Iglesia.[92] El clero superior de Oaxaca, por tanto, cuestionó las transformaciones propuestas en junio de 1823, aunque sabía que algunos curas estaban involucrados en ese movimiento. Dudaron de la necesidad del cambio, cuestionaron el papel dominante que el ejército había desarrollado y postularon que para echar a andar cualquier cambio la capital de Oaxaca tendría que consultar al resto de la provincia. Irónicamente, el cabildo eclesiástico hizo uso de los nuevos conceptos liberales al cuestionar una serie de acciones llevadas a cabo, parcialmente, dentro de las prácticas del Antiguo Régimen.[93]

Las autoridades nacionales en la ciudad de México no estaban conformes con los eventos que ocurrían en Oaxaca. El ministro de Relaciones Interiores, Alamán, ridiculizó la proclamación de Oaxaca por obtener la

92. Bustamante, *Diario histórico,* tomo 1, vol. 1, pp. 164-165.

93. Para más información sobre las actividades políticas del clero en este periodo consúltese Brian Connaughton: *Ideología y sociedad en Guadalajara (1788-1853)* (México, Consejo Nacional para la Cultura y las Artes, 1992), y sus ensayos "Hegemonía desafiada: Libertad, nación e impugnación clerical de la jerarquía eclesiástica. Guadalajara, 1821-1860"; "Cambio de alma: religión, constitución e independencia en Puebla, 1820-1822"; "Cultura política y discurso religioso en Puebla: los caminos entrecruzados de la primera ciudadanía, 1821-1854" en *Dimensiones de la identidad patriótica; religión, política y regiones en México. Siglo XIX* (México, Universidad Autónoma Metropolitana/Miguel Porrúa, 2001), y "Troublemakers, Priests and Public Opinion in Mexico, 1821-1860", *Mexican Studies/Estudios Mexicanos,* 17:1 (invierno 2001), pp. 41-69.

"Independencia de México" en su informe a las Cortes. Aunque muchos diputados se rieron al escuchar la narración de los eventos, que Carlos María de Bustamante calificó como estúpidos, a la vez se preocuparon ante la posibilidad de que otras provincias hicieran lo mismo. Yucatán y Jalisco también habían formado gobiernos nuevos y rehusaban aceptar cualquier tipo de instrucciones que provenieran del gobierno nacional que no concordaran con el federalismo. Las diputaciones provinciales asumieron el control del gobierno en Veracruz, Puebla, Michoacán, Guanajuato, Querétaro y San Luis Potosí. Estas provincias aceptaron la autoridad del gobierno nacional, pero declararon que aún estaban a la espera de la elección de un congreso nuevo. Durante mayo y junio de 1823 las provincias de México se comunicaron profusamente entre sí; a menudo se enviaban copias de todas las decisiones importantes.

Al igual que había ocurrido en marzo, durante la oposición a Iturbide, las provincias consideraron convocar una asamblea para tratar asuntos de interés común. En sí, las diputaciones provinciales de Michoacán, Querétaro, Guanajuato y San Luis Potosí comenzaron a prepararse para tal reunión. Como resultado, el Supremo Poder Ejecutivo y los ministros de gobierno tomaron acción para retomar el control de la nación. El ministro de Relaciones Interiores envió comunicados a las provincias en los que les instruía no introducir cambios gubernamentales porque un nuevo congreso estaba por organizar a la nación en función de la constitución que establecería. Las Cortes promulgaron una convocatoria el 17 de junio de 1823 para elecciones del congreso, las cuales se mantendrían dentro del modelo de Cádiz como las provincias habían insistido, y para requerir además que se celebraran elecciones para todas las diputaciones provinciales. Así, las autoridades nacionales se proponían eliminar a los nuevos regímenes independientes que habían surgido en varias provincias. Pero para asegurarse de que todas las provincias se mantuvieran dentro de la nación, enviaron a varios ejércitos para mantener el orden.[94]

Inicialmente, la respuesta del gobierno nacional a la situación en Oaxaca era de naturaleza relativamente moderada. El ministro Alamán envió una carta sumamente crítica en la cual acusaba a la provincia de separarse completamente de la nación. Alamán también afirmaba que el procedimiento de

94. Rodríguez O., "The Formation of the Federal Republic", pp. 324-238.

Oaxaca era inconstitucional. Exhortaba a la provincia a seguir el proceso que las Cortes mexicanas habían aprobado para elegir un congreso nuevo –el cual establecería el futuro gobierno de la nación–. Carlos María de Bustamante criticó públicamente a su provincia en un folleto titulado *Examen critico sobre la federación de las provincias del territorio mexicano.* En éste afirmó que

> el pueblo mexicano ... ha tornado a formar ya una *sola familia.* Hace reunido en un centro de felicidad común que es el Congreso; y como Diputado de Oaxaca, trato de la felicidad de Sonora, a quien sólo conozco por su localidad geográfica, con el mismo interés y ardor con que el Dipudado de Sonora mira por mi amadísima Oaxaca. Jamás ha tenido allí lugar el espíritu de provincialismo odioso, a quien hemos jurado un aborrecimiento eterno.

Insistía en que la nación necesitaba unidad, no división. Con sólo considerar los desastres que habían ocurrido en Caracas, Santa Fe de Bogotá y Cartagena de Indias se entenderían mejor los peligros "[d]el diabólico genio del federalismo ilimitado". No había ninguna razón por la cual se debería formar un gobierno independiente provincial, puesto que las Cortes ya habían decidido convocar un congreso nuevo. Ese cuerpo legislativo formaría una federación fuerte que mejor se adaptara a la realidad del país.[95]

En Antequera los nuevos dirigentes políticos no compartían el mismo punto de vista. El presidente de la Junta Provisional Gubernativa, Victores Manero, informó al Supremo Poder Ejecutivo que Oaxaca nunca había contemplado la "separación total de las demas" provincias de México. "La Provincia de Oaxaca unísona en intereses con sus hermanas todas las que componen esta América Septentrional" sólo deseaba formar una unión más eficaz, una unión que reconociera los intereses de todas las provincias mientras fortalecía a la nación a la cual pertenecían.[96]

Las elecciones se llevaron a cabo y el Congreso Provincial de Oaxaca se reunió el 6 de julio en Antequera entre extensas ceremonias. En su primer decreto el Congreso instruyó a la Junta Provisional Gubernativa para

95. Carlos María de Bustamante, *Examen critico sobre la federación de las provincias del territorio mexicano. Carta primera a un oaxaqueño* (México, Imprenta del ciudadano Alejandro Valdez, 1823). La cursiva es de Bustamante.

96. Victores Manero al Supremo Poder Ejecutivo, Oaxaca, 24 de junio de 1824, AGN: GSS, C. 42, exp. 12, ff. 47-48r.

prescindir de sus funciones, y autorizó a todos los funcionarios civiles y militares a ejercer su continua autoridad. También reconoció al jefe político como el ejecutivo, quien servía al placer del Congreso. Hasta que las constituciones nacional y provincial fueran promulgadas, todas las leyes permanecerían vigentes en cuanto no contradijeran ni la independencia ni el sistema de gobierno federal.[97]

No todos estuvieron de acuerdo en la provincia de Oaxaca. Teotitlán del Valle y Tehuantepec denunciaron las acciones que se llevaron a cabo en la capital oaxaqueña y se prepararon para defenderse de los "rebeldes".[98] Algunos partidos fronterizos en provincias vecinas, como por ejemplo Tixtla, se rehusaron a colaborar con Oaxaca y remitieron a la ciudad de México los documentos que Antequera les enviara. Una carta anónima enviada a las autoridades nacionales informaba que Ometepec se había declarado a favor de México y que estaba reclutando tropas para defenderse en contra de los federalistas. Varias áreas de la provincia de Oaxaca pidieron ayuda al gobierno nacional para restaurar el orden en la provincia.[99]

En un intento por reducir las tensiones con la ciudad de México el presidente del Congreso Provincial de Oaxaca, Florencio del Castillo, notificó el 8 de julio de 1823 al gobierno nacional los eventos ocurridos. A Castillo le preocupaba en especial que se entendiera bien la posición del Congreso Provincial de Oaxaca en relación con su soberanía e independencia. Como indicó:

> Desde el momento de su instalación miró [el Congreso Provincial de Oaxaca] como uno de sus primeros y mas importantes deberes allanar toda diferencia con el Supremo Gobierno, mantener con él la major armonía, y buena inteligencia, y además reconocerlo como un centro de unión entre los diferentes Estados que compone la Nación mejicana.

97. "Ceremonial que aprobó la Junta Gubernativa" y "Congreso Provincial, Decreto núm. 1", AGN: SS, C. 48, exp. 12, 54-56.
98. "Sobre que el Pueblo de Tehuantepec no se adherido al pronunciamiento de Oaxaca", AGN: GSS, C. 48, exp. 12, ff. 51-52v-r.
99. Los documentos de Tixtla se pueden ubicar en AGN: GSS, C. 48, exp. 12, ff. 51-52v-r; "Noticias ocurridas en esta Provincia de Oaxaca hasta hoy, 5 de Agosto de 1823", *ibid.*, f. 63r-v.

> Este Congreso se halla intimamente convencido de que no debe dexar de existir ni un solo día, un Gobierno central, asi por que haya unidad y sistema en las providencias que miran al bien general de la Nación, asi mismo para evitar la anarquía, y la disolución de todos los Estados asociados...
>
> Hallandose enteramente conformes los sentimientos de Oajaca con los del Soberano Congreso General y del Supremo Poder Ejecutivo, que se han decidido por el sistema de Gobierno popular federado, este Congreso se lisonjea, que no habiendo diferencia substancial con la forma de gobierno, qualquiera otra que ocurra se compondrá facilmente por la razon, la justicia y la conveniencia pública.[100]

El Congreso Provincial de Oaxaca formalmente estableció nuevas relaciones con la nación en su decreto del 28 de julio. El artículo 4 de ese documento describe sus relaciones con las otras provincias de la siguiente forma: "Este Estado es libre, y solo reconocerá con los demas de la Nación mejicana las relaciones de fraternidad, amistad, y confederación, que determine la Constitución General". El artículo 5 indicaba que "Por ahora y mientras no se forme el Congreso General de los Estados mejicanos federados, se reconoce por centro de unión de todos ellos la Capital de Méjico". Además, el artículo 6 declaraba: "Se reconoce asi mismo al actual Congreso, y Supremo Poder Ejecutivo de Méjico, entendiendose que el Congreso no tiene mas Caracter que el de convocante".[101]

Sin embargo, el Supremo Poder Ejecutivo decidió restaurar en Oaxaca el antiguo orden. La autoridades nacionales habían recibido información que indicaba que el jefe político León era el arquitecto principal de la transformación política de la provincia. Los informes del obispo y las cartas anónimas sugerían que las tensiones abundaban en la ciudad de Antequera.

100. Florencio del Castillo al Supremo Poder Ejecutivo, Oaxaca, 8 de julio de 1823, AGN: SS, C. 48, exp. 12, ff. 60r-v. La carta de Castillo se publicó en el *Águila Mexicana*, núm. 96 (19 de julio de 1823), p. 357. Sin embargo, no todos los miembros del Congreso Provincial de Oaxaca compartieron una disposición tan conciliatoria como la de Castillo. Véase Ignacio Ordoño, *Voto particular del Señor Ordoño, Diputado del Congreso Provincial de Oajaca sobre el pase a Convocatoria de México. Con notas de un Ciudadano del Estado libre de Xalisco* (Guadalajara, Imprenta del Ciudadano Urbano Sanromán, 1823). Parece que el folleto se distribuyó por todo el país. Véase "El Gefe Político de Tabasco remitiendo un impreso que se le remitió desde Jalisco, y participando haber impedido su publicación en aquella Provincia, por subversivo", AGN: G, leg. 20(1), exp. 8.

101. *Bases para el Gobierno Provincial*.

Aparentemente, parte de las tropas en los pueblos se había declarado a favor del gobierno nacional. Asimismo, el tono moderado del nuevo gobierno provincial indicaba que un acuerdo era posible. Así, el Supremo Poder Ejecutivo le ordenó al jefe político León que renunciara y a la vez ordenó al general Manuel Rincón que prosiguiera a Antequera.[102]

Las autoridades civiles en Antequera no estuvieron de acuerdo con el jefe político León en relación con la mejor opción para la provincia. Las autoridades civiles mantenían que la provincia de Oaxaca había logrado sus metas al establecer su propio gobierno. La convocatoria para elegir a un nuevo congreso nacional garantizaba el reconocimiento de los deseos de las provincias. Por lo tanto, favorecían una reconciliación con el gobierno nacional. León, por otra parte, insistía en reclutar tropas para defender a la provincia de las fuerzas nacionales que ya estaban en camino. Para lograr su objetivo, reclutó forzosamente a criminales, a los que les daría la libertad si se unían al ejército. Muchos observadores locales dudaron de las habilidades militares de esas tropas. No sólo comprobaron su ineptitud en escaramuzas en contra de partidos recalcitrantes, sino que muchos desertaron. En estas circunstancias, el obispo y el clero afirmaban que era necesario desechar "la biolencia cometida contra México".[103]

Al no poder hacer que el jefe político cambiara su política, muchos miembros de las autoridades civiles renunciaron a su puesto. El Congreso Provincial de Oaxaca, el cual se mantenía dentro del marco establecido por las Cortes hispánicas, se constituía de 14 diputados. La mayoría de ellos eran curas y funcionarios, aunque dos de ellos no habían llegado a desempeñar su trabajo: José Esperón y Nicolás Fernández del Campo. El canónigo Castillo, presidente de ese cuerpo, renunció a finales de julio cuando se dio cuenta de que la provincia seguía un camino que la conduciría hacia un posible conflicto militar con el gobierno nacional. Otros cinco miembos renunciaron a finales del mes cuando llegaron instrucciones de la ciudad de México en

102. "Resoluciones del Supremo Poder Ejecutivo", AGN: Colección José López Portillo, ff. 27v, 34v, 32r-v. Carlos María de Bustamante creía que León era la fuerza que instrumentaba los cambios políticos en Oaxaca, pero también estaba convencido que el subdiácono Ignacio Ordoño manipulaba a León. Véase Bustamante (1980: tomo 1, vol. 1, 270, 279), *Diario histórico de México.*

103. "Noticias ocurridas en esta Provincia de Oaxaca hasta hoy, 5 de Agosto de 1823", AGN: GSS, C 48, exp. 12, f. 63r-v.

las que se le indicaba a las provincias a elegir nuevas diputaciones provinciales. Por tanto, sólo seis congresistas permanecían a principios de agosto, y se rumoreaba que ellos también querían renunciar.[104] El 4 de agosto de 1823, a las 4 de la tarde, todos los miembros del ayuntamiento de Antequera renunciaron en grupo para protestar contra el "despotismo" del comandante general León. Éste había subvertido la autoridad del ayuntamiento cuando había ordenado la libertad de un prisionero contra el que el alcalde había entablado una acción judicial. Cuando se le cuestionaron sus acciones, respondió que había actuado de acuerdo con su autoridad de comandante militar.[105] Su preocupación principal era defender a la provincia del ejército nacional que se aproximaba bajo las órdenes del general Rincón.

A principios de agosto todo indicaba que una guerra civil era inminente en México. Los ejércitos nacionales estaban por cruzar las fronteras de Jalisco, San Luis Potosí, Querétaro y Oaxaca. El gobierno nacional insistía que las provincias instrumentaran plenamente la ley electoral, mientras que Jalisco, Zacatecas, Yucatán y Oaxaca declararon que obedecerían sólo las secciones que se relacionaban con las elecciones nacionales. Estaba en juego la definición de la soberanía. Las provincias mantenían que el gobierno nacional poseía la autoridad máxima sólo en asuntos que concernían la totalidad del país. En todos los demás aspectos, las provincias tenían pleno derecho a gobernarse a sí mismas. Para mediados de agosto se hizo evidente que el conflicto sólo podría terminar con guerra o por medio de una concesión del gobierno nacional. El viernes 15 de agosto las Cortes se reunieron en sesión especial en la tarde para informarse sobre la situación en las provincias.[106] El ministro de Relaciones Interiores, Alamán, explicó la situación e indicó que la administración pedía instrucciones de las Cortes para proceder apropiadamente. Al

104. Anónimo al Señor Capitán General del Sur, AGN: GSS, C. 48, exp. 12, ff., 64-65v. Según una carta particular: "el presidente del Congreso el Sr. D. Florencio del Castillo se mantiene en la hacienda de Tlamichico a 5 leguas de esta capital [de Oaxaca] adonde se retiró luego que se desengañó del ningun fruto que producian sus luces, esperiencia y conocimientos totalmente dedicados a la felicidad de la provincia y a la union y prosperidad de toda la nacion mexicana". *Águila Mexicana*, núm. 125 (17 de agosto de 1823), p. 460.

105. "Noticias occurridas en esta Provincia de Oaxaca", AGN: GSS, C. 48, exp. 12, f. 63r-v.

106. Muchas provincias se opusieron al uso de la fuerza por parte del gobierno. Véase, por ejemplo: "La Diputación Provincial de Puebla sobre no poder dar los tres mil pesos que pide el Sr. Rincón y ruega se evite romper las hostilidades en Oaxaca", AGN: GSS, C. 48, exp. 12.

siguiente día la legislatura votó para autorizar al Ejecutivo a que negociara un acuerdo, el cual incluiría amnistía para las provincias.[107]

El Supremo Poder Ejecutivo instruyó a sus comandantes para negociar con las provincias recalcitrantes. El general Rincón llegó a un acuerdo con Oaxaca el 1 de septiembre de 1823. Con este acuerdo, el Congreso Provincial de Oaxaca continuaría gobernando, la provincia aceptó llevar a cabo las elecciones para el congreso nacional constituyente y para la nueva legislatura provincial, y ambas partes aceptaron los términos de la amnistía. El acuerdo especificaba que los partidos de Tehuantepec y Teotitlán del Valle, que habían resistido la independencia de Oaxaca, no sufrirían represalias por parte del gobierno provincial. El general Rincón retiró sus tropas, pero el teniente coronel León fue reubicado a Veracuz. A León lo reemplazó Murguía y Galardi, quien después llegó a ser gobernador del estado de Oaxaca.

Las elecciones se celebraron en todo el país en los siguientes meses. El nuevo congreso constituyente, el cual había sido un punto de conflicto para las provincias desde marzo, se inauguró el 7 de noviembre de 1823. El Supremo Poder Ejecutivo no cambió porque las provincias consideraban que el poder Ejecutivo estaba supeditado al Legislativo, pero el segundo congreso constituyente resultó muy distinto del primero: no sólo las provincias tenían una representación más equitativa, sino que algunos de sus miembros llegaron con instrucciones específicas de formar únicamente una república federal. Carlos María de Bustamante ingresó una vez más como miembro del Congreso, pero esta vez no como diputado de Oaxaca sino de México. Los diputados de Oaxaca eran todos federalistas. Oaxaca, Yucatán, Jalisco y Zacatecas eligieron congresos estatales en vez de diputaciones provinciales, como la convocatoria había instruido. Estas provincias se habían convertido en estados. Dada la situación imperante, el nuevo Congreso Constitucional estableció una república federal.[108]

107. Bustamante, *Diario histórico de México,* tomo 1, vol. 2, pp. 39-40.

108. *Águila Mexicana*, núm. 188 (30 de octubre de 1823), p. 2; Rodríguez O., "The Formation of the Federal Republic", pp. 324-328.

La nueva legitimidad política

El estado de Oaxaca, al igual que la República de México, logró el autogobierno después de una década y media de vertiginosos cambios políticos. Aunque la insurgencia afectó grandes partes de la Nueva España, llegaría a influir en forma insignificante, aunque simbólica, en las instituciones e ideas políticas de la nueva nación mexicana. En su lugar, la tradición liberal que surgió en Cádiz se convertiría en la base del desarrollo mexicano político e institucional. Reemplazó la autoridad del rey y se convirtió en la nueva legitimidad política. Esa tradición liberal se arraigaba en dos nociones de lo que significaba el pueblo. Una, en el sentido de *la gente*, se identificaba como el ciudadano involucrado en la política popular. Y la otra, en el sentido de *la región*, se identificaba con los derechos e intereses locales. En ambos casos el uno y otro se intercambiaban, a veces de maneras perplejas y contradictorias. El concepto de *ciudadano*, el poseedor de derechos, rápidamente se asoció con la representación de la población de la región. El ciudadano poseedor de derechos individuales llegó a representar en forma colectiva a la región; la cual también poseía una gama de derechos y soberanía. En 1809 los americanos protestaron la representación dispar ante la Junta Central, la cual no se basaba en el número de habitantes. Asimismo, las provincias de México protestaron amargamente la convocatoria de 1822, cuya representación tampoco se basaba en el porcentaje de la población. Estas protestas ejemplificaron cómo las regiones y el centro diferían en cuanto a las normas que deberían establecer los derechos de la representación.

Estas transformaciones ocurrieron mientras surgía la participación política de las masas. El surgimiento de un pueblo políticamente activo en 1808, en combinación con las elecciones de 1809 y 1810, y después de 1812, las elecciones constitucionales populares, rápidamente logró concientizar a los ciudadanos –quienes después de todo constituían el pueblo– en los asuntos cotidianos. Al surgir la política popular también surgieron los políticos populares, principalmente los curas, militares de medio rango, abogados y funcionarios. Estos políticos representaban una variedad de intereses, a menudo en desacuerdo con los de sus corporaciones. Aunque en ocasiones las actividades políticas de los curas y militares políticos concordaban con los intereses del alto clero y el ejército, no se debe confundir estas actividades con la influencia y el dominio de la Iglesia y del ejército como corporaciones.

Para la época de la independencia, la política regional y popular comenzaban a transformar la naturaleza de las instituciones y el gobierno en México. Sin embargo, el cambio se dio gradualmente y las viejas tradiciones y prácticas se entremezclaron con las nuevas. Ni la independencia ni la república, ni mucho menos la república federal, eran etapas inevitables. La experiencia de Oaxaca indica claramente la transformación dramática, si bien evolucionaria, que ocurrió. Hubiera sido imposible en 1808 predecir que la provincia iba a tomar la iniciativa al establecer el federalismo en México. La desilusión que la elite mercantil sufrió, en particular los españoles europeos, se puso en evidencia en 1809 cuando insistieron en la instrucción del ayuntamiento de Antequera de que el sistema de intendencias se aboliera. La elite deseaba el control de la provincia, pero sabía que dicha hazaña no sería posible sin el apoyo de los grupos en la ciudad de México, y aún más importante, en Madrid. Irónicamente, la ocupación insurgente de Oaxaca (1812-1814) no produjo ningún cambio en las relaciones de poder en la provincia. El único cambio fue el reemplazo de la elite peninsular por el de la elite americana.

Las elecciones constitucionales populares transformaron la naturaleza de la política en Oaxaca, particularmente después de 1820, cuando se pudieron instrumentar plenamente. Surgieron nuevos procesos, nuevas instituciones y nuevos actores políticos. El ayuntamiento de Antequera intentaba mantener su dominio en la provincia. Cuando se dio cuenta de que los partidos rurales, representados por curas, militares y funcionarios dominarían las elecciones a nivel de provincia, intentó socavar el poder de la diputación provincial. Pero se vio en la imposibilidad de controlar a la nueva política popular. Los nuevos personajes que aparecieron, algunos de ellos representantes de las clases humildes, comenzaron a retar el poder en el ayuntamiento mismo. Y esto no ocurrió exclusivamente en la provincia de Oaxaca, los eventos nacionales afectaron tanto a Oaxaca como a otras provincias. Después de 1820 el cambio se aceleró y los dirigentes de la provincia se vieron ante la necesidad de responder a una situación que cambiaba de un momento a otro. La independencia mexicana se aseguró cuando las provincias aceptaron el Plan de Iguala. De igual modo, el imperio de Iturbide terminó cuando las provincias aceptaron el Plan de Casa Mata. Posteriormente, las reconstituidas

Cortes mexicanas intentaron sin éxito oponerse a la voluntad de las provincias. Así, las provincias asumieron el poder en México en 1823.

Ante tan cambiantes circunstancias, el pueblo, tanto en el sentido del ciudadano y de la región, actuó decisivamente. En Antequera los curas, militares y funcionarios guiaron al pueblo en su reclamo por soberanía e independencia. La mayoría de las instituciones fueron arrasadas por las acciones del pueblo. Aunque el alto clero se opuso vehementemente al movimiento del 1 de junio de 1823, su voz se perdió ante la fuerza de la nueva política en Oaxaca. Al final, las elites que habían dominado la política en la provincia, al igual que aquéllas en otras provincias y en la ciudad de México, tuvieron que aceptar lo que el pueblo exigía. Esta situación no quiere decir que las elites aceptaron los cambios con mansedumbre, pues aunque no intentaron volver al Antiguo Régimen, sí intentaron transformar el sistema para que éste les beneficiara más.[109]

Como resultado de la gran revolución política del mundo hispánico, México desarrolló una nueva legitimidad política que perduró todo un siglo. A pesar de que se sucedieron numerosos cambios de gobierno, la mayoría de los mexicanos creía en la soberanía popular, los derechos locales y en un gobierno civil, representativo y constitucional. Por lo general, la población mexicana no concordó en el grado apropiado que la participación popular y el gobierno local deberían tener, aunque jamás se cuestionó la validez de un gobierno representativo ni de la supremacía del poder Legislativo. Los mexicanos establecieron una república central en 1836 y más tarde en 1843, pero no lo hicieron sobre la base de un gobierno altamente centralizado ni de una

109. Existen otras dos otras explicaciones que intentan analizar estos eventos. Al escribir en 1955 Nettie Lee Benson creía que el gobierno nacional, primero bajo Iturbide y después bajo el primer congreso reconstituido, alienó tanto a la provincia de Oaxaca que ésta finalmente se separó. De acuerdo con Benson, había sido la Diputación Provincial de Oaxaca la que "decidió declarar su completa independencia del gobierno central de México". Benson, *La Diputación Provincial,* p. 152. Recientemente Silke Hensel ha postulado que el ayuntamiento de Oaxaca estaba en manos de la elite de mercaderes y que había sido esta clase la que más había influenciado la búsqueda por el federalismo. Hensel cree que "Fue precisamente el grupo al que tradicionalmente se ha atribuido una orientación conservadora y centralista el que se unió al ejército en su apoyo al orden federal. Pero el proyecto que los comerciantes perseguían con la 'declaración de independencia' de Oaxaca no se caracterizaba precisamente por su tenor liberal. Se trataba más bien de conseguir aquello por lo que venían luchando desde la introducción de las intendencias en 1786: el retorno a su posición poderosa antes de que los intendentes como altos funcionarios de la Corona controlasen la provincia". Silke Hensel, "Los orígenes del federalismo en México. Una perspectiva desde la provincia de Oaxaca de finales del siglo XVIII a la Primera República", *Ibero-Amerikanisches Archiv* (1999), pp. 215-235, cita en 235.

presidencia poderosa. Más bien, redujeron el papel político de los pueblos y así concentraron el poder en las ciudades principales. Bajo las constituciones centralistas, el poder Legislativo mantuvo su posición dominante. Los republicanos no fueron los únicos en aceptar la nueva legitimidad política. Aun los que buscaban restaurar la monarquía favorecían una monarquía constitucional. La Constitución de 1857, escrita para resolver las fallas de la constitución federal anterior, ni concentró el poder en el gobierno nacional ni estableció una presidencia fuerte. De hecho, no hubo un presidente poderoso durante el siglo XIX, incluyendo a Benito Juárez y Porfirio Díaz. Aunque la Revolución mexicana y los gobiernos posrevolucionarios transformaron el sistema político del país al concentrar el poder tanto en la capital como en el presidente, el pueblo mexicano mantuvo los ideades de la soberanía popular, los derechos locales y los de un gobierno representativo como metas por alcanzar.

VI
QUITO

17. LA CULTURA POLÍTICA CLERICAL EN EL REINO DE QUITO*

La fe católica constituyó un elemento fundamental para la cohesión de la monarquía española. Los habitantes de los diversos reinos conservaron su lengua, sus leyes y sus costumbres, pero todos hubieron de ser católicos. La "única fe verdadera" definía a la sociedad hispánica. Después de que el último reino musulmán fuera derrotado en Granada y tras la expulsión de los judíos en 1492, fue imposible para los no católicos residir en las tierras regidas por los gobernantes españoles,[1] quienes a partir de Isabel y Fernando se llamaron a sí mismos "Reyes católicos". El gran teórico político Juan de Mariana reconocía esta realidad al declarar: "Es pues la religión un vínculo de la sociedad humana, y por ella quedan sancionadas y santificadas las alianzas, los contratos y hasta la misma sociedad que constituyen".[2] Además, como lo indica Tamar Herzog, el hecho de que la comunidad hispánica "fuera por definición una comunidad católica rara vez se ponía en cuestión. Resultaba tan obvio para los contemporáneos y tenía una naturaleza tan consensuada que no había necesidad de hacerlo explícito".[3] No obstante, es importante recordar que en el mundo hispánico la Iglesia católica no era autónoma. La Iglesia estaba subordinada a los monarcas españoles, quienes obtuvieron el

* Una versión anterior y más breve de este trabajo apareció en Peer Schmidt, Sebastian Dorsch y Hedwig Herold-Schimdt (coords.), *Religiosidad y clero en América Latina (1767-1850)* (Colonia, Bohlau Verlag, 2011), pp. 285-306. Agradezco a Linda Alexander Rodríguez, Ahmed Deidán de la Torre y Gustavo Pérez Ramírez, quienes leyeron diferentes versiones de la obra y ofrecieron valiosas sugerencias para mejorarla. Asimismo, agradezco a Mariana Santoveña la traducción de este ensayo.

1. Hubo una excepción importante: a los musulmanes derrotados se les permitió mantener su religión hasta principios del siglo XVII, cuando también ellos debieron convertirse o partir.
2. Citado en Tamar Herzog, *Defining Nations: Immigrants and Citizens in Early Modern Spain and Spanish America* (New Haven, Yale University Press, 2003), p. 247, nota 6.
3. *Ibidem*, p. 121.

control administrativo sobre la institución –el "patronato real"– a raíz de la donación papal de 1493 y de las bulas de 1501 y 1508.

Como sucedía en otras regiones católicas, protestantes y musulmanas, la religión impregnaba todos los aspectos de la vida cotidiana. Pero, aunque las ceremonias religiosas y el tañido de las campanas estructuraban la vida diaria de los hispánicos, pocos vivían en un mundo dominado por las plegarias. Los individuos en el interior de la Iglesia católica tenían, al igual que sus contrapartes seculares, múltiples papeles e intereses sociales, económicos y políticos. De ahí que no resulte sorprendente que miembros del clero participaran con frecuencia en actividades seculares, incluidas las actividades políticas, y que en ocasiones sostuvieran opiniones contrarias a la política oficial de la Iglesia. A eso se suma que la Iglesia católica en la monarquía española no era una institución monolítica controlada por el papa. Lejos de ello, estaba muy fragmentada y descentralizada. En términos generales, la Iglesia estaba dividida en clero secular y órdenes regulares. El clero secular, como su nombre lo indica, atendía las necesidades del laicado. Organizado geográficamente, el clero secular se dividía en áreas administradas por arzobispos y obispos elegidos por el rey. Éstas, a su vez, se subdividían en parroquias administradas por curas. Eran éstos los "magistrados de lo sagrado" que predicaban ante sus parroquianos y tenían el mayor contacto con la sociedad en pleno. Las órdenes regulares estaban organizadas verticalmente y no respondían al arzobispo o al obispo, sino a sus propias autoridades y, en última instancia, al papa. No obstante, dentro de la monarquía española, las órdenes regulares también estaban administradas por el rey. Órdenes como los franciscanos, los dominicos y los jesuitas desempeñaron un papel importante en la aculturación y la conversión de los pueblos no católicos en Iberia y, más tarde, en las Indias. Sin embargo, la política de la monarquía española consistió en tomar la autoridad sobre las nuevas regiones de manera expedita, poniendo esas zonas bajo la jurisdicción del clero secular.

Básicamente, la Iglesia hispánica estaba subordinada al rey y se convirtió en uno de los pilares de la monarquía. Los hombres de la Iglesia ocuparon numerosos puestos, incluido el de virrey. La práctica de nombrar a los clérigos como funcionarios del gobierno era tan común en 1665 que el quiteño fray Gaspar de Villarroel se refería a la Iglesia hispánica como uno de los "dos cuchillos" del monarca.[4] En su calidad de funcionarios del gobierno, los hombres de la Iglesia representaban al rey y no al papa. El clero, en particular los miembros de las órdenes religiosas, también dominaba la esfera de la educación superior y proporcionaba la mayor parte de los servicios asistenciales. No se trataba de "sacerdotes ignorantes y fanáticos", como John Adams y otros prominentes protestantes creían.[5] Por el contrario, muchos eran distinguidos estudiosos y científicos abocados a temas que hoy se consideran seculares. Además, muchos clérigos eran abogados que ejercían en tribunales tanto civiles como eclesiásticos. Cuando los clérigos desempeñaban sus funciones no eclesiásticas por lo general era imposible distinguirlos de sus contrapartes seculares, ya que estudiaban las mismas materias en las mismas instituciones. El gran estudioso constitucional Francisco Martínez Marina, por ejemplo, fue un hombre de la Iglesia. Además, el jesuita Juan de Mariana propuso ideas políticas radicales entre las que se contaba el principio del tiranicidio.[6]

El Reino de Quito

Quito fue la ciudad capital más antigua de Sudamérica; el territorio de su Audiencia se distinguió alguna vez como el más grande del subcontinente, y su obispado supervisaba no sólo las parroquias de la sierra y la costa, sino también las de las misiones en la selva amazónica. Cuando en 1779 se fundó el obispado de Cuenca, con autoridad sobre Guayaquil, Loja Portoviejo, Zaruma y Alausí, Quito dejó de ser una diócesis única en la Audiencia. En

4. Gaspar de Villarroel, *Gobierno eclesiástico pacífico: y unión de los dos cuchillos, pontificio y regio*, 2 vols. (Madrid, Domingo García Morrás, 1656-1657).
5. John Adams, *The Works of John Adams*, 10 vols. (Boston, Little, Brown, and Company, 1950), x, p. 145.
6. Mónica Quijada, "From Spain to New Spain: Revisiting the *Potestas Populi* in Hispanic Political Thought" en *Mexican Studies/Estudios Mexicanos*, vol. 24, núm. 2 (verano, 2008), pp. 185-219. De entre la vasta bibliografía sobre la Iglesia católica en el mundo hispánico véase Pablo Fernández Albaladejo, "Católicos antes que ciudadanos: Gestación de una 'política española' en los comienzos de la edad moderna" en *La imagen de la diversidad: El mundo urbano en la corona de Castilla (siglos xvi-xvii)* (Santander, Universidad de Cantabria, 1997), pp. 103-127; Arturo Morgado García, *Ser clérigo en la España del Antiguo Régimen* (Cádiz, Universidad de Cádiz, 2000); Stanley G. Payne, *Spanish Catholicism: An Historical Overview* (Madison, University of Wisconsin Press, 1984); W. Eugene Fields, *King and Church: The Rise and Fall of Patronato Real* (Chicago, Loyola University Press, 1961), y William B. Taylor, *Magistrates of the Sacred: Priests and Parishioners in Eighteenth-Century Mexico* (Stanford, Stanford University Press, 1996).

1802 la Gobernación de Maynas, al este de Quito, se convirtió en un obispado que respondía al virrey del Perú, aunque en materia jurídica y en otros aspectos continuaba subordinado a Quito.[7]

Durante los siglos XVI y XVII el Corregimiento de Quito mantuvo vínculos con un conjunto de economías prósperas, integradas por regiones, que abarcaban todo el virreinato del Perú, que a la sazón incluía toda la América española del sur.[8] El Corregimiento de Quito era un importante productor de textiles y otras manufacturas que distribuía tanto en el sur, rico en minerales, como en el norte. Los comerciantes quiteños participaban también en el tráfico de las mercaderías europeas que llegaban a las ferias de Portobelo.[9] La prosperidad de la ciudad contribuyó al crecimiento de sus instituciones clericales. Las principales órdenes –franciscanos, dominicos, agustinos y mercedarios, así como jesuitas– construyeron grandes monasterios en la capital, monasterios que se convirtieron en centros de salud, arte y educación. Además, establecieron colegios no sólo en Quito, sino también en otras ciudades del reino. Durante el siglo XVII las órdenes monásticas fundaron tres universidades en la ciudad de Quito: la Universidad de San Fulgencio (agustina), la Universidad de San Gregorio (jesuita) y la Universidad de Santo Tomás (dominica). Quito se convirtió así en una ciudad de enseñanza que atrajo a estudiantes de muchas partes de Sudamérica.[10] Para financiar estas instituciones las órdenes invirtieron en varias empresas. No obstante, las haciendas productoras de azúcar para el aguardiente y los obrajes textiles constituyeron su fuente más importante de ingresos.[11] Para la región, los

7. Rosemarie Terán Najas, *Los proyectos del Imperio borbónico en la Real Audiencia de Quito* (Quito, TEHIS y ABYA YALA, 1988); María Elena Porras P., *La Gobernación y el Obispado de Mainas* (Quito, TEHIS y Abya Yala, 1987), y Dora León Borja y Adám Szászdi, "El problema jurisdiccional de Guayaquil antes de la independencia" en *Cuadernos de Historia y Arqueología*, XXI, núm. 38 (1971), pp. 13-146.
8. Kenneth J. Andrien, *The Kingdom of Quito, 1690-1830: The State and Regional Development* (Cambridge, Cambridge University Press, 1995), p. 15.
9. Tamara Estupiñan Viteri, *El Mercado interno de la Audiencia de Quito* (Quito, Banco Central del Ecuador, 1997). Sobre la industria textil véase Robson B. Tyrer, *Historia demográfica y económica de la Audiencia de Quito. Población indígena e industria textil, 1600-1800* (Quito, Banco Central del Ecuador, 1988).
10. Julio Tobar Donoso, *La Iglesia, modeladora de la nacionalidad* (Quito, La Prensa Católica, 1953), pp. 200-240; Julio Tobar Donoso, *Las instituciones del periodo hispánico, especialmente en la Presidencia de Quito* (Quito, Editorial Ecuatoriana, s/f), pp. 121-153.
11. Véase, por ejemplo, Nicholas P. Cushner, *Farm and Factory: The Jesuits and the Development of Agrarian Capitalism in Colonial Quito, 1600-1767* (Albany, State University of New York Press, 1982).

hombres de la Iglesia eran importantes tanto en términos económicos como en términos religiosos.

La situación cambió durante el siglo XVIII. Los nuevos monarcas Borbones permitieron el ingreso de telas europeas y otras mercaderías al Nuevo Mundo. Debido al gran volumen de productos europeos, su precio bajó en los principales mercados sudamericanos, como por ejemplo en la gran región minera de Charcas. Los paños de Quito no podían competir en tales circunstancias.[12] El declive económico que padeció Quito durante el siglo XVIII se agravó en 1776, cuando la Audiencia de Charcas fue puesta bajo la autoridad del nuevo virreinato del Río de la Plata. A partir de ese momento fue Buenos Aires el que suministró productos locales y bienes importados al centro minero. Así, durante la última parte del siglo XVIII, mientras que zonas antiguamente periféricas como Buenos Aires y Caracas obtuvieron una mayor autonomía al convertirse en asientos de un nuevo virreinato y de una nueva capitanía general, respectivamente, Quito perdió control eclesiástico, jurídico y financiero sobre algunas de sus provincias. Los reformadores borbónicos también aumentaron drásticamente los impuestos, dañando aún más la economía. Incluso la boyante economía de plantación de Guayaquil tuvo que soportar aumentos masivos de impuestos.[13]

Pese al declive económico y político, la segunda mitad del siglo XVIII fue un periodo de progreso cultural e intelectual en Quito. El clero desempeñó un papel central en este florecimiento. Las bibliotecas de los conventos de la ciudad de Quito contenían no sólo libros religiosos y tradicionales, sino también obras de los principales científicos e intelectuales europeos del momento. Todas contaban con las publicaciones de fray Benito Jerónimo Feijóo, quien expuso y popularizó los logros científicos y tecnológicos de la época. El tono de Feijóo era crítico: exponía la falibilidad de los médicos, la falsedad de santos y milagros, y defendía con firmeza la causa del pensamiento analítico

12. Estupiñán Viteri, *El Mercado interno de la Audiencia de Quito*. Sobre la industria textil véase Tyrer, *Historia demográfica y económica de la Audiencia de Quito*. Véase también Andrien, *The Kingdom of Quito*, pp. 29-32.
13. Guillermo Céspedes del Castillo, *Lima y Buenos Aires: repercusiones económicas y políticas de la creación del virreynato del Río de la Plata* (Sevilla, Escuela de Estudios Hispanoamericanos, 1949); y Cristiana Borchard de Moreno, *La Audiencia de Quito: Aspectos económicos y sociales (Siglos XVI-XVIII)* (Quito, Banco Central del Ecuador y Abya Yala, 1998), pp. 99-209. Véase también Kenneth J. Andrien, "Economic Crisis, Taxes and the Quito Insurrection of 1765" en *Past and Present*, núm. 129 (noviembre, 1990), pp. 104-117, para una evaluación de la crisis económica en Quito.

moderno. "Su *Teatro crítico* y sus *Cartas eruditas* cobraron tal popularidad en Quito que los precios [de esas obras] se dispararon más allá de los niveles de por sí prohibitivos".[14] Los colegios y universidades de Quito incorporaron algunas de estas obras modernas a sus programas. Por todo ello, la expedición geodésica francesa (1736-1743) que viajó a Quito para medir el ecuador descubrió que en la región vivían individuos instruidos, muchos de ellos miembros de la elite. Los expedicionarios notaron que, en algunas familias, las mujeres, al igual que los hombres, leían obras francesas. También hallaron curas de aldea que mostraban interés en la ciencia. Y, lo que es más importante, trabajaron con científicos locales. Aunque el dirigente de la expedición geodésica, Charles Marie de la Condamine, alabó a varios de estos científicos en su diario, dos de ellos se destacaron: el padre Juan Mangín y Pedro Vicente Maldonado. Mangín, profesor de la Universidad de San Gregorio, escribió extensas obras sobre matemáticas, astronomía y cartesianismo. Además, elaboró un mapa de las misiones jesuitas en Amazonia. Maldonado, miembro de una familia noble, colaboró con la misión geodésica y elaboró mapas detallados del Reino de Quito. Por recomendación de La Condamine, Mangín y Maldonado fueron elegidos para formar parte de la Academia de las Ciencias de París.[15] Naturalmente, la expedición geodésica contribuyó a generar interés por la ciencia contemporánea entre los quiteños. Cuando la misión partió algunos intelectuales de Quito organizaron un grupo informal de estudio de la física moderna y la astronomía. Más adelante, en 1766, miembros de éste y otro grupo, estudiantes inclusive, formaron la Academia Pichinchense, un centro cultural dedicado a la discusión de cuestiones científicas y sociales. Entre los jóvenes que se unieron a la Academia se contaban estudiosos como Eugenio Santa Cruz y Espejo, que sobresaldrían en años posteriores.[16] Aún había, por supuesto, tradicionalistas que cuestionaban la ciencia experimental y que se oponían a que se enseñara en las universidades. Sin embargo, existía

14. John Tate Lanning, *Academic Culture in the Spanish Colonies* (pot Washington, Kennikat Press, 1971), p. 65.
15. Veáse Charles Marie de la Condamine, *Diario del viaje al Ecuador* (Quito, Ediguias C. Ltda, 1992); Neptalí Zúñiga, *La expedición científica de Francia del siglo XVII en la Presidencia de Quito* (Quito, Instituto Panamericano de Geografía e Historia, sección nacional del Ecuador, 1977), y Ekkehart Keeding, *Surge la nación. La ilustración en la Audiencia de Quito* (Quito, Banco Central del Ecuador, 2005).
16. Carlos Paladines (ed.), *Pensamiento ilustrado* (Quito, Banco Central del Ecuador y Corporación Editora Nacional, 1981), pp. 36-39.

ya un cuadro de científicos experimentados, muchos de ellos miembros del clero.

La expulsión de los jesuitas en 1767 tuvo un fuerte impacto en las universidades de Quito. En un primer momento las autoridades trataron de mantener en funciones la antigua universidad jesuita de San Gregorio, designando para ello a franciscanos con experiencia académica en algunas de las cátedras principales y a laicos para derecho civil y canónico. Pese a todo, los jesuitas resultaron difíciles de reemplazar, en parte debido a su liderazgo en la introducción de avances científicos como el sistema copernicano y la física newtoniana.[17] El esfuerzo por sustituir a los jesuitas con otros profesores fracasó y la Universidad de San Gregorio cerró sus puertas después de dos años. Las demás universidades y colegios continuaron funcionando, pero les fue imposible atender por completo las necesidades educativas del Reino de Quito. La crisis de la educación superior, que duró cerca de dos décadas, derivó a la larga en una reestructuración total de las instituciones académicas, que se fusionaron en una gran universidad "pública": la Real Universidad de Santo Tomás. Esta nueva institución, que incluía la facultad de medicina, contaba con profesores tanto eclesiásticos como seculares. En ella la rectoría debía alternarse entre un eclesiástico y un laico.[18] En 1791 el recién llegado obispo José Pérez Calama, tras consultar con los principales intelectuales de Quito, introdujo un nuevo programa de estudios para la universidad. Pérez Calama, quien en su calidad de obispo de Valladolid, Michoacán, en Nueva España, contribuyó a la difusión de la Ilustración en esa ciudad, no sólo puso énfasis sobre la ciencia empírica moderna en el programa de estudios, sino que también incluyó cátedras de economía y política. Una nueva generación de educadores versados en ciencia empírica moderna y con un enfoque crítico del gobierno, la ley y la sociedad, instruía a estudiantes que se convertirían en líderes políticos al estallar la crisis de la monarquía española en 1808.

17. Véanse, por ejemplo, los argumentos de B. Manuel Carbajal, "Tesis de Filosofía" en *Paladines, Pensamiento ilustrado*, pp. 139-156.

18. "Estatuto de la Real Universidad de Santo Tomás de la Ciudad de Quito: 26 de octubre de 1788" en Hernán Malo G. (ed.), *Pensamiento universitario ecuatoriano* (Quito, Banco Central del Ecuador y Corporación Editora Nacional, s/f), pp. 93-159. Véase también Tobar Donoso, *La Iglesia, modeladora de la nacionalidad*, pp. 240-242, y Keeding, *Surge la nación*, pp. 305-323.

Los jesuitas americanos exiliados se convirtieron en los más vehementes defensores del Nuevo Mundo. Lejos de casa, en una Europa hostil, escribieron historias de sus patrias. Juan de Velasco, por ejemplo, en su *Historia del Reino de Quito*, de tres volúmenes, dotó a su tierra natal de un pasado tan radiante como el de Perú y Nueva España. Velasco defendía las habilidades morales, cívicas, espirituales e intelectuales de los indígenas. También mostraba las glorias de Quito ensalzando su geografía, su clima, sus recursos minerales, su flora y su fauna. El tercer volumen de su obra exponía la historia del Reino de Quito hasta la expulsión de los jesuitas. Velasco, como los demás exiliados, contribuyó de manera significativa a la creación de un sentido local de identidad.[19]

La llegada del obispo Pérez Calama contribuyó a la consolidación de un grupo de intelectuales que dieron continuidad y seguimiento a los esfuerzos de los jesuitas por promover la ciencia experimental y el nuevo pensamiento crítico moderno. Los nobles –en particular Juan Pío Montúfar y Larrea, marqués de Selva Alegre– fungieron como patrones de los intelectuales. Entre estos últimos se destacó Eugenio Santa Cruz y Espejo –discípulo de los distinguidos estudiosos jesuitas Juan Bautista Aguirre y Juan Hospital–, célebre por su pensamiento ilustrado y sus escritos críticos. La mayoría de los historiadores, tanto ecuatorianos como extranjeros, consideran a Espejo precursor de la independencia. Martín Minchom, empero, lo ha descrito como un "escritor vendido" al servicio de "los patrones ilustrados, eclesiásticos o de facciones locales...".[20] Desde principios de 1780, Espejo redactó una serie de polémicas contra clérigos, educadores, autoridades reales y otros ilustres conservadores. En sus *Cartas riobambeñas*, por ejemplo, acusó de adúltera a María Chiriboga, miembro de una de las familias más eminentes

19. Juan de Velasco, *Historia del Reino de Quito en la América meridional* en Biblioteca Ecuatoriana Mínima, *Padre Juan de Velasco S.I.*, 2 vols. (Puebla, Editorial Cajica, 1961). Véase también Arturo Andrés Roig, *Humanismo en la segunda mitad del siglo XVIII. Primera Parte* (Quito, Banco Central del Ecuador y Corporación Editora Nacional, 1984).

20. Martin Minchom, *The People of Quito, 1690-1810: Change and Unrest in the Underclass* (Boulder, Westview Press, 1994), p. 235. A continuación, presento una muestra representativa de estudiosos contemporáneos que consideran a Espejo como el "Precursor"; Keeding, *Surge la nación*, y Philip Louis Astuto, *Eugenio Espejo. Reformador ecuatoriano de la Ilustración (1747-1795)* (México, Fondo de Cultura Económica, 1969), pp. 145-153. Paladines, *Pensamiento ilustrado*, pp. 40-50 y Arturo Andrés Roig en *Humanismo en la segunda mitad del siglo XVIII: Segunda Parte* (Quito, Banco Central del Ecuador y Corporación Editora Nacional, 1984) consideran a Espejo un reformador humanista.

de Riobamba. Quienes fueron blanco de sus ácidos comentarios se quejaron ante las autoridades, que en aquella ocasión exiliaron a Espejo y finalmente lo encarcelaron por sus acciones. Sin embargo, mientras contó con el apoyo de la elite quiteña, Espejo continuó con sus actividades. Entre los intelectuales más jóvenes, como Miguel Antonio Rodríguez y José Mejía Lequerica, Espejo fue objeto de admiración.

A fin de promover su programa de reformas el obispo Pérez Calama recurrió a los intelectuales de la elite y quienes secundaban a Espejo. Con su apoyo, fundó una Sociedad Económica de Amigos del País –una organización similar a las establecidas en España y otras partes de América para promover el conocimiento útil–. En la sesión inaugural, que tuvo lugar el 30 de noviembre de 1791 el obispo rindió tributo a las distinguidas damas que también participaron en el evento. La Sociedad nombró a Espejo editor de su periódico, *Primicias de la cultura de Quito.* El obispo Pérez Calama tomó asimismo las disposiciones necesarias para designar a este intelectual como director de la primera biblioteca pública de Quito, conformada a partir de la antigua biblioteca jesuita. El obispo respaldó a Espejo por sus habilidades. Sin embargo, no tomó en cuenta el efecto negativo de las polémicas previas en que se había involucrado Espejo. En consecuencia, estalló un conflicto entre las instituciones clericales. Los dominicos, que se sentían marginados, se opusieron al nuevo programa de estudios para la Real Universidad. Junto con otros clérigos ejercieron presión sobre el cabildo eclesiástico para que éste defendiera su postura. El grupo se sintió reivindicado cuando, en 1791, el radicalismo de la Revolución francesa hizo que el primer ministro del rey, el conde de Floridablanca, impusiera la censura a la prensa, en un intento por aislar al mundo hispánico del virus revolucionario francés. Sucedió entonces que el presidente Luis Guzmán y Muñoz renunció a la Sociedad Económica de Amigos del País y suspendió la publicación del diario *Primicias.* La Sociedad celebró su última reunión el 10 de marzo de 1792. Estos acontecimientos alentaron la oposición del clero al obispo Pérez Calama. Más tarde, ese mismo año, el cabildo eclesiástico retiró al obispo del cargo al declarar vacante el obispado. Aunque el presidente Guzmán y Muñoz revocó la medida, el clero insistió en mantener la vacante. Indignado por el golpe, el 29 de noviembre de 1792 el obispo Pérez Calama abandonó Quito con dirección a España.

Pérez Calama se ahogó cuando naufragó el barco que lo llevaba a Acapulco.[21] Aunque el nuevo primer ministro, el conde de Aranda, suspendió la censura, las autoridades de Quito arrestaron a Espejo por infidencia en enero de 1795. Espejo apeló su caso ante el virrey de Santa Fe. El 20 de octubre, tras revisar los cargos, el virrey José de Ezpeleta retiró las acusaciones y ordenó que Espejo fuera liberado. Espejo murió el 27 de diciembre de 1795, poco después de obtener su libertad.

Para poner en perspectiva los acontecimientos que tuvieron lugar en Quito resulta útil compararlos con los ocurridos en Inglaterra, tierra del gobierno representativo. "Quito e Inglaterra pasaron exactamente por el mismo ciclo: el debate ilustrado seguido por la reacción (incluida, en Inglaterra, la disolución de asociaciones voluntarias) que finalmente culminó en un clima de represión, denuncia y conspiraciones reales o imaginarias".[22]

La situación cambió con la llegada de François-Louis Hector, barón de Carondelet, presidente de la Audiencia de Quito de 1799 a 1807. El nuevo presidente era un administrador ilustrado, progresivo y pro quiteño. Al final de una larga carrera militar y administrativa, como toque final a su vida pública, Carondelet se dedicó a fomentar el bienestar y la expansión del Reino de Quito. Para lograr sus metas el presidente Carondelet buscó el consejo y el apoyo de la elite de Quito, en particular de los nobles. Juan Pío Montúfar y Larrea, marqués de Selva Alegre, pronto se convertiría en su confidente. Selva Alegre era mecenas de intelectuales como José Mejía Llequerica y de algunos sacerdotes ilustrados, y albergaba a científicos internacionales como Alexander von Humboldt en su hacienda de Los Chillos, a unos cuantos kilómetros al oeste de Quito. Carondelet se unió a Selva Alegre y sus amigos en reuniones que el marqués organizaba en la hacienda. La amistad floreció y el barón de Carondelet llegó a residir en las propiedades de Selva Alegre por largos periodos, en una ocasión durante tres semanas.[23] Todo indicaba que las reformas instituidas anteriormente serían restauradas y que la economía

21. Minchom, *The People of Quito*, pp. 235-237; Astuto, *Eugenio Espejo*, pp. 60-67; Keeding, *Surge la nación*, pp. 515-530; Germán Cardozo Galué, *Michoacán en el siglo de las luces* (México, El Colegio de México, 1973), pp. 93-94, y Robert Jones Shafer, *The Economic Societies in the Spanish World (1763-1821)* (Syracuse, Syracuse University Press, 1958), pp. 168-177.
22. Minchom, *The People of Quito*, p. 237.
23. Jaime E. Rodríguez O., "Los orígenes de la Revolución de Quito de 1809", *Procesos. Revista ecuatoriana de historia*, vol. 34 (II semestre 2011), pp. 91-123.

podría mejorar. Pero las autoridades de Madrid, preocupadas por la guerra en Europa, respondieron negativamente a la propuesta de Carondelet de otorgar al Reino de Quito una mayor autonomía para mejorar su situación económica.

La muerte del barón de Carondelet en 1807 contribuyó al resurgimiento de un clima de tensión y desconfianza en el Reino de Quito, sobre todo porque su sucesor, el conde Ruiz de Castilla, era un débil hombre de 84 años de edad, y porque la Audiencia, desgastada, se había visto reducida a tres oidores pendencieros. La elite quiteña, que ya no tenía acceso privilegiado a la más alta autoridad del territorio, se sentía explotada por los funcionarios y comerciantes peninsulares. La depresión económica, así como la pérdida de autoridad y estatus, generaron un gran descontento entre este grupo social. A finales del siglo XVIII y principios del XIX el Reino de Quito padeció fuertes tensiones políticas y sociales. En la capital, los americanos y los peninsulares compitieron animosamente por oportunidades de negocio, honores y puestos en el gobierno.

La Revolución quiteña de 1809

Los habitantes del Reino de Quito reaccionaron con gran patriotismo y determinación ante la crisis de la monarquía en 1808. Los quiteños reconocieron a Fernando VII como su legítimo y amado rey, repudiaron a Napoleón, realizaron contribuciones para financiar la guerra en la Península y se prepararon para defender a la nación ante los opresores franceses. La religión desempeñó un papel importante durante la crisis. La gente de Quito organizó plegarias públicas, misas formales y *Te Deums* para interceder por el rey y la nación.[24] Sin embargo, las tropas francesas derrotaron a las fuerzas españolas en casi toda España. Las noticias sobre estas calamidades alarmaron a los americanos, muchos de quienes creían que la monarquía española no podría sobrevivir como una entidad independiente. A los americanos les preocupaba además que las autoridades peninsulares entregaran América a los franceses ateos. El clima de miedo influyó profundamente sobre las acciones del Nuevo Mundo.

24. "Actas del Consejo, 1808", Archivo Municipal de Quito (en adelante AMQ), ff. 30v-31r.

En la ciudad de Quito un grupo de americanos que incluía a nobles, intelectuales, clérigos, abogados y oficiales militares debatieron sobre la necesidad de establecer una junta local, destinada a resguardar el reino para el rey Fernando VII en caso de que los franceses conquistaran la Península. Estas cuestiones se discutían en toda la América española. El debate en Quito, empero, estaba motivado también por el deseo de muchos americanos de retirar a Ruiz de Castilla del cargo y sustituirlo por alguien que actuara en defensa de Quito.[25] A principios de agosto de 1809, los profesionistas de "clase media" –aunque no los nobles– se reunieron para organizar la destitución de Ruiz de Castilla y el establecimiento de una junta que gobernara en nombre del rey Fernando VII. Los líderes del movimiento, los abogados Juan de Dios Morales y Manuel Rodríguez de Quiroga, así como el capitán Juan Salinas, convencieron a los curas de las cinco parroquias de la ciudad de contactar en secreto a los principales vecinos de cada barrio para elegir representantes ante una junta que, a su vez, elegiría a la Junta Suprema de Quito. La noche del 9 de agosto, una vez concluidas las elecciones secretas, Salinas –ascendido a coronel por los vecinos de las parroquias– arrestó a los mandos superiores de las fuerzas reales de Quito y convenció a los demás oficiales y tropas de unirse al movimiento. Luego, la mañana del 10 de agosto, el presidente Ruiz de Castilla y otros funcionarios peninsulares de alto rango fueron arrestados. El golpe había sido llevado a cabo de manera eficiente y sin derramamiento de sangre.[26]

Un nuevo gobierno fue proclamado. Éste estaba compuesto por Juan Pío Montúfar, marqués de Selva Alegre, como presidente; el obispo José Cuero y Caicedo, natural de Cali, como vicepresidente, y una junta de miembros principales de la elite de Quito, incluidos muchos nobles. El nuevo organismo, compuesto enteramente por americanos, declaró en el *Manifiesto de la Junta Suprema de Quito al Público* que la Junta Central en España había sido "totalmente extinguida" por los ateos franceses y que, por ende, era necesario establecer un gobierno para defender la Santa Fe, al rey y la patria.

El clero desempeñó un papel notable en la Revolución quiteña de 1809, aunque sus intenciones aún resultan poco claras. Pese a ser elegido

25. Manuel María Borrero, *La Revolución quiteña, 1809-1812* (Quito, Editorial Espejo, 1962), pp. 21-22.
26. Rodríguez O., "Los orígenes de la Revolución de Quito de 1809", *Procesos*, pp. 91-123.

vicepresidente, el obispo Cuero y Caicedo se mostró precavido. Al comenzar la revolución el obispo convocó a un cabildo eclesiástico para deliberar cuál sería la respuesta a la transformación política. Los miembros del cabildo estuvieron de acuerdo con Cuero y Caicedo en que, para mantener el orden y la paz, debían ceder

> por ahora a la fuerza y violencia de los mandones que están respaldados de toda la Tropa y Armas. Que en consecuencia le parece a su Señoría Ilustrísima que se presten a la asistencia a la Iglesia Catedral, Misa y Juramento que harán los Facciosos baxo las protestas más Solemnes de no adherir a los principios que se han propuesto los sediciosos...

El documento fue firmado por el obispo y otros miembros del cabildo, entre ellos el doctor Calixto Miranda. Luego se le confió a la priora del Carmen de la Nueva Fundación para resguardar su confidencialidad hasta que el obispo o, en caso de que éste muriera, el cabildo eclesiástico, lo solicitaran.[27]

Si bien el obispo Cuero y Caicedo resultó electo vicepresidente, se rehusó a asistir a cualquier junta del nuevo gobierno.[28] Cuando supo que otras provincias del Reino de Quito –Guayaquil, Cuenca y Popayán– habían organizado fuerzas para someter a los insurgentes en la capital y que los virreyes de Nueva Granada y Perú se estaban preparando para lanzar asaltos de envergadura, el obispo instruyó al clero de Quito para no apoyar el movimiento. En lugar de ello les ordenó rezar por la paz. Así las cosas, el clero se rehusó a permitir que los "revolucionarios" utilizaran las iglesias para atraer seguidores a su causa y también se negó a brindar apoyo público a sus decretos "radicales". La oposición a la Junta por parte del obispo y de la mayoría del clero persuadió a algunos de que los intentos por movilizar a las masas

27. Sergio Elías Ortiz, "Notas para la biografía del obispo José Cuero y Caicedo, prócer de la independencia", *Boletín de historia y antigüedades*, LVII, núms. 663, 664 y 665 (enero, febrero y marzo de 1970), pp. 111-161.

28. Según William B. Stevenson, quien se desempeñara como secretario de Ruiz de Castilla: "El Obispo de Quito fue elegido vicepresidente, pero se rehusó a asistir a [la primera reunión del nuevo gobierno] o a cualquier reunión posterior", *Historical and Descriptive Narrative of Twenty Year's Residence in South America*, 3 vols. (Londres, Hurst, Robinson, and Co., 1825), III, p. 13.

podrían ser peligrosos.[29] La Junta, aislada, rodeada por fuerzas hostiles y amenazada por grupos populares, se descompuso en facciones. El marqués de Selva Alegre renunció y los demás miembros decidieron reinstaurar a Ruiz de Castilla en su puesto. Por medio de los buenos oficios del obispo Cuero y Caicedo el 24 de octubre la Junta llegó a un acuerdo con el depuesto presidente que lo reinstauró en su cargo al tiempo que se absolvía a los miembros de la Junta de todos los cargos que derivaran de sus acciones.[30] Sin embargo, un mes después de que la Junta se hubiera disuelto tropas de Lima ocuparon la ciudad y unidades de otras provincias del Reino de Quito se apostaron en las cercanías. El 4 de diciembre de 1809 las fuerzas del virrey de Perú arrestaron a los líderes de la Junta, así como a los soldados que los habían secundado.

La Revolución quiteña de 1809 suscitó controversia entre la jerarquía eclesiástica. El doctor Andrés Quintian Ponce de Andrade, obispo de Cuenca, publicó una carta dirigida al marqués de Selva Alegre criticándolo por sus acciones, ya que, desde su punto de vista, habían debilitado al gobierno de la nación, que estaba peleando una guerra contra los ateos franceses, ansiosos por conquistar la monarquía española entera. El doctor José de Silva y Olave, un guayaquileño que se desempeñaba como chantre de la catedral de Lima y que recién había sido elegido como diputado a la Junta Suprema Central en España, replicó. Desde su perspectiva, "Quito se conmobió por un exceso de lealtad, y por que difícilmente guardan medio las grandes paciones y las grandes virtudes". Un vocero de la ciudad coincidió con Silva y Olave y justificó las acciones de Quito en razón de los derechos y obligaciones tradicionales hispánicos de proteger y defender al reino. La Junta de Quito había actuado exactamente como lo hiciera la Junta Central en la Península. No se había hecho ningún mal, excepto quizá mostrar lealtad excesiva, como lo señalara Silva y Olave. El obispo Cuero y Caicedo no contribuyó públicamente al

29. "El Ilmo. Cuero y Caicedo Obispo de Quito en el Proceso contra los patriotas del 10 de Agosto de 1809", *Museo Histórico*, V, núm. 18 (diciembre, 1953), pp. 16-32; Jaime E. Rodríguez O. (comp.), "La Revolución de 1809. Cinco cartas de un realista anónimo", *ARNAHIS: Órgano del Archivo Nacional de Historia [del Ecuador]*, XIII, núm. 19 (marzo 11 de 1973), pp. 72-73; y Aloncio Valencia Llano, "Elites, burocracia, clero y sectores populares en la Independencia Quiteña (1809-1812)", *Procesos. Revista ecuatoriana de historia*, 3 (II semestre/1992), pp. 82-84.

30. "Acusación del Fiscal Tomás de Aréchega, en la causa seguida contra los Patriotas del 10 de Agosto de 1809", *Museo Histórico*, VI, núm. 19 (marzo, 1954), pp. 37-65. Alfredo Ponce Ribadeneira, *Quito, 1809-1812* (Madrid, Imprenta Juan Bravo, 1960), pp. 136-141.

debate porque en ese momento estaba bajo investigación por infidencia. Sin embargo, su testimonio no avaló las acciones de la Junta de Quito.[31]

El fiscal Tomás Aréchaga, quien colaborara previamente con los "revolucionarios", fue el encargado de procesarlos. Así como antes se había puesto en contra de las autoridades reales, esta vez se opuso a sus antiguos colegas y amigos. El fiscal Aréchaga y el comandante de las tropas peruanas, el coronel Manuel Arredondo, insistieron en dar un castigo severo a los "rebeldes". Aréchaga pugnó por la pena de muerte para cuarenta de los principales participantes y cuarenta de los 160 soldados que sirvieron en la guarnición la noche del 10 de agosto –estos últimos serían seleccionados por lote y el resto quedaría condenado a exilio perpetuo–. Las recomendaciones fueron tan draconianas que el presidente Ruiz de Castilla decidió transferir los juicios a Santa Fe para que el virrey juzgara el caso. En los meses que siguieron las tensiones entre las fuerzas de ocupación y los residentes de Quito se exacerbaron. Las tropas peruanas –los fusileros pardos de Real de Lima– se comportaban como si fueran conquistadores y no defensores de la nación española a la que ellos y los quiteños pertenecían.[32]

Mientras las autoridades virreinales escrutaban el caso algunos grupos intentaban liberar a los prisioneros en Quito. El 2 de agosto de 1810 un movimiento bien organizado atacó la prisión donde se encontraban detenidos pocos "revolucionarios". Lograron liberar a varios prisioneros. La mayoría, junto con los insurgentes más destacados, fueron confinados al cuartel principal de Real de Lima. Un segundo grupo arremetió contra las barracas de los soldados peruanos, dando muerte a su capitán e hiriendo a otros tantos. Simultáneamente, algunos hombres de la "plebe" mataron a varios soldados en las calles. Las tropas peruanas reaccionaron violentamente al ataque. En

31. Andrés Quintian Ponce de Andrade, *Carta del Ilmo. Sr. Don [...], obispo de Cuenca en el Perú, al Señor Marques de Selva-Alegre* (Buenos Aires, Imprenta de Niños Expositos, 1809); José de Silva y Olave, *El Excelentísimo Señor doctor don [...] diputado del vireynato del Peru: a la ciudad de Quito* (Buenos Aires, s/e, 1809); "La ciudad de Quito, Al Excmo. Sor. D. D. José de Silva y Olave Diputado Representante del Virreynato del Perú en la Suprema Junta Central", Archivo General de Indias, Estado, 72.N.64\15\; "El Ilmo. Cuero y Caicedo Obispo de Quito en el Proceso contra los patriotas del 10 de Agosto de 1809", pp. 16-32.

32. "El Proceso de la Revolución de Quito de 1809", Archivo Municipal de Quito. El caso ha sido cuidadosamente analizado por Carlos de la Torre Reyes en *La Revolución de Quito del 10 de Agosto de 1809* (Quito, Ministerio de Educación, 1961), pp. 343-506.

venganza, mataron a los cautivos, entre ellos los líderes, como Juan de Dios Morales, Manuel Rodríguez de Quiroga y el capitán Juan Salinas.

> El terror y la consternación eran visibles en el semblante del presidente [Ruiz de Castilla] y sus funcionarios cuando, repentinamente, los soldados se precipitaron de las barracas a las calles al grito de "¡venganza!, ¡venganza!, nuestro capitán ha sido asesinado". Apenas se dio la alarma, cuando los soldados enfurecidos abandonaron sus puestos y corrieron calle abajo y calle arriba, asesinando a todo aquel que encontraban a su paso, sin distinción de edad o sexo: los tambores en varias partes de la ciudad dieron un redoble de avance, y el pillaje y el asesinato retumbaron de esta forma horrenda hasta las tres.
>
> El número de prisioneros confinados en las celdas, muchos ellos inmovilizados con grilletes, sacrificados a la insubordinación de la soldadesca y la imbecilidad de los oficiales, era de setenta y dos... En las calles de Quito perecieron cerca de trescientos individuos, incluidos siete... soldados...[33] Ninguna potencia del lenguaje puede describir la angustia que este caso suscitó en las mentes de los habitantes que, ignorando su origen, lo consideraron como una masacre inmotivada de sus compatriotas, y por ende temían que pudiera repetirse de nuevo de esa misma manera. Las calles de la ciudad estaban completamente desiertas, los cadáveres esparcidos por las calles y plazas, y todo era horror y consternación. Durante la noche, los cuerpos de los prisioneros fueron transportados a la iglesia de San Agustín, y los de aquellos asesinados en las calles a las iglesias más cercanas. Los dos días siguientes, el 3 y 4 de agosto, los habitantes se guardaron en sus casas y, con excepción de los soldados, ni una persona se aventuró a las calles.[34]

Al tercer día, el obispo Cuero y Caicedo, crucifijo en mano, y su vicario general, el doctor Manuel José Caycedo, se aventuraron por las calles de la ciudad apaciguando a la gente y prometiendo expulsar a las tropas peruanas de la ciudad. En respuesta a las demandas del obispo, el 4 de agosto Ruiz de Castilla convocó a una asamblea de notables, la cual se reuniría en el palacio presidencial para acordar qué medidas debían tomarse a fin de tranquilizar a

33. Si bien la mayor parte de los historiadores que han leído a Stevenson afirman que murieron 300 personas, el número de fallecimientos que él menciona se acerca más a los 400, ya que afirma que 72 murieron en prisión y 300 en las calles. Stevenson, *Historical and Descriptive Narrative*, III, pp. 28-29.

34. *Ibidem*, III, 28-30, y Minchom, *The People of Quito*, pp. 246-249.

los pobladores. El obispo Cuero y Caicedo insistió en que las "tropas extranjeras" debían abandonar la ciudad y el Reino de Quito, y en que todo lo ocurrido desde el 10 de agosto de 1809 debía ser olvidado. El doctor Miguel Antonio Rodríguez, un sacerdote secular y erudito eminente, coincidió con el obispo, llegando a la conclusión de "que la gente de Quito no podía considerar más su propiedad y sus vidas seguras, a menos que esos individuos que habían... renunciado a su título de pacificadores fueran retirados del país".[35] Todos los representantes de la ciudad aprobaron estas recomendaciones. El coronel Manuel Arredondo, comandante de las tropas peruanas, aceptó el veredicto y retiró sus fuerzas al día siguiente.

El 12 de septiembre de 1810 Carlos Montúfar, hijo del marqués de Selva Alegre, llegó a Quito procedente de España, en calidad de comisionado real con poderes plenos para resolver la situación del reino. Montúfar, que había combatido a los franceses en la Península, insistió en compartir el mando de las fuerzas armadas con el presidente Ruiz de Castilla. Se convocó entonces a una junta de notables el 19 de septiembre, la cual resolvió que:

> esta ciudad y su provincia reconocen la Autoridad Suprema del Consejo de Regencia, como representante de nuestro muy amado Rey Fernando VII... mientras se mantenga en cualquier punto de la Península libre de la dominación francesa ... [También acordó crear una] Junta Superior de Gobierno dependiente únicamente del Consejo de Regencia ...[36]

De esta manera, Quito declaró su autonomía tanto respecto de Santa Fe como respecto de Lima. La junta estaría conformada por Ruiz de Castilla como presidente; así como por el comisionado real, el obispo y once representantes de las corporaciones, clases y parroquias de la ciudad, elegidos "en la forma acostumbrada".[37]

Tres días más tarde los representantes del cabildo eclesiástico, el ayuntamiento, la nobleza y las cinco parroquias urbanas se reunieron con las autoridades. Juntos revisaron y aprobaron las acciones tomadas previamente,

35. Citado en Stevenson, *Historical and Descriptive Narrative*, III, pp. 32-33. Véase también Minchom, *The People of Quito*, pp. 246-250, y Borrero, *La Revolución quiteña*, pp. 240-247.

36. Stevenson, *Historical and Descriptive Narrative*, III, p. 32.

37. Borrero, *La Revolución quiteña*, p. 278.

eligieron a los miembros de la Junta Superior y nombraron de manera unánime a Juan Pío Montúfar, marqués de Selva Alegre, como vicepresidente. Siete de los once individuos elegidos a la Junta Superior habían participado en la Junta de 1809. Finalmente, declararon "que los objetos de esta Junta Superior son los de la defensa de nuestra Religión Católica, Apostólica y Romana que profesamos; la conservación de estos dominios a nuestro legítimo soberano, el Sr. D. Fernando VII; y procurar todo el bien posible para la Nación y la Patria".[38]

Tal como ocurriera en 1809, las demás provincias del Reino de Quito se rehusaron a aceptar la autoridad de la capital. Popayán y Pasto en el norte, Cuenca y Loja en el sur y Guayaquil en el oeste organizaron fuerzas armadas para oponerse a Quito. Rodeada de provincias hostiles y bloqueada por los autonomistas de Santa Fe de Bogotá, Quito emprendió la ofensiva. En la capital se formaron ejércitos para subyugar a las regiones recalcitrantes. Carlos Montúfar asumió el mando de una fuerza que marchó hacia el sur para enfrentar a Guayaquil y Cuenca, mientras que su tío, el coronel Pedro Montúfar, encabezó a otro grupo dirigido hacia el norte. En los meses siguientes los ejércitos de Quito obtuvieron el control sobre la mayor parte de la sierra. Cuenca, sin embargo, permaneció bajo el control realista y se convirtió en el cuartel general del gobierno y las fuerzas realistas.

En esta ocasión, a diferencia de lo sucedido en 1809, el obispo Cuero y Caicedo y el clero de Quito apoyaron a la nueva Junta. Las masacres y el saqueo de la ciudad los habían afectado profundamente. Nueve clérigos, incluido el obispo, participaron activamente en la Junta; muchos de ellos, conocidos como "predicadores revolucionarios", apoyaron públicamente el movimiento, y más de la mitad de los curas del Corregimiento de Quito tomaron las armas en defensa de la ciudad. Además, un gran número de integrantes del clero regular y del clero secular asumieron el mando de los ejércitos y los guiaron hacia la batalla. Finalmente, cuando más adelante el obispo Cuero y Caicedo se convirtió en presidente de la Junta, asumió el título de "Comandante General de las Armas". En las zonas bajo dominio real también había clérigos fieles al régimen. Aunque parecen haberse involucrado menos con las fuerzas armadas porque su facción contaba con

38. *Ibidem*, p. 281.

más oficiales y hombres debidamente entrenados. Esto no obstó para que el obispo Quintian Ponce de Andrade, de Cuenca, blandiera públicamente una espada al tiempo que proclamaba su lealtad al rey.[39]

Las rivalidades familiares y políticas dividieron a los quiteños. Los Montúfar parecían casados con la Regencia, mientras que otras familias, encabezadas por Jacinto Sánchez de Orellana, marqués de Villa Orellana, favorecían a la junta autónoma. Los sanchistas, como se conocía a estos últimos, intentaban diluir el poder de los montúfares en la Junta Superior y se mostraban particularmente críticos con Carlos Montúfar, tanto por sus fracasos militares como por mantenerse en el papel de comisionado real. En mayo de 1811, los sanchistas obligaron a Carlos Montúfar a abandonar el mando de las fuerzas armadas. Tras meses de intriga el 11 de octubre los partidarios de la autonomía azuzaron un levantamiento en Quito que obligó a Ruiz de Castilla a renunciar al cargo de presidente de la Junta. Juan Pío Montúfar, marqués de Selva Alegre, en su calidad de vicepresidente, debía sustituirlo en el cargo, pero los sanchistas lo impidieron y, en cambio, llevaron al obispo Cuero y Caicedo a la presidencia.

El nuevo régimen convocó a un congreso para determinar el curso apropiado de acción. El ayuntamiento, el cabildo eclesiástico, el clero secular y las órdenes regulares eligieron cada cual a un diputado; la nobleza eligió a dos, y las cinco parroquias de Quito eligieron a uno cada una. Además, las capitales provinciales de Ibarra, Otavalo, Latacunga, Ambato, Riobamba, Guaranda y Alausí, es decir, las regiones serranas bajo el control de la Junta, debían elegir cada una a un representante. La mitad de esas capitales eligió a miembros del clero.

El congreso, conformado por 18 integrantes, se reunió en Quito en diciembre de 1811. Dominada por los montufaristas, cuyos partidarios resultaron victoriosos en muchas de las elecciones, la asamblea eligió al obispo Cuero y Caicedo como presidente y al marqués de Selva Alegre como vicepresidente. La amenaza creciente de las provincias realistas que circundaban a Quito convenció a muchos de los representantes, incluidos algunos montufaristas, de que había llegado el momento de suspender relaciones con el

39. Valencia Llano, "Elites, burocracia, clero y sectores populares", pp. 82-87, y Leoncio López-Ocón Cabrera, "El protagonismo del clero en la insurgencia quiteña (1809-1810)", *Revista de Indias*, (1986), vol. XLVI, núm. 177, pp. 124-125.

Consejo de Regencia y las Cortes de Cádiz. El 11 de diciembre el Congreso votó para establecer un gobierno autónomo, "sujetándose únicamente a la autoridad suprema y legítima del Sr. Don Fernando séptimo...".[40] Tres distinguidos clérigos e intelectuales, el canónigo Manuel Guizado, el doctor Miguel Antonio Rodríguez y el doctor Calixto Miranda, prepararon sendas constituciones. El 15 de febrero de 1812 el Congreso promulgó el documento redactado por Rodríguez, el Pacto Solemne de Sociedad y Unión entre las Provincias que Forman el Estado de Quito, que "reconoce y reconocerá por Monarca al Sr. Don Fernando séptimo, siempre que libre de dominación francesa... pueda reinar sin prejuicio de esta Constitución".[41] La nueva Carta Magna establecía un gobierno representativo con un ejecutivo plural, un poder legislativo y uno judicial.[42]

40. Demetrio Ramos Pérez, *Entre el Plata y Bogotá. Cuatro claves de la emancipación ecuatoriana* (Madrid, Ediciones Cultura Hispánica, 1978), la cita se encuentra en la nota 358, p. 220; Borrero, *La Revolución quiteña*, pp. 321-325.
41. "Pacto Solemne de Sociedad y Unión entre las Provincias que Forman el Estado de Quito" en Ramiro Borja y Borja, *Derecho constitucional ecuatoriano*, 3 vols. (Madrid, Ediciones de Cultura Hispánica, 1950), III, pp. 9-23.
42. Aunque mucho se ha escrito en relación con la Constitución de Quito, resulta difícil de comprender lo que efectivamente sucedió en la Asamblea. José Gabriel Navarro afirma que "al oír la lectura del proyecto de Rodríguez, [Miranda] formó inmediatamente el suyo, diametralmente opuesto al de Rodríguez, haciendo ver que el Reino pertenecía a Fernando VII y que debía gobernarse por las Leyes de Castilla e Indías". *La Revolución de Quito del 10 de agosto de 1809* (Quito, "Fray Hodoco Ricke", 1962), pp. 396-397. Navarro junto a otros historiadores sostienen que surgieron dos grupos políticos: uno, liderado por Juan Pío Montúfar, marqués de Selva Alegre, que prefería una monarquía, y otro por Jacinto Sánchez de Orellana, marqués de Villa Orellana, que prefería una república. Los sanchistas habrían favorecido presumiblemente el documento redactado por Rodríguez mientras que los montufaristas el escrito por Miranda. Dado que no se han encontrado las actas de la Asamblea, ningún historiador conoce a ciencia cierta qué ocurrió. Alfredo Ponce Ribadeneria sostiene: "No se aprobó el proyecto de Miranda, sino otro que presentó el Dr. Miguel Rodríguez y que pasó a ser la Constitución del nuevo Estado, promulgada por el Congreso el 15 de Febrero de 1812". *Quito, 1808-1812* (Madrid, Talleres Tipográficos del Asilo de Huérfanos del Sagrado Corazón de Jesús, 1960), p. 101. La mayoría de historiadores están de acuerdo con esta afirmación. No obstante, debido a que los sanchistas eran el grupo minoritario, los montufaristas habrían podido aprobar sin dificultad el documento constitucional de Miranda, el cual era más tradicional y favorecía una monarquía. Por el contrario, aprobaron el documento supuestamente republicano redactado por Rodríguez. Ahmed Deidán de la Torre piensa que "el Congreso como tal no aprobó ninguna", puesto que las diferencias internas entre ambas facciones eran ya profundas de mucho tiempo atrás. Es en estas circunstancias que los sanchitas no asistieron a la sesión del 15 de febrero, día de la supuesta promulgación de la Constitución redactada por Rodríguez. De hecho, el acta de las elecciones de autoridades que tuvieron lugar en la misma fecha confirma la inasistencia de nueve diputados. La legalidad de esta promulgación quedaría en duda hasta conocer qué porcentaje hacía el quórum según el Congreso o la legislación española vigente. Un dato interesante es que el Congreso de Quito habría discutido acerca del Vicepatronato Real y quién tenía la autoridad para designarlo, según informaba José del Corral al presidente Toribio Montes en 1813. La Constitución de Rodríguez no hace mención alguna del patronato. ¡La de Miranda le dedica toda una sección! Por lo tanto, se puede suponer que la Constitución de

Las rivalidades personales no tardaron en aparecer. Sólo la mayoría montufarista ratificó la nueva constitución. Los sanchistas se retiraron a Latacunga, donde formaron otro gobierno. A continuación se unieron al ejército del sur y marcharon sobre Quito. Las recién electas autoridades renunciaron para evitar la guerra civil. Puesto que los sanchistas acusaban al marqués de Selva Alegre de conspirar para coronarse rey, la familia Montúfar se marchó para evitar la persecución. El presidente Cuero y Caicedo intentó en vano mantener un gobierno unido. Las divisiones políticas en Quito permitieron a los realistas –encabezados por un presidente nuevo y más eficaz, el general Toribio Montes– triunfar a finales de 1812. Las autoridades reales arrestaron y apresaron a muchos de los líderes del régimen autonomista, entre ellos a Cuero y Caicedo. Unos cuantos más lograron escapar.[43]

La revolución de Quito, en particular en su segunda fase, ha sido considerada por algunos estudiosos un movimiento religioso debido al papel que desempeñó el clero en ella. El obispo Cuero y Caicedo fungió primero como vicepresidente de la Junta de 1809 y, después, de la Junta de 1810; más adelante resultaría electo presidente de la segunda Junta. Además, muchos sacerdotes participaron en ambos acontecimientos. Los historiadores franceses Yves Saint-Geours y Marie-Danielle Demélas, así como el historiador español Leoncio López-Ocón Cabrera sostienen que el movimiento de Quito fue una "guerra religiosa" antes que un movimiento político. La mayor parte de sus evidencias se concentra en la segunda Junta de Quito, que estuvo en funciones de 1810 a 1812. Sin embargo, estos historiadores no dan cuenta de que los clérigos desempeñaron papeles muy distintos en cada uno de los dos periodos. Saint-Geours y Demélas argumentan que se trató de una guerra religiosa porque el obispo Cuero y Caicedo tuvo un papel central y porque él y otros hombres del clero utilizaron términos religiosos, como: "Nos, el Dr.

Miranda no fue simplemente descartada. Así, el asunto de la Constitución de Quito sigue sin una respuesta clara. Véase Ahmed Deidán de la Torre, "Sovereignty and People: Conceptual Continuity and Rupture in the Kingdom of Quito 1809-1813" (tesis de honores para licenciatura en historia, University of California, Los Ángeles, 2014); Gustavo Pérez Ramírez, "Autoría del Proyecto de Constitución", *Constitución del Estado de Quito, 15 de febrero de 1812* (Quito, Trama Ediciones, 2012), pp. 75-82; Demetrio Rámos Pérez, *Entre el Plata y Bogotá: Cuatro claves de la emancipación ecuatoriana* (Madrid, Ediciones Cultura Hispánica, 1978), pp. 220-222, y Federica Morelli, *Territorio o nación: Reforma y disolución del espacio imperial en Ecuador, 1765-1830* (Madrid, Centro de Estudios Político y Constitucionales, 2005), pp. 51-53

43. Borrero, *La Revolución quiteña*, pp. 345-394.

Don José Cuero y Caicedo, *por la gracia de Dios y la voluntad de los pueblos* Presidente ...".[44] También sostienen que los clérigos eran "los ideólogos de la Junta" porque tres eclesiásticos, Manuel Guisado, Calixto Miranda y Miguel Antonio Rodríguez fueron los autores de los borradores constitucionales en 1812. López-Ocón Cabrera también piensa que se trató de una guerra religiosa porque el obispo Cuero y Caicedo fue su líder, porque cerca de la mitad del clero de la Audiencia de Quito era insurgente, y porque Cuero y Caicedo terminó con "tres siglos de Patronato, que el clero toleraba mal...".[45]

Mi propia investigación demuestra que se trató de un movimiento político y no religioso. Resulta evidente que en un segundo momento el obispo Cuero y Caicedo, así como Miranda, Rodríguez y Guizado, cambiarían de opinión respecto del movimiento y sus líderes, a quienes durante el primer periodo llamaran "facciosos" y "sediciosos". Esta modificación, empero, no significa que libraran una lucha religiosa en contraste con la primera lucha política. Es claro que la masacre y el saqueo de Quito alteraron su perspectiva de manera radical. Además, el reconocimiento del obispo Cuero y Caicedo, según el cual recibía el cargo de presidente de la Junta *por la gracia de Dios y la voluntad de los pueblos*, en nada se distingue del juramento hecho por Fernando VII cuando en 1820 se restauró la Constitución de Cádiz. Algo parecido puede decirse de los hombres del clero fungiendo como líderes intelectuales: no hay nada nuevo en ello. Lo habían hecho durante siglos. Más aún: como ya he dicho más arriba, los eclesiásticos solían desempeñar cargos políticos. Cerca de un tercio de los miembros de las Cortes de Cádiz eran clérigos. Los eclesiásticos novohispanos José Ramos Arizpe y Miguel Guridi y Alcocer, por ejemplo, contribuyeron a redactar la Constitución de Cádiz y, más tarde, la Constitución mexicana de 1824. Mi investigación sobre las elecciones en Quito y Nueva España / México (1812-1824) demuestra que los clérigos fueron el grupo político más importante en todos los ámbitos de gobierno. En su calidad de políticos estos hombres no representaban ni a la Iglesia ni a la religión. Además, tal como ocurría con sus colegas seculares, los eclesiásticos defendían una amplia variedad de opiniones. Algunos de los

44. Yves Saint-Geours y Marie-Danielle Demélas, *Jerusalén y Babilonia. Religión y política en el Ecuador, 1780-1880* (Quito, Corporación Editora Nacional, 1988), p. 93.
45. López-Ocón Cabrera, "El protagonismo del clero en la insurgencia quiteña", pp. 124-125.

anticlericalistas más vehementes fueron hombres de la Iglesia.[46] Y por último, las constituciones redactadas por Miranda y Rodríguez no son ni religiosas ni diferentes a las que fueron escritas por laicos. Todas las constituciones del mundo hispánico en aquel momento reconocían la fe católica como la única permitida en sus territorios.

El régimen constitucional

Una vez restaurada la calma, el presidente Montes expidió indultos para quienes juraran lealtad a la Constitución de Cádiz. Asimismo, instruyó a los funcionarios locales para publicar la Constitución, es decir, para darle lectura en ceremonias formales en todas las ciudades, villas y pueblos del reino. Enseguida ordenó a los curas y a los funcionarios locales levantar censos parroquiales para determinar cuál sería la población elegible que podría participar en las elecciones. El censo electoral del Reino de Quito –que no incluía la Provincia de Guayaquil, puesta bajo la autoridad de Lima– se completó en junio de 1813, tras meses de esfuerzos. El censo determinó que el reino poseía una población políticamente elegible de 400 mil individuos y que, por ende, tenía derecho a elegir a seis diputados a Cortes.

El nuevo sistema político requería la organización de comicios para tres instituciones representativas: ayuntamientos constitucionales, diputaciones provinciales y Cortes. El complejo proceso electoral, que comenzaba en el nivel parroquial, daba inicio con una serie de plegarias. Los funcionarios electorales, el párroco y el público asistían a una misa solemne de Espíritu Santo en la que el cura destacaba la importancia de la elección. Tal como lo indicaran las Cortes, las instrucciones dictadas por la Regencia para la realización de las elecciones reservaban una importante autoridad a los curas. Eran ellos los encargados de establecer el número de ciudadanos en su parroquia, determinando qué individuos eran elegibles para votar y "explicar a sus

46. Jaime E. Rodríguez O., *"Rey, Religión, Yndependencia, y Unión": La independencia de Guadalajara* (México, Instituto Mora, 2003); "Las elecciones a las Cortes Constituyentes Mexicanas" en Louis Cardaillac y Angélica Peregrina (coords.), *Ensayos en homenaje a José María Muriá* (Guadalajara, El Colegio de Jalisco, 2002), pp. 79-110; "Las primeras elecciones constitucionales en el Reino de Quito, 1809-1814 y 1821-1822", *Procesos: Revista ecuatoriana de historia*, núm. 14 (II semestre/1999), pp. 3-52; "De la fidelidad a la revolución: el proceso de la independencia de la Antigua Provincia de Guayaquil, 1809-1820", *Procesos: Revista ecuatoriana de historia*, núm. 21 (II semestre/2004), pp. 35-88.

feligreses el objeto de estas juntas, y la dignidad a que en ellas son elevados los vecinos de cada pueblo, como que en su voto y voluntad toma orígen el alto carácter de los representantes de la Nación Soberana".[47]

Después de la misa en su iglesia parroquial, los funcionarios y los habitantes regresaban a la casilla. Las elecciones se asemejaban a un cabildo abierto, ya que el proceso era público. Los votantes elegibles seleccionaban a un secretario y dos escrutadores. Entonces el presidente leía los artículos pertinentes de la Constitución. Luego preguntaba si algún ciudadano deseaba expresar alguna queja relativa a sobornos o conspiraciones destinados a favorecer a individuos específicos. Si el público contestaba que no, entonces daba inicio la votación. Después de abiertas las urnas los funcionarios se dirigían al edificio municipal, donde contaban los votos y anunciaban los nombres de los ganadores ante el público expectante. Los electores de parroquia se reunían al día siguiente para elegir a los funcionarios de la ciudad.

Las elecciones para los ayuntamientos constitucionales que tuvieron lugar durante los meses de septiembre de 1813 y enero de 1814 fueron lo mismo emocionantes que confusas. El estatuto político de las mujeres, los hijos naturales, los iletrados y los clérigos suscitó muchas preguntas. Dado que antes las mujeres tenían derecho a votar cuando eran cabeza de familia o vecinas, algunos se preguntaban si podrían votar en las nuevas elecciones populares. Las autoridades superiores respondieron que, bajo la Constitución de Cádiz, los hombres votaban como individuos, y no como cabezas de familia. Las mujeres cabeza de familia, por lo tanto, no tendrían derecho a votar. La Constitución no diferenciaba entre hijos legítimos e ilegítimos, así que los hijos naturales tendrían derechos políticos. Algo parecido sucedía con los hombres iletrados, que por lo demás estaban calificados para votar, ya que la Constitución no impuso requisitos de educación sino hasta 1830. Finalmente,

47. Muchos curas exhortaron a sus feligreses a honrar y obedecer la Constitución. Serafín García Cárdenas, por ejemplo, declaró: "Esta ley fundamental ... el mas bien combinado, el mas sensillo, justo, liberal y perfecto que se conoce, o se conoció jamás en las naciones cultas, no es en si otra cosa que una emanación inmediata de los principios de la ley divina felizmente aplicados al estado español". García Cárdenas pedía a sus feligreses: "Leed continua y atentamente este precioso código. Conservad con religiosa veneración este monumento eterno de la sabiduría, justicia, humanidad y política española para dejarlo en herencia a vuestros hijos". Muchos curas se referían a la Carta de Cádiz como "nuestra santa Constitución". Archivo General de Indias (en adelante AGI): México, 1482.

según la Carta Magna, sólo el clero secular tendría derecho al voto. Así, el clero regular quedaba privado de sus derechos.

Las elecciones de diputados a Cortes y a la Diputación Provincial de Quito fueron largas y aún más complicadas. Tras meses de esfuerzos los 18 electores de partido se reunieron en la ciudad de Quito del 24 al 26 de agosto de 1814 para elegir a los seis diputados a Cortes y a dos suplentes, así como a los siete diputados y tres suplentes a la Diputación Provincial. Los electores se reunieron en el palacio del presidente de la Audiencia y, con "una puerta abierta" para que el público pudiese escuchar, eligieron a un secretario y a dos escrutadores, quienes examinaron las credenciales de los electores. Al día siguiente, tras asistir a una misa solemne de Espíritu Santo, se reunieron en el palacio. De nuevo tuvo lugar el procedimiento a puertas abiertas. El presidente Montes preguntó si algún ciudadano deseaba presentar una queja de soborno o conspiración. Como nadie cuestionó el proceso electoral los electores emitieron sus votos. Dos de los seis diputados a las Cortes eran clérigos. Después de los comicios los recién electos diputados, los demás participantes y el público en general asistieron a un *Te Deum* en la catedral. Al siguiente día, atendiendo a los mismos procedimientos, los electores de partido eligieron a siete diputados para representar a Quito, Cuenca, Latacunga, Ambato, Riobamba, Loja y Otavalo y a tres suplentes para la Diputación Provincial de Quito. Esta vez, tres diputados provinciales eran eclesiásticos, entre ellos el doctor Calixto Miranda, autor de una de las tres constituciones redactadas en Quito en 1812. Los diputados suplentes representaban a Riobamba, Pasto y Ambato; uno de ellos era clérigo.[48] Las elecciones a las Cortes y a la Diputación Provincial de Quito no fueron completadas sino hasta agosto de 1814. Poco después llegaron noticias de que la Constitución había sido suspendida. En consecuencia, los seis diputados no pudieron asistir a las Cortes y, al parecer, la Diputación Provincial de Quito nunca se reunió.

En España los liberales descontentos obligaron al rey a restaurar la Constitución de Cádiz en marzo de 1820. Las noticias de esta transformación llegaron al Reino de Quito en los meses de julio y agosto. El 27 de agosto de 1820, al saber que la Constitución de la monarquía española había

48. Jaime E. Rodríguez O., *La revolución política durante la época de la Independencia. El Reino de Quito, 1808-1822* (Quito, Universidad Andina Simón Bolívar y Corporación Editora Nacional, 2006), pp. 81-88.

sido restaurada, el general Melchor Aymerich, presidente de la Audiencia, ordenó de inmediato que se hiciera pública la información y que los miembros de los ayuntamientos constitucionales de 1814 fueran reinstaurados en sus cargos, al tiempo que se preparaba un censo electoral y se organizaban nuevas elecciones.

Las elecciones fueron largas y complicadas porque las fuerzas republicanas del norte y del sur amenazaban al antiguo Reino de Quito. En la sierra las elecciones para ayuntamientos constitucionales se llevaron a cabo en 1821. La gente de las tierras altas, en particular los indígenas, participó masivamente en los comicios. A finales de ese mismo año innumerables informes de elecciones constitucionales llegaron a la capital, no sólo de las ciudades y pueblos del antiguo Reino de Quito, sino también de regiones de Nueva Granada que aún estaban en manos realistas, como Panamá. Las elecciones a Cortes y a la Diputación Provincial, más complejas aún, comenzaron en los primeros meses de 1822. Poco después las fuerzas republicanas tomarían el control de la sierra y, en consecuencia, las elecciones no serían completadas.[49]

La República de Ecuador

La batalla final de Quito tuvo lugar el 24 de mayo de 1822, cuando las fuerzas realistas fueron derrotadas. Aunque los líderes de Quito, al igual que los de Guayaquil y Cuenca, preferían establecer una nación independiente, se vieron obligados a aceptar la soberanía de Colombia. El 16 de junio el presidente Bolívar llegó a Quito desde el norte con un gran ejército. Dado que poseía poderes de guerra extraordinarios, Bolívar gobernó como un dirigente absoluto, actuando sin consultar al Congreso o a las autoridades locales. Bolívar declaró que el Reino de Quito sería un departamento de Colombia, el Departamento del Sur, y nombró al general Sucre como su primer intendente.

El antiguo Reino de Quito había logrado la independencia respecto de la monarquía española, pero no la libertad. El Departamento de Quito, o Departamento del Sur, como se le solía llamar, fue puesto bajo ley marcial.

49. Rodríguez O., *La revolución política*, pp. 93-100. Véase también: "Plan de elecciones de Diputados en Cortes y de Provincia" en *ibidem*, pp. 225-235.

Funcionarios de diversas partes de Colombia, e incluso de otros países, reemplazaron a las autoridades locales. Para financiar la liberación de Perú Bolívar restauró el tributo indígena, así como los monopolios de sal y tabaco, e incrementó otras cuotas. Todas éstas eran rentas públicas que las Cortes y, más tarde, el Congreso de Colombia habían abolido. La República de Colombia era inestable y, en 1830, se fragmentó en tres naciones: Venezuela, Nueva Granada y Ecuador.[50]

El clero del Ecuador mantuvo su importancia en las áreas de educación, salud y asistencia social, pero dejó de estar tan activo en la política. Los laicos y los militares dominaron la política local, provincial y nacional. Aunque su influencia mermó los clérigos, en el plano individual, fueron aún políticamente activos y con frecuencia defendieron posturas antagónicas. Un ejemplo: cinco de los veintiún miembros de la asamblea constituyente que redactó la Constitución de 1830 eran clérigos. Todas las constituciones de Ecuador reconocían la religión católica como la única permitida en la nación. Y esta nueva nación no sólo permaneció católica, sino que se volvió más conservadora. No obstante, los dos líderes de la oposición liberal en el congreso de 1833, durante el gobierno del general Juan José Flores, fueron Vicente Rocafuerte –quien se convertiría en el segundo presidente del país– y el doctor José Miguel Carrión –notable sacerdote y futuro obispo–. El momento de mayor influencia clerical conservadora en Ecuador tuvo lugar durante la década de 1860. De hecho, el presidente Gabriel García Moreno dedicó la nación al Sagrado Corazón de Jesús.[51] La Revolución liberal de 1895, empero, instauró una sociedad secular en la que el clero finalmente dejó de dominar la educación, la salud y la asistencia social.

50. Rodríguez O., *La revolución política*, pp. 173-186.

51. Francisco Ignacio Salazar, "Introducción", *Actas del Congreso Ecuatoriano de 1831* (Quito, Imprenta del Gobierno, 1888), I-LXXXVIII; "Introducción", *Actas del Congreso Ecuatoriano de 1833* (Quito, Imprenta del Gobierno, 1891), pp. I-LXXI; J. L. R., *Historia de la República del Ecuador*, tomo I (Quito, Prensa Católica, 1920), pp. 426-437. Véanse también los recientes libros de Ana Buriano, *Navegando en la borrasca: construir la nación de la fé en el mundo de la impiedad, Ecuador, 1860-1875* (México, Instituto de Investigaciones Mora, 2008) y de Peter V. N. Henderson, *Gabriel García Moreno and Conservative State Formation in the Andes* (Austin, University of Texas Press, 2008);

ANEXO I

CARTA DEL ILUSTRÍSIMO SEÑOR DON ANDRÉS QUINTIAN PONTE Y ANDRADE, OBISPO DE CUENCA EN EL PERÚ, AL SEÑOR MARQUÉS DE SELVA-ALEGRE

Muy señor mío, y de mi particular estimación. En carta de 21 del corriente se sirve vuestra señoría participarme que ese pueblo de Quito, fiel a la religión, al rey y a la patria, ha creado una Junta Suprema Gubernativa, representante de nuestro augusto soberano el Señor Don Fernando VII (que Dios guarde), y ha elegido a vuestra señoría presidente de ella, de la cual se ha declarado ser voto nato el obispo de Cuenca; añadiendo que las circunstancias, lo sagrado de los objetos, y el ver tan decisiva la voluntad general, le han obligado a aceptar este empleo, el que la fina atención de vuestra señoría pone a mi disposición juntamente con su respetable persona. Hasta aquí las expresiones de vuestra señoría que voy a contestar por partes, según me lo permitan las estrecheces del tiempo, y la consternación que padece mi espíritu en medio de estas críticas circunstancias.

Señor marqués: un obispo católico, apostólico, romano, que ha jurado solemnemente al pie de los altares en manos de su metropolitano, y en el acto mismo de su consagración reconocer y sostener la autoridad de su legítimo soberano, serle fiel, observar, y aún defender cuanto estuviese de su parte, su supremo patronato y regalías en las Indias, y contribuir a que los demás vasallos lo observen y respeten. Este mismo, digo, no puede reconocer en ningún caso otra autoridad que no sea la que juró, y la que emane legítimamente de la misma soberanía. Añada vuestra señoría a todo esto, que el obispo de Cuenca en la proclamación de nuestro augusto soberano el Señor Don Fernando VII, manifestó su amor y lealtad a vista de la ciudad en cuerpo, y de un inmenso pueblo de todas clases que asistió a un acto tan sagrado y tan serio, del modo más patético y sensible, con gozo universal del común. Que este mismo obispo luego que tuvo la noticia ministerial de que el pérfido Napoleón había aprisionado en Bayona a nuestro amado soberano, y que a consecuencia de la feliz revolución de España se había instalado la Suprema Junta Central Gubernativa de España e Indias a nombre de nuestro desgraciado príncipe, la reconoció, le juró obediencia en la santa iglesia catedral *inter pontificalia,* y recibió allí mismo en sus manos, y sobre los santos evangelios el más solemne juramento que se había hecho jamás, a los magistrados, y demás empleados en oficios públicos.

Según estos datos ¿Cómo podré yo, ni alguno de mis diocesanos reconocer la junta instalada en esa ciudad el día, 10 de agosto, sin faltar, o ser notorios transgresores a tan solemne juramento? ¿Cómo podrá la misma ciudad de Quito, que juró lo mismo que yo, crear juntas, sean las que se fuesen, sin contrariarse a lo que tiene prometido? Y ¿qué autoridad legítima pueden tener estas, no emanando, como no emanan ciertamente, de la legítima soberanía? ¿Cómo ese pueblo puede ser fiel a Dios, al rey y a la patria, cuando falta tan abiertamente a las más graves obligaciones de buen cristiano, de vasallo fiel y de patricio verdadero? ¿Cómo podrá ser fiel al rey y no faltar a las leyes de buen cristiano después de haber jurado la obediencia a la Suprema Junta Central Gubernativa de España e Indias, y teniendo, está declarado por real orden estar extinguidas ya en la península todas las juntas supremas creadas por las provincias respectivas para la defensa del reino, después de instalada ya la Suprema Junta Central y única, dejándolas solo con el título de juntas superiores de provincia, y nada más, reservándose en sí la Central el título de supremo de soberana?

En este estado el pueblo de Quito crea una suprema con título de Majestad y a su presidente le da el de Alteza Serenísima. Luego en esto faltó a Dios y a las leyes más sagradas del cristianismo, que le mandan observar lo que juró; en esto atropelló abiertamente la virtud de la religión, a la cual pertenece la puntual observancia de cualquier juramento, trayendo en el a Dios por testigo como vuestra señoría sabe.

Falta también a los sagrados deberes de un buen vasallo de un rey y señor natural; porque deponiendo por propia autoridad las legítimas constituidas y confirmadas por su rey, crea otras por sí mismo, negando implícitamente y oponiéndose a la potestad real que las nombró y pudo nombrarlas. ¿Podrá decir Quito que tuvo sospechas fundadas para deponer la Presidencia y Real Audiencia, y sustituir otros muchos magistrados? Además que no debe creerse sobre su palabra, debía o podía remediarse esto, poniendo queja pronta y oportuna al excelentísimo señor virrey del reino para que lo remediase, y diese parte al soberano en su Suprema Junta Central para su aprobación. Este era el camino legítimo y seguro para remediar de pronto los daños sin escándalo; lo que no sucede ahora, pues todos miran con horror los excesos precipitados de la ciudad de Quito, y los veo resueltos a no reconocer las nuevas e ilegítimas autoridades.

Falta igualmente a las estrechísimas leyes de la patria; pues estas no consisten en sostener y defender con entusiasmo la tierra material que habitamos, sino en sostener la sociedad, y los derechos verdaderos de los ciudadanos, ayudándolos recíprocamente a conservar en paz la misma sociedad, y evitar discordias civiles entre los miembros que la componen, conservando intacta la santa religión que profesan, y heredaron de sus mayores. ¡Ha Señor! Yo veo con dolor que me parte el corazón de medio a medio, que la revolución de Quito, aunque se promete con ella mil felicidades, ha de acarrear infinitos males e infortunios a estas provincias no solo en lo físico, sino también en lo moral. Veo con dolor a estos pueblos entusiasmados hasta el extremo por defender los legítimos derechos de su rey, de su patria, de su religión, de sus personas y propiedades, y que por consiguiente correrá mucha sangre, y padecerá mucho la observancia de la santísima ley de Jesucristo.

Mi suerte me ha conducido a Cuenca en unos tiempos tan calamitosos, y habré de ser por fuerza un triste espectador de las mayores desgracias. Mi corazón se oprime, y sale a cada paso derretido en lágrimas, ofreciéndome yo mismo por víctima, aunque tan pequeña e inmunda, ante el trono del Altísimo, a fin de que con ella se apacigüe su ira en las actuales circunstancias, y mire estos pueblos con ojos de misericordia. ¡Ojalá que fuera tan feliz que admitiera el Ser Supremo este sacrificio que le hago de mí mismo! Pero por otra parte la gravedad de mis culpas me hace recelar justamente que sean repelidos mis ofrecimientos. Hágase en todo la voluntad santísima de Dios.

Señor marqués: vuestra señoría si quiere, puede calmar y suavizar mi dolor, el de todos, y el suyo propio, pues no dudo lo tenga, y muy grande, al verse obligado, como dice, a admitir el cargo que le dio el pueblo. Ahora era tiempo el más oportuno de sosegar las cosas y ponerse a cubierto de sus fatales resultados. He aquí en que me fundo. Como ese pueblo creyó con error que dominaba la España casi enteramente el malvado José Bonaparte, y también extinguida del todo la Suprema Junta Central; viendo ahora por gacetas ministeriales y otros papeles públicos que existe nuestro amado Soberano, que existe la Suprema Junta que gobierna a su real nombre, y que van con prosperidad las gloriosas empresas de nuestra madre patria; este era, digo, el momento feliz de componer muy bien, y con honor lo sucedido en esa ciudad, sin que en ningún tiempo pudiera argüirse de infidencia a los que tuvieron parte en la revolución; con decir, que procedieron preocupados, estaba todo subsanado, y bien.

Acuerde vuestra señoría ahora más que nunca que es legítimo descendiente de los Montufares ilustres, de los Guerreros fidelísimos, y de otras familias las más distinguidas, así en estos reinos como en los de España; que tiene actualmente dos hijos suyos y otros parientes inmediatos peleando generosamente por los sagrados derechos de la religión, del Rey, y de la madre patria: que todos estos sentirán amargamente que vuestra señoría presida una Junta, que realmente la considerarán como opuesta (aunque quieran considerarla [sic] con títulos especiosos) opuesta, repito, diametralmente a tan sagrados objetos, y que eche un borrón a tan ilustre y esclarecida familia.

No, señor marqués, no ha de ser así. Sírvase vuestra señoría por quien es de mudar sistema, y si ama verdaderamente su religión, su Rey y su patria, como lo supongo, desista luego del empeño. No oiga, ni admita, ni ejecute los consejos que le ministrarán algunos hombres, que a su sombra, y bajo de su nombre procurarán elevarse, y hacer una fortuna brillante, aunque creo fundadamente que durará muy poco tiempo según mis cálculos.

Reciba vuestra señoría con la docilidad que le es tan natural los sinceros consejos que le ministra un anciano obispo, aunque de corto talento, lleno de experiencia y sinceridad. Persuádase vuestra señoría de que en esta carta va vertido mi corazón, y que le suplico encarecidamente por las amorosas entrañas de nuestro Señor Jesucristo, por su pasión y muerte, y por María Santísima nuestra señora, consuele y remedie las urgencias y males de estas provincias, pues está en su mano, y viene muy oportuno ahora el remedio. Así lo espero de la prudencia, y fino talento del señor marqués de Selva Alegre; pero si por desgracia sucediere lo contrario a mis buenos deseos, tendré al menos el consuelo de haber cumplido con los sagrados deberes de mi ministerio pastoral, con los de mi religión, de mi Rey y de mi patria.

Nuestro Señor dé a vuestra señoría sus divinas luces en abundancia, y guarde su importante vida muchos años. Cuenca del Perú y agosto 28 de 1809.- Andrés, Obispo de Cuenca.

CON LICENCIA EN BUENOS AIRES.
En la Imprenta de los Niños Expósitos, año de 1809.

ANEXO II

EL EXCELENTÍSIMO SEÑOR DOCTOR DON JOSÉ DE SILVA Y OLAVE. DIPUTADO DEL VIRREINATO DEL PERÚ.

A LA CIUDAD DE QUITO.

Quiteños: hijos de la ilustre América apreciadora de vuestros talentos, y las virtudes que han resplandecido en vuestro feliz suelo. Por una alta disposición de la divina providencia, no esperada por mí, estoy destinado a ser uno de los miembros de la Junta Central, como diputado del virreinato del Perú. Esta investidura, que no merezco, el ministerio sacerdotal que lo es de paz y armonía, los vínculos de gratitud que me unen a vosotros, todo me estimula a dirigiros la voz a nombre la Junta depositaria de la soberanía que defendemos, la que subsistirá en toda su gloria mientras haya españoles dignos de este nombre. Este es el voto general del nuevo mundo, que desde esta época empieza a hacer un papel activo en el orbe político, pues se le ha abierto una senda luminosa en la que resplandezcan los generosos sentimientos de sus moradores. Los talentos, las virtudes, el honor, el mérito, van a ser premiados en cuanto se hagan conocidos: el santuario del Señor, y el de la magistratura, la brillante carrera de las armas, la economía del reino, y lo que es más, el grato clamor de la aprobación de los justos, demanda individuos que ocupen sus sillas, y merezcan sus bendiciones. La era presente al paso que triste por las lágrimas, sangre y desastre de que viene funestamente escoltada, es al mismo tiempo el principio feliz de donde en lo sucesivo partirán el orden y la confianza entre el soberano y sus pueblos.

Cuando con estas reflexiones religiosas y políticas nos consolamos en la presente angustia: cuando toda la América del medio día consecuente con la probidad que su carácter no respiraba sino venganza por el ultraje de la nación y amor a Fernando séptimo y a la suprema Junta que lo representa; cuando entre los millones de habitantes que pueblan estos deliciosos países en cuyo clima benéfico y humano jamás se enciende la ominosa fea de la discordia: cuando podía decirse con verdad que solo había un corazón y un espíritu ¿Cuál no habrá sido el duelo de las américas instruyéndose en vuestras intestinas conmociones, viendo rota la cadena sagrada de la uniformidad de sentimientos, que nos hacía existir mutuamente en cada uno de nuestros compatriotas y hermanos? ¡O días de congoja y de luto eterno! ¿Es posible que la noble, la ilustre, la religiosa y la celebrada Quito haya levantado la cuchilla cruel y antipatriótica para cortar el santo lazo que nos unía con nudos más gratos que la vida? ¿Cómo han de poner los hijos de los primeros hombres de la España este borrón a las glorias heredadas de sus padres? ¿Ah, no sea, no sea: sepúltese en un eterno olvido el negro día en que se apoderó el error de unas almas cuyo patrimonio era a luz. Los Peraltas, Machados, Maldonados, Armendáriz, y mil ilustres que duermen en el sueño de la paz y os dejaron en herencia sus virtudes, se han conmovido en sus sepulcros, y en el idioma de la verdad y del amor os dicen: hijos, hermanos, deudos, compatriotas; ¿Os habéis olvidado de lo que debéis a la religión, a la patria y a nuestras cenizas? Trabajamos dejándoos unos timbres que no solo debisteis conservar, sino aumentar, y vosotros matáis del modo más inhumano vuestros nombres y los nuestros. Nuestra fama ha vivido, no morimos del todo cuando descendemos a la noche de la tumba: sino os amáis, amad a lo menos las sagradas cenizas de vuestros padres. Los ojos de los justos están pendientes de vosotros, y la posteridad absolverá vuestros errores, pero no vuestros crímenes. ¡Quiteños, la exhortación que os dirigen vuestros padres del seno de la eternidad, os dirige también el diputado del Perú: volved a vosotros mismos; acordaos de lo que fuisteis, de lo que sois y de lo que podéis ser. No solo os debéis a vosotros, sino a vuestros padres, hijos y patria; ¿Qué haréis contra ella que no hagáis contra vosotros? El egoísmo es desconocido a las almas grandes; infeliz el hombre que solo se ve así mismo en sus acciones! La religión, la sociedad y las circunstancias nos dicen, que debemos mirar por los intereses sagrados de la patria, y estos se vulneran, se destruyen o perturban por desunión o en todos tiempos tristes, en el presente funestísima, a vosotros: vuestra conducta hasta ahora podemos fraternalmente disimulada; proviene de un falso concepto, de un error que habéis abrazado por verdad, y creéis fomentar vuestra fidelidad al soberano que reina en nuestros corazones, erigiendo en vuestro suelo una junta a quien obedezcáis por Fernando, presumiendo no existir la central que es el baluarte impenetrable al despotismo; pero estáis engañados, y lo estáis por los mismos enemigos cuya dominación os sería más insoportable que la muerte. La tortuosa política de la Francia, que no puede agotando sus negros recursos desviarnos de nuestros sentimientos, se empeña a desunirnos sembrando quimeras que inspiren la desconfianza a las potestades constituidas, y esparciendo rumores que impriman el desaliento; pero esta conducta es una prueba de la debilidad de sus fuerzas y de lo que nos temen, pues solo el tímido engaña. La Junta Central existe; os lo dice un miembro de ella que ya a los sesenta años de su edad va a atravesar el océano para sacrificar los días que le restan de vida en las aras de la patria, unido a los fuertes sobre cuyos hombros se sostiene el trono de S. Fernando. Mis años el haber cultivado mi espíritu en vuestro suelo, recibiendo en el los primeros elementos de la sabiduría, mi representación, y el amor que siempre he profesado a la verdad, deben inspiraros una confianza libre de todo recelo, y obligaros a creer más promesas. Oíd, pues lo que os dice un diputado del Perú: *un miembro de la Junta Central que impera por el adorado Fernando, os promete interesar su representación para que un olvido eterno cubra los yerros en que habéis caído por vuestra facilidad en alucinaros, si las potestades legítimas vuelven a sus peculiares atenciones y vosotros quedáis sometidos a ellas.* Un velo denso que no penetrará ni en el mismo Fernando, cubrirá vuestra conducta y no nos acordaremos de vuestros errores, sino de vuestras virtudes y de la fraternidad que debe ser el apoyo de nuestra común defensa. Más si después de presentado este ramo de oliva por la mano de un sacerdote, de un ministro de la suprema Junta acreedor a que se le preste crédito: si después de este ruego paternal con que os llamo a que os acojáis a la sombra saludable del árbol de la obediencia, permanecéis pregonando la fidelidad con las voces, y acreditando la subversión con los hechos... Ah! Temblad... No nos pongáis en la triste precisión de derramar vuestra sangre, que nos es tan preciosa como la nuestra. ¡Qué horror! Guerra de americanos contra americanos, de deudos contra deudos. Las riveras del Machangará espantando con vuestros cadáveres, y sus limpias aguas turbias con la sangre de los hijos de unos padres que la derramaron por poner en este continente la bandera de la cruz, y los estandartes de la primera potencia del mundo. Las armas que debían emplearse en detener nuestra causa, dirigidas contra sus mismos intereses, contra la de sus hermanos, padres y monarca... ¡O sacrificio grande, necesario en el último lance! ¡Con qué dolor arrastraré mi cansada edad a la península con este dardo en mi corazón! Pero no llegará este momento de desolación y de llanto. Dios: el padre de las luces entrará en vosotros, y espero en la sangre de Jesucristo vida nuestra, que cuando llegue a la gran Sevilla a ocupar el lugar que me ordena la providencia, diga a los próceres depositarios y súbditos del soberano: Su Real Majestad toda la América está tranquila. Su reposo únicamente lo turban los cuidados de la madre patria, y si Quito se conmovió por unos momentos, fue por un exceso de lealtad, y porque difícilmente guardan medio las grandes pasiones y las grandes virtudes.

CON LICENCIA
(Buenos Aires: s/e, 1809)

ANEXO III

AL EXCMO. SOR. D. D. JOSÉ DE SILVA Y OLAVE DIPUTADO REPRESENTANTE DEL VIRREYNATO DEL PERÚ EN LA SUPREMA JUNTA CENTRAL

LA CIUDAD DE QUITO

Excmo. Sor. ____

"Quito se conmobió por un exceso de lealtad, y por que difícilmente guardan medio las grandes paciones y las grandes virtudes". Así se explica V. E., y así es la verdad; y era preciso un Filósofo un Ente pensador, y un hombre desprevenido para formar un Juicio tan racional de la conducta de Quito en las presentes ocurrencias. A la distancia de muchas leguas, y sin tener a la vista los datos nos hace Justicia, y piensa de este modo el genio calculador, y político de un Sabio, de un hombre Religioso, y de un verdadero patriota. Un conjunto de Jueces de esta clase debe discernir nuestra causa, condenar nuestro procedimiento, o disculparlo. Infelices de nosotros si el Tribunal, que nos juzgue haya de ser el vulgo rudo, la ignorancia, la preocupación, el orgullo, el interés y otras pasiones, que no dictan sino sentencia de sangre y de muerte, porque visten los hechos con los negros colores de su fantasía. ¡Ha! ¿qué sería de la historia de los pueblos si no hubiese sabios, hombres imparciales y almas sensatas, que saben graduar las virtudes y calificar los vicios? Una misma acción y en un mismo continente viste el magestuoso ropaje del heroísmo, y de la humillante investidura del crimen. ¡Tal ha sido la suerte del diez de Agosto, tal la de las cosas humanas!

¿Pero cuáles fueron las causas impulsivas, que obligaron a Quito a tomar un partido que empezado por unos fue sancionado y ratificado por el unánime, y común consentimiento de todo el pueblo en una Sesión general y abierta? Las va a ver V. E. y las verá todo el Mundo en un ligero bosquejo. Pero antes de todo será preciso prevenir, que si el consentimiento de todas las gentes, en una materia forma una Ley Universal, y califica un hecho de justo o injusto, legal o ilegítimo; pocos hay o ninguno, que pueda contestar al de Quito la recomendación de un convenio general y uniforme. Lejos la vil, la infame, la criminal excusa de haberse comprometido alguno por temor, fuerza o engaño, esto es lo mismo que consentir en un delito que no ha habido, y confesar que hay almas tan serviles y tan indignas que ratifican lo que reprueban, y juran, lo que detestan obrando de este modo contra un mismo sentimiento y conciencia. Es lo mismo que declarar ser culpables de sacrilegio y traición ultrajando la majestad de Dios y pisando los sacrosantos derechos de la verdad. No; no creo que haya quien piense evadir la pena a costa de una ignominia, y un delito. Por el contrario. Cuerpos políticos, Comunidades Religiosas, Prelados, Nobleza, Clero, Oficiales de Justicia, Comercio, Vecindario y un numeroso pueblo, todos ratifican y subscriben porque todos creen de buena fé, que no ejercen sino un acto de Religión de vasallaxe y Patriotismo.

Estos son los objetos, que se proponen, estas son las voces de la constitución estos tres puntos los mismos que jura y, manda observar la Junta Central, ¿quién pudo pues contradecirlos? ¿quién fué capaz de resistir su imperio? Nadie por que todo hombre conoce la fuerza de estos deberes esenciales, y su irresistible imperio. Aquí no hay delito y ni puede haberlo, pues a mas de ser tan santos los objetos, y fines, son los mismos que tiene la suprema Junta de la Nación. ¿Donde está pues el delito, que merezca perdón? yó no lo encuentro por mas que lo busco y solo hallo una causa que V. E. indica "un falso concepto, un error que habíamos abrazado por verdad y creímos fomentar nuestra fidelidad al Soberano que reina en nuestros Corazones erigiendo en nuestro Zuelo una Junta a quien obedecieamos por Fernando, presumiendo no existir la Central, que es el valuarte impenetrable al despotismo, ¡¿que linces son los ojos de un político?! V. E. descubre con imparcialidad la verdadera causa de este *Exceso de Lealtad.* Si Señor tal fué la de nuestra conducta, y tal el movil de nuestro procedimiento. V. E. nos asegura la existencia de aquel Cuerpo Soberano y como Miembro de él nos decengaña. Yá lo estamos, pasó el vértigo y las cosas reasumieron su primer semblante a esfuerzos voluntarios de la razón y no al poder o coacción de las armas, quando recibimos el tierno y fraternal exorto de V. E. ya habíamos entrado en nosotros mismos, y yá el pacifico, y bondadoso Jefe que nos gobierna había vuelto al seno de su familia, y a habitar entre sus hijos y sus Subditos. Oh !Si hubiese habido al principio un Angel Tutelar de Paz que nos exortase y desengañace como V. E.! Nuestra docilidad y sumision presente prueba qual había sido el fruto de un oportuno exhorto que el tiempo, el solo tiempo, la reflexión y Acuerdo, que finalmente la dulce confraternidad que ligaba nuestras manos para no mancharlas en la sangre de nuestros convecinos que estaban en dirección contraria a nuestra opinión: estos solos motivos nos hizo sacrificar el concepto a la quietud y los temores futuros a una seguridad mas cierta ¿Igual es el código, qual la legislación bárbara, que condena como un delito un falso concepto o un errado calculo de política? Donde está la Ley que ordena asienten siempre los hombres en sus opiniones civiles? Quantos en las combinaciones que juzgan mas acertadas. *Nuvez, proyuro nem que plucit!* Aquí es bien que, entrando en la justificación de un errado concepto y en los motivos que tuvo de probabilidad para que no paresca tan grosero y tan torpe del yerro.

En la combulcion general de la Europa en este incendio universal de las naciones sabíamos de positivo la Invasión de nuestra Metrópoli; y el Centro de la union nacional, sabíamos que el tirano había sojuzgado a la mayor parte de los Reynos de España, se nos decía que infames traidores habían sacrificado los Exercitos, y entregado las plazas, que desertaban los Generales del campo de batalla, y que la ynconstratable Zaragoza victima de su constancia, y su valor reducida a cenizas se rindió al poder arbitrario del sangriento conquistador. Sabiamos que solo se hallaban libres las Andalucias, y que el Soberano Cuerpo de Representantes había profugado a Sevilla, donde ir perseguian los Enemigos a la corta distancia de catorce leguas.

Teniamos cartas de cuatro paisanos nuestros empleados en el actual servicio de las Armas Españolas, que lo anuncian y dicen ser la campaña decisiva de la suerte de España. No se sabia el éxito de este grande y esperado suceso: pasan los meses, y todo es un profundo silencio siendo muy probable que si la victoria hubiera sido propia a nuestras Armas, se habría comunicado el Triunfo con toda prontitud a toda la América. Todo es incertidumbre, todo confusión, todo misterio. En Buenos Ayres se descubren correspondencias con el insaciable Usurpador: en Guatemala manifiesta su presidente las secretas sugestiones y aun las providencias que se atreve a dirigirle el Tirano: en Megico se traslucen otras intenciones: por todas partes sentellan relámpagos, que anuncian una tormenta. Un lóbrego y triste silencio esconde las cosas de España; la Nación está acefala; el Cuerpo Representativo profugo de la union politica y cuya suerte se ignora. ¿Qué debe hacer Quito en tan funestas circunstancias? En tanta incertidumbre, en tanta duda, en tanta confusión, rodeada de temor y sobresalto, inerme y sin prevension ¿se dejará conducir de un letargo mortal y de un incierto destino esperando apaticamente quando le viene la noticia de la destruccion total de su Metropoli, y con la intimación de la esclavitud y dependencia al fiero usurpador del Trono de los Reyes? No temerás ser presa del primer invasor, de un estrangero ambicioso, o la victima sacrificada al enemigo que aborrece? De quando acá ha sido prudencia en los grandes peligros esperar tranquilamente que sucedan para acudir al remedio; que se queme la casa para apagarla, y que nos hyeran para curarnos? Esta previción de los males futuros, esta solicita diligencia por la conservación natural y que prescriben todos los Derechos, esta ancia y ardiente zelo de llenar con tiempo los sagrados juramentos de defender hasta la muerte, la Religión, el Rey y la Patria, este fidelísimo anhelo de conservar este Territorio para su Señor legitimo, y sus subcesores legales, este puro deseo de salvar el suelo patrio contemplandolo al borde de un presipisio. He aquí el crimen, la culpa, el delito execrable, que merece un humillante perdon en Quito. ¡Oh! Que funesto y costoso suele ser a veces, como ahora el severo cumplimiento de los deberes esenciales.

Pero no fue este solo el motivo que aclaró los animos y fasinó con no poca razon a la lealtad Quiteña para procurarse un modo de entender un Puerto en la Tormenta y un asilo en la adversidad. Le saltaba en la imaginación este pensamiento ¿y si la Junta Central debilitada de fuerzas, extenuada en un angulo donde le persiguen y sin mas defensa llega a ser sojuzgada, vencida, y mandada por su opresor y el nuestro? No lo estuvieron los Consejos de Castilla, de Indias, y el de Estado, o Gobierno que precidia el Infante Don Antonio, quien nos asegura, que no puede suceder esto? y si sucediese, no reconoceríamos tácitamente las odiosa dominacion de Bonaparte por el mismo conducto, que es el baluarte de nuestra seguridad? ¿No seriamos entonces vasallos del frances sin quererlo, y por el medio de un Cuerpo que oprimido subscribiera a sus voluntades? ¡Que confusion! ¡Que incertidumbre! ¿Que significa esta orden de cerrarse los Puertos a lo Extranjeros inclusa la Inglaterra, pues no se la ecepciona siendo nuestra protectora, nuestra amiga y nuestra aliada? ¿que debíamos presumir de este Mando en que se trasluce la sugestión, la intriga quisa del infante enemigo nuestro y de la Gran Bretaña? ¿que quiere decir finalmente esta anticipada prevencion que nos hace la Soberana Junta, que a no ser con tales distinciones, y contraseñas, no se crean ni se executen sus ordenes? Bien clara esta la solucion del Problema el justo temor que tiene de su oprimida, y sojusgada, y dictar por la violencia providencias nada conformes a su sentimiento?

En este estado de angustia y aflixión ¿que haría Quito? que partido tomariamos? ¡Esperar los últimos momentos, y las postreras noticias! quisa ya no sería tiempo ni aprovecharian los remedios: ¿nos mantendremos sosegados, quietos y dormidos como nuestros vecinos? pero acaso no tienen ellos el temor que nosotros ni los motivos de desconfiansa, ni menos debe influir la insencibilidad agena en nuestra conducta para pensar en salvarnos del peligro.

Entonces es que conociendo Quito, no ser nunca perdida la diligencia, ni inútil la prevención, para que los Derechos se hicieron para los que velan y no para los dormidos, considerandonos sin Metropoli, sin Rey, sin que exista quien la represente y pronto a caer en los funestos Estados de una Anarquia; penso y resolvio constituirse depositaria de su felicidad, y conservar en una segura y sagrada Custodia los mismos objetos de obediencia que sostuvo y propuso la Junta Central. Imitando su ejemplo, y siguiendo sus huellas, creyendola muerta, quiso ser heredera de su entusiasmo y sus virtudes en el respectivo distrito de este solo Reyno. Para esto erigio de comun acuerdo sancionado de todo el pueblo una autoridad depositaria, o interina que gobernase a nombre y representación de nuestro caro Fernando, hasta que su augusta persona recuperase la España o viniese a imperar en América o finalmente su Representante de la Junta Central reasumiece por un posliminio el poder y funciones de que la creyamos despojada.

En todo esto no descubre sino un fondo de lealtad la mas fina, y un brote del entusiasmo mas heroico, ¿que contiene el juramento que hicimos con respecto al Rey el 17 de Agosto por disposición de esta Junta? El no reconocer a otro Soberano que a Fernando 7mo. y su Real dinastía, y no sujetarnos a dominación extranjera o la de algún intruso, mucho menos a la del Imperio Bonaparte, aquien protestamos resistir y hacer guerra. Bien pudo haber sido un falso concepto y errados los medios, pero nada puede negarnos la Santidad, la Justicia y la legitimidad de la intencion y los fines, y como estos y aquellos califican las acciones y son el criterio de su moralidad, ni ha habido delito, ni materia sobre que recaiga un vergonzoso indulto. ¿Nosotros somos culpables de que la Naturaleza nos haya dado una sensacion mas delicada y un caracter mas impetuoso y vivo?

Nos creyamos al borde de un presipisio y pensamos que era llegado el caso de proveer a la conservacion y a la seguridad publica y al ejercicio de la lealtad jurada. Creyamos que teniamos los mismos derechos que los pueblos de la Península, por que somos ni menos hombres, ni menos vasallos de Fernando 7mo. que los Españoles Europeos. Creyamos que esta era la vez en que cumpliecemos con el soberano precepto de nuestro desgraciado Rey de sostener los derechos de nuestra Religión e independencia contra el enemigo comun, como lo recomienda hablando con toda su Nación en una carta fecha en Bayona 11 de Mayo de 1808. Creyamos finalmente, que era un servicio a la Majestad de Dios, y del Rey, conservarle al Primero su Religión y al Segundo sus Dominios. V. E. nos dice que nos hemos engañado, y ofrece correr un velo denso sobre nuestra conducta. No siendo esta criminal como no lo es, no hay necesidad de misterio: todo el mundo debe saberla; pesar nuestras razones y cuando mas condenar nuestra ligereza o sensurarnos de poco políticos, pero nunca de malos Vasallos. Hay yerros que comete un fiel siervo por la nimia atención y cuidado: este es el nuestro y todo el sindicato que puede hacernos la maledicencia, pero los hombres buenos nos harán Justicia.

Supuesto este estado de cosas, no hay que estrañar la separación de los empleados de sus respectivos cargos y el que continuen suspensos por las justas causas que a mas de ser notorias, se hicieron presentes al Exmo. Señor Presidente por la conveniencia y quietud publica de que se ha dado cuenta a las Superioridades respectivas, y ya pende de ellos su resolucion. Era esta una consecuencia precisa de este grande acontecimiento. No faltaban razones que nos compelieran a este paso que se creyo necesario a la seguridad: estamos prontos a dar cuenta de ello con suficientes pruebas. Basta por ahora considerar que a unos espíritus sobresaltados, y Zelosos en sus derechos esenciales, todo influya desconfianzas, y sospechas, mucho mas quando un Español de consideración tuvo el arrojo de expresar a presencia de otros dos mas de carácter publico, la incidiosa y maligna maxima, de que si Bonaparte triunface de la España y reinace en ella seria preciso obedecerlo en América y rendirse a la suerte de la Metrópoli ¿que concepto debían formar los Quiteños de esta expresión que empezaba a sembrar la semilla de la sugeción y el vasallaxe al Frances? ¿Podian inspirar confianza quienes de antemano mostraban inclinación y parcialidad al Tirano? Callamos otros hechos que nos justifican por no ser tiempo de producirlos. Callamos igualmente el odio, el despresio, las vejaciones, la humillacion y la adversidad con que hemos sido tratados con el mayor ultraje y dureza. Dia llegará en que se presenten a toda luz y se acrediten con pruebas justificadas. Nos atrevemos a creer que si en los demás Payces de America han sido tratados sus naturales con la dulzura y suavidad que ordenan las Leyes y en las presentes circunstancias encarga la Suprema Junta, en Quito hemos sido considerados como bestias de carga y como esclavos destinados a arrastrar una pesada cadena de hierro. Ni el merito, ni la virtud, ni el nacimiento, ni los talentos, ni otra alguna calidad, han sido la recomendación para el premio, y la Justicia. Envueltos en la indigencia, y la obscuridad, han acabado sus dias los que no han tenido el talento o la humillacion de negociar por medio de una abatida y vergonzosa lisonja. Los que no se han arrastrado a este exercicio penoso para un corazon honrado, bien pronto han sufrido en su fortuna y en sus personas el riguroso tratamiento y castigo de no haber quemado incienso a los Idolos. Algun dia verá la Magestad del Rey que hasta los tiernos y vivos deseos de tenerlo en nuestro Suelo han sido reputados entre los de Alta traicion. Verá que los pensamientos mas sanos e inocentes han estado sugetos a execuciones y carceles, y a otros ignominiosos tratamientos. Algun dia verá... Cortemos el curso de nuestras quejas hasta que llegue este feliz tiempo y serremos un velo negro, y triste sobre el lastimoso cuadro de nuestra condicion. Escuche V. E. estos pequeños gemidos, y este corto desahogo del dolor. Interesado en nuestro alivio y consuelo como nuestro hermano, y compatriota, dignese V. E. llevar nuestras lagrimas y aflixion en su humano y generoso pecho y cuando llegase al Trono de la Justicia y a la Mansión de la imparcialidad, diga también a los próceres depositarios de la Autoridad Soberana "Toda la América disfruta de satisfacción y consuelo; solo Quito gime agoviado del peso de sus desgracias, pero conserva en medio de ellas los sentimientos de su inalterable lealtad de que ha dado testimonio en un pasage rapto de su entusiasmo".

España: Archivo General de Indias, Estado, 72.N.64\15\

18. LOS ORÍGENES DE LA REVOLUCIÓN DE QUITO EN 1809*

El 10 de agosto de 1809 los quiteños, temerosos de que España hubiera caído en manos de los franceses, tomaron el control del gobierno y establecieron una Junta Suprema de Quito para defender la Sagrada Fe, al rey y a la patria. Sin embargo, las demás provincias de la Audiencia o Reino de Quito no apoyaron las acciones de la capital. Por el contrario, Guayaquil, Cuenca y Popayán organizaron fuerzas armadas para acabar con el nuevo gobierno de Quito. Además, villas como Riobamba, que caían dentro de la jurisdicción de la ciudad de Quito, también se opusieron a la capital.[1] Para comprender las acciones de la Junta Suprema y por qué ninguna de las otras regiones respaldó a la capital es necesario considerar la experiencia del Reino de Quito durante el siglo XVIII.

El siglo XVIII

Quito fue la ciudad capital más antigua de América del Sur, el territorio de su Audiencia fue alguna vez el más grande del subcontinente y su economía tuvo gran importancia durante el periodo de los Habsburgo, cuando Quito se contaba entre los mayores productores de textiles y artesanías y era un centro de comercio para toda la región andina. Con la intención de fortalecer su estatuto económico y político los líderes de la zona trataron repetidamente de

* Una versión anterior de este trabajo se publicó en Ana Buriano y Johanna von Grafenstein (coords.), *Soberanía, lealtad e igualdad: las respuestas americanas a la crisis imperial hispana, 1808-1810* (México, Instituto Mora, 2008), pp. 199-227. A Linda Alexander Rodríguez agradezco sus valiosas sugerencias para mejorar este trabajo. Asimismo, agradezco a Mariana Santoveña la traducción de este ensayo.

1. Rosario Coronel F., "La contra-revolución de Riobamba frente a la primera Junta de Quito de 1809" en Guillermo Bustos y Armando Martínez Garrnica (coords.), *La Independencia en las Países Andinos: Nuevas Perspectivas* (Quito, Universidad Andina Simón Bolívar, 2004), pp. 105-111.

obtener la autonomía transformando la región en una capitanía general independiente o en un virreinato. Sin embargo, durante el siglo XVIII el Reino de Quito perdió el control sobre zonas considerables de su antiguo territorio. En 1717 su Audiencia fue eliminada y su territorio incorporado a la jurisdicción de la Audiencia de Santa Fe; no sería sino hasta 1722 cuando se restituyera. El Reino de Quito estuvo subordinado a la capital virreinal de Lima hasta 1739, cuando se fundó el nuevo virreinato de Nueva Granada. Contrariamente a lo que los quiteños esperaban, la capital del nuevo virreinato fue Santa Fe, y no Quito. La Audiencia de Quito mantuvo su estatus de subordinación y debió responder ante la nueva capital virreinal de Santa Fe. Más adelante, durante la última parte del siglo XVIII y principios de XIX, al tiempo que zonas antiguamente periféricas como Buenos Aires y Caracas obtenían su autonomía convirtiéndose en virreinato y capitanía general, respectivamente, Quito perdió el control eclesiástico, jurídico, financiero y militar sobre algunas de sus provincias. Cuando se fundó el Obispado de Cuenca en 1779, con autoridad sobre Guayaquil, Loja Portoviejo, Zaruma y Alausí, Quito dejó de ser la única diócesis. En 1802 la Gobernación de Mainas, al este, se convirtió en un obispado que respondía al virrey de Perú, aunque también se mantuvo subordinado a Quito en materia jurídica y en otros ámbitos. Quizás el golpe más fuerte tuvo lugar en 1803, cuando Quito perdió su autoridad militar y comercial sobre Guayaquil, su provincia más próspera, a manos de Perú.[2]

Durante los siglos XVI y XVII el Corregimiento de Quito se vinculó con una serie de economías regionales integradas y prósperas en todo el virreinato de Perú, que en aquel entonces abarcaba toda la América española del sur.[3] El Corregimiento de Quito era un importante productor de paños, bayetas, jergas y otras manufacturas que distribuía tanto en el sur, rico en minerales, como en el norte. Los comerciantes quiteños participaban también en el tráfico de las mercaderías europeas que llegaban a las ferias de Portobelo.[4]

2. Rosemarie Terán Najas, *Los proyectos del Imperio borbónico en la Real Audiencia de Quito* (Quito, TEHIS/Abya Yala, 1988); María Elena Porras P., *La Gobernación y el Obispado de Mainas* (TEHIS/Abya Yala, 1987), y Dora León Borja y Adám Szászdi, "El problema jurisdiccional de Guayaquil antes de la independencia", *Cuadernos de Historia y Arqueología, vol.* XXI, núm. 1971, pp. 13-146.

3. Kenneth J. Andrien, *The Kingdom of Quito, 1690-1830: The State and Regional Development* (Cambridge, Cambridge University Press, 1995), p. 15.

4. Tamara Estupiñán Viteri, *El Mercado interno de la Audiencia de Quito* (Quito, Banco Central del Ecuador, 1997). Sobre la industria textil véase Robson B. Tyrer, *Historia demográfica y económica de la Audiencia de*

Pero esta situación cambiaría durante la Guerra de Sucesión Española (1700-1714). El candidato Borbón, reconocido por Castilla y América como el rey Felipe V, decretó en enero de 1701 que los barcos franceses podrían comerciar en los puertos americanos. Las telas europeas, de mayor calidad, inundaron el mercado, incluyendo los puertos de Portobelo y Cartagena. Entre 1700 y 1728 los productos franceses sumaron 68% del comercio exterior del virreinato de Perú. Una consecuencia de este gran volumen de bienes europeos fue el declive de sus precios en los principales mercados sudamericanos, como por ejemplo la gran región minera de Charcas. El nuevo régimen Borbón hizo poco por restaurar el antiguo sistema de proteccionismo mercantil. Los débiles intentos por revivir el sistema de flotas fracasaron y la feria de Portobelo fue abolida. Bajo tales circunstancias los paños de Quito no podían competir.[5] Para Quito el siglo XVIII fue un periodo de declive económico que empeoró en 1776, cuando la Audiencia de Charcas fue puesta bajo la autoridad del nuevo virreinato del Río de la Plata. De ahí en adelante Buenos Aires proporcionaría al centro minero tanto productos locales como bienes importados.[6]

La decadencia del Reino de Quito durante el siglo XVIII provocó cierta inquietud social. La región estaba gobernada por un presidente y por los oidores de la Audiencia. La mayoría de ellos eran funcionarios corruptos que tenían –o que no tardaron en adquirir– vínculos sociales, económicos y políticos con las elites regionales de Lima, Santa Fe y Quito. Muchos eran americanos, principalmente de Lima, y con frecuencia se aprovechaban de sus puestos para favorecer los intereses económicos y políticos de la capital virreinal, antes que los de Quito. Por esto era común que los grupos locales criticaran a estos funcionarios y a sus aliados, haciéndoles más difícil dispensar justicia y llevar a término las instrucciones de la Corona.[7] Un ejemplo:

Quito. Población indígena e industria textil, 1600-1800 (Quito, Banco Central del Ecuador, 1988) y Manuel Miño Grijalva, *La protoindustria colonial hispanoamericana* (México, Fondo de Cultura Económica, 1993).

5. Andrien, *The Kingdom of Quito*, 1995, pp. 29-32.
6. Guillermo Céspedes del Castillo, *Lima y Buenos Aires: repercusiones económicas y políticas de la creación del virreynato del Río de la Plata* (Sevilla, Escuela de Estudios Hispanoamericanos, 1949), y Cristiana Borchard de Moreno, *La Audiencia de Quito: Aspectos económicos y sociales (Siglos XVI-XVIII)* (Quito, Banco Central del Ecuador y Abya Yala, 1998), pp. 99-209. Véase también Kenneth J. Andrien, "Economic Crisis, Taxes and the Quito Insurrection of 1765", *Past and Present*, núm. 129 (nov. 1990), pp. 104-117 para una valoración de la crisis económica de Quito.
7. Tamar Herzog, *Upholding Justice: Society, State, and the Penal System in Quito (1650-1750)* (Ann Arbor, University of Michigan Press, 2007), pp. 105-120, 140-159.

dos prominentes comerciantes de Lima, que obtuvieron la presidencia de la Audiencia de Quito –Juan de Sosaya (1708-1716) y José de Araujo y Río (1736-1747)– ocasionaron un conflicto tal que fueron depuestos y sus seguidores quiteños castigados. Más adelante, tras obtener información adicional, el Consejo de Indias revirtió su decisión y castigó a los acusadores. El caso de Juan de Sosaya resulta particularmente interesante, ya que despertó la ira del obispo de Quito, quien portara el atinado nombre de Diego Ladrón de Guevara, y que perpetuaría el feudo de Lima al convertirse en virrey interino de Perú.[8]

La Rebelión de los Barrios

La ciudad de Quito tenía una larga tradición de conflicto social. Algunos levantamientos fueron resultado de reformas fiscales o de la instauración de nuevos impuestos, como fue el caso de la oposición masiva a la alcabala a finales del siglo XVI.[9] En otras ocasiones se trató de disturbios eclesiásticos que derivaron, en parte, de las luchas entre peninsulares y americanos por hacerse de los cargos oficiales. Aun otros ocurrieron debido a las transformaciones políticas, como la supresión de la Audiencia, o la llegada de un fiscal o un visitador. Los disturbios civiles y religiosos a menudo implicaban una participación masiva y frecuentemente coincidían con la escasez de alimento y con epidemias. Se han identificado diez de estos conflictos en el periodo que va de 1700 a 1780.[10]

8. Federico González Suárez proporciona un relato exhaustivo sobre la política en la ciudad de Quito. Véase *Historia general de la República del Ecuador,* 3 vols. (Quito, Casa de la Cultura Ecuatoriana, 1970), II, pp. 926-1180. En fecha reciente Luis Javier Ramos Gómez escribió ampliamente sobre estas cuestiones. Véase "La estructura social quiteña entre 1737 y 1745 según el proceso contra Don José de Araujo", *Revista de Indias,* LI, núm. 91 (1991), pp. 25-56; "La pugna por el poder local en Quito entre 1737 y 1745 según el proceso contra el presidente de la Audiencia José de Araujo", *Revista Complutense de Historia de América,* 18 (1992), pp. 179-196, y "La acusación contra el presidente electo don Juan José de Araujo y Río por la introducción de mercancías ilícitas a su llegada a Quito en diciembre de 1736", *Boletín de la Academia Nacional de Historia* [de Quito], LXXII, núms. 153/154 (1993), pp. 249-277; así como Andrien, *The Kingdom of Quito, 1690-1830,* pp. 165-180.

9. Sobre esta compleja cuestión véase Bernard Lavallé, *Quito y la crisis de la alcabala, 1580-1600* (Quito, Instituto Francés de Estudios Andinos y Corporación Editora Nacional, 1997.

10. González Suárez, *Historia general,* t. II, pp. 926-1180, y Martin Minchom, *The People of the Quito, 1690-1810* (Boulder, Westview Press, 1994), pp. 201-210.

Un levantamiento importante tuvo lugar en Quito en 1765. La Rebelión de los Barrios, como se le conoce, fue la insurrección urbana más grande, más significativa y de mayor duración en la América española durante el siglo XVIII. El historiador jesuita Juan de Velasco la comparó con la gran revuelta de las alcabalas, a finales del siglo XVI. Según Velasco: "A los 173 años de aquel memorable suceso, se vio en Quito la segunda rebelión, no menos ruidosa que la primera…".[11] Esta revuelta fue la primera gran reacción a las reformas borbónicas en América y ejercería una gran influencia sobre acontecimientos posteriores.

Pese a la decadencia de la región Quito contribuyó con subsidios (como el situado, por ejemplo) a la ciudad fortificada de Cartagena, pero los virreyes de Santa Fe pensaban que la ciudad no estaba realizando una contribución apropiada al virreinato. Debido a las irregularidades fiscales Quito había sido sujeta a investigaciones en la década de 1750. Sin embargo, en aquel momento no se tomó ninguna medida. El virrey Pedro Messía de la Cerda, quien asumiera el cargo en 1760, concluyó que los recaudadores de Quito, que recolectaban las alcabalas y los impuestos sobre el estanco de aguardiente, no sólo eran malos administradores, sino que también se quedaban con sumas importantes que debían haber ido a la Caja Real. De ahí que el virrey decidiera reformar el sistema fiscal a fin de recaudar mayores sumas. Bajo circunstancias normales, al momento de instituir la reforma, el virrey habría buscado la cooperación de la Audiencia y del ayuntamiento de Quito. Sin embargo, esas instituciones estaban bajo el control de americanos que habían comprado sus puestos y que estaban implicados en actividades económicas ilícitas y en disputas políticas locales; incluso los dos peninsulares que formaban parte de la Audiencia (de seis miembros) estaban implicados.

Todos los grupos sociales de Quito preferían mantener el *statu quo* y rechazaban cualquier intento por instaurar nuevos gravámenes o por hacer de la recolección de los impuestos existentes un proceso más eficaz. Los miembros del patriciado –algunos de los cuales eran nobles– y de las órdenes regulares, en particular de los jesuitas, poseían grandes haciendas productoras de azúcar en donde también se destilaba aguardiente. Algunos plebeyos (miembros de las clases populares) de la ciudad de Quito fabricaban aguardiente en

11. Juan de Velasco, *Historia del Reino de Quito*, 2 vols. (Puebla, Editorial Cajica, 1961), II, p. 509.

pequeñas destilerías ilegales; otros vendían este aguardiente libre de impuestos en pequeñas tabernas o en casas privadas. Los grandes productores –propietarios laicos de haciendas fuertemente endeudadas, así como órdenes regulares– evadían impuestos, lo mismo que sus competidores urbanos. La decadencia económica dio nuevo ímpetu a la evasión fiscal en todos los niveles. La economía informal floreció en barrios populares como San Roque, San Blas y San Sebastián. Puesto que los obrajes de la ciudad cerraron debido a que sus productos no podían competir con los textiles europeos, muchos tejedores y otros trabajadores experimentados se convirtieron en peones, buhoneros y artesanos (zapateros, carpinteros y peluqueros). Otros comenzaron a producir diversos bienes que vendían desde sus casas. Algo parecido sucedió con los plebeyos, que establecieron carnicerías no oficiales, pulperías y tabernas. Algunos, por supuesto, trabajaron como sirvientes en casas privadas y en instituciones civiles y eclesiásticas. Además, los indígenas rurales introdujeron una gran variedad de comestibles y otros artículos a los mercados semanales de Quito. Todas estas actividades eran parte de una economía no regulada y ajena a los impuestos.[12]

El virrey Messía de la Cerda designó a Juan Díaz de Herrera, un español europeo que había reformado el sistema impositivo de Santa Fe y Popayán, para que introdujera una reforma similar en Quito. Al funcionario de la Real Hacienda se le otorgó una autoridad independiente y, por ende, la Audiencia de Quito no tenía ningún poder para intervenir. Las autoridades reales de Santa Fe estaban al tanto de la discordia que ocasionaría la reorganización de los impuestos en la ciudad. No obstante, poco después de su llegada a Quito, en octubre de 1764, Díaz de Herrera procedió a reorganizar el estanco de aguardiente y los impuestos de la alcabala sin consultar a las autoridades locales. El regidor Francisco de Borja, destacado miembro de las familias ricas y nobles –que poseía grandes haciendas, obrajes y fábricas de sombreros, y que dominaba la economía de Quito– se convirtió en el vocero principal del "común", o de la comunidad, en el ayuntamiento. Por su parte, los prelados de la ciudad hicieron notar su desacuerdo y, el 14 de octubre

12. Anthony McFarlane, "The "Rebellion of the Barrios": Urban Insurrection in Bourbon Quito", *The Hispanic American Historical Review*, vol. 69, núm. 2 (mayo, 1989), pp. 283-287; Andrien, "Economic Crisis", 1990, pp. 110-120. Para un análisis cuidadoso de la economía informal véase Minchon, *The People of Quito*, 1994, pp. 101-115.

de 1764, solicitaron al ayuntamiento que realizara un cabildo abierto para discutir las reformas fiscales que Díaz de Herrera estaba aplicando. No es de sorprender que el ayuntamiento y la audiencia, que habían sido ignorados por el virrey, aceptaran la petición.[13]

Presidido por el oidor decano Manuel Rubio de Arévalo, un cabildo abierto se reunió el 7 de diciembre de 1764. Diputados del cabildo eclesiástico representaron al clero secular; varios prelados hablaron por las órdenes regulares; miembros del ayuntamiento representaron a la ciudad; el protector de indios habló por los indígenas; algunos delegados de los intereses comerciales y económicos representaron la postura de la sociedad civil, y Borja representó al "bien común" o el bienestar de la comunidad. El clero y el protector de indios se centraron en cuestiones morales que subrayaban el efecto negativo del estanco de aguardiente sobre la sociedad nativa. Otros subrayaron el perjuicio de las reformas fiscales sobre los intereses económicos de todos los grupos sociales. Además de esto la elite planteó importantes cuestiones políticas y constitucionales. Algunos argumentaban que el *pueblo* tenía la responsabilidad de defender los intereses de la comunidad. Como representantes de ese pueblo sostenían también que el rey tenía la responsabilidad de gobernar a sus súbditos con leyes justas. Pero lo que resultaba beneficioso para una comunidad no lo era necesariamente para otra. Así pues, las necesidades y condiciones locales debían ser tomadas en cuenta. El oidor decano Luis de Santa Cruz insistió en que las Leyes de Indias requerían que los representantes del pueblo fueran consultados antes de poner en marcha transformaciones de gran alcance. De hecho, mantenía que algunas leyes constituían un "mal gobierno" y no debían ser obedecidas. Por eso en 1528 el rey Carlos I había expedido un decreto en el que se estipulaba: "los ministros y jueces obedezcan y no cumplan nuestras cédulas y despachos en que intervinieron los vicios de obrepción y subrepción, y en la primera ocasión nos avisen de la causa por que no lo hicieron".[14] Además, los quiteños

13. McFarlane, "The "Rebellion of the Barrios", 1989, pp. 289-292.
14. José Manuel Pérez Prendes y Muñoz de Arracó, *La Monarquía Indiana y el Estado de derecho* (Valencia, Gráficas Moverte, El Puig, 1989), pp. 167-168. Según Pérez Prendes y Muñoz de Arracó, Carlos I expidió el decreto. La edición de la *Recopilación de leyes de los Reynos de las Indias* que he consultado, la del Consejo de la Hispanidad, Madrid, 1943, I, p. 223, tiene ese decreto bajo Libro II, título I, ley XXIJ expedida por D. Felipe III en Madrid a 3 de Junio de 1620. Este hecho no quiere decir que Carlos I no expidiera el decreto en 1528. Como es bien conocido, *La Recopilación* no incluía todos los decretos expedidos por la corona. Más bien

sostenían que, según el gran teórico político Juan Solórzano Pereira, la ley debía adaptarse a las condiciones y necesidades locales.[15] Con base en tales teorías políticas hispánicas tradicionales los líderes de Quito exigieron que el estanco de aguardiente y las reformas impositivas fuesen abolidos. Estas demandas se hicieron llegar al virrey con la esperanza de que la oposición de la comunidad nulificara tan inapropiadas medidas. Además, los líderes acordaron recaudar fondos para enviar a Francisco de Borja a Madrid para que éste presentara su causa directamente ante el rey.[16]

El virrey Messía de la Cerda no respondió de inmediato. Pasaron cinco meses antes de que anunciara su decisión. Durante este lapso Quito permaneció en calma. El patriciado, que había presentado su caso enérgicamente, aguardó la respuesta del virrey. Díaz de Herrera, quien procedió a organizar el estanco de aguardiente y establecer su destilería, enfrentó sólo algunos problemas de procedimiento menores. Todo parecía indicar que la oposición había declinado. Sin embargo, el virrey Messía de la Cerda no tenía la intención de acceder a las demandas de la elite de Quito, a la que consideraba corrupta. Ya en febrero de 1765 propuso enviar tropas para fortalecer el orden. En última instancia, desestimó las peticiones quiteñas de que no se instaurara reforma fiscal alguna. Aunque estuvo de acuerdo en que la ciudad de Quito tenía derecho a enviar a un procurador a la Corte en Madrid excluyó de ese puesto a Francisco de Borja, a quien consideraba el principal foco de los problemas.

El 1 de marzo de 1765 Díaz de Herrera inauguró la destilería del estanco de aguardiente. En un principio las ventas fueron escasas. Sin embargo, el 3 de mayo Díaz de Herrera informó que las nuevas disposiciones funcionaban correctamente: importantes hacendados brindaban su cooperación y no había señales de descontento popular. La situación cambiaría drásticamente una vez que comenzara el proceso de evaluación de la tierra para

---

incluía aquellos decretos que los compiladores consideraron importantes. Es probable que Carlos I expidiera el decreto original en 1528 y que Felipe III lo hubiera expedido de nuevo en 1620.

15. En su *Política indiana*, publicada en 1649, después de casi dos décadas de experiencia en las Indias, Solórzano Pereira sostenía que los territorios del Nuevo Mundo eran reinos de la monarquía española que "se han de regir y gobernar como si el rey que los tiene juntos lo fuera solamente de cada uno de ellos". Juan Solórzano Pereyra, *Política indiana*, 3 vols. (edición de Francisco Tomás y Valiente y Ana María Borrero) (Madrid, Edición Fundación José Antonio de Castro, 1996), II, p. 1639.

16. McFarlane, "The "Rebellion of the Barrios", pp. 293-300.

fines impositivos y de recolección de la nueva alcabala. El 20 de mayo Díaz de Herrera publicó una proclama en la que se ilustraba el nuevo impuesto y las penas por su evasión. Al siguiente día sus asistentes comenzaron a registrar las parcelas de tierra en las parroquias de San Roque y San Sebastián. Los recaudadores también comenzaron a cobrar la alcabala sobre artículos que nunca antes habían sido gravados, como por ejemplo los alimentos y las provisiones que los indígenas llevaban al mercado, así como los regalos y las limosnas que se entregaban a los clérigos. A quienes no podían pagar la alcabala se les confiscaban sus bienes. Las protestas fueron ignoradas con desdén. Un recaudador incluso amenazó con erigir patíbulos en cada parroquia para castigar a los infractores. Además, circulaban rumores: los impuestos sobre la tenencia de la tierra se incrementarían drásticamente; las madres tendrían que pagar impuestos por los hijos que llevaban en el vientre; las mujeres que lavaban ropa sobre la piedras del río tendrían que pagar impuestos por esas piedras, y se formarían estancos para el tabaco, la sal, las papas, el maíz y el azúcar.[17]

En la mañana del 22 de mayo "unos cartones grandes … con letras gordas y muy legibles" aparecieron "en las paredes de las esquinas de la ciudad", anunciando "como inminente la sublevación de los barrios de Quito contra la aduana y el estanco de aguardiente".[10] Las autoridades, temerosas y sin suficientes policías para controlar una sublevación se atrincheraron en el palacio de la Audiencia. El levantamiento que sobrevino entonces estuvo bien organizado. Alrededor de las siete, cuando caía la noche, se dispararon cohetes y se tocaron las campanas de las iglesias parroquiales para llamar a la gente a la calle. Los habitantes de San Roque y San Sebastián se reunieron en la Plaza de Santo Domingo y desde ahí marcharon hacia las dependencias del estanco y la alcabala. Entonces se introdujeron en la oficina recaudadora, vertieron el aguardiente a la calle y destruyeron el almacén. Curas y patrullas encabezadas por oidores intentaron apaciguar a la multitud pero fracasaron. Además, algunos miembros de las patrullas se rehusaron a disparar sobre los sublevados cuando recibieron tal orden, y muchos desertaron. Las

17. "Relación sumaria de las dos sublevaciones de la Pleve de Quito", *Boletín de la Academia Nacional de Historia* (de Ecuador), vol. XV, núms. 42-45 (enero-junio de 1937), pp. 102-116. Minchom sostiene que la gente de los barrios consideraba el impuesto sobre los "bebés" como un método indirecto para someter a los plebeyos a través del tributo. Minchom, *The People of Quito*, 1994, p. 230.

18. González Suárez, *Historia general*, t. II, p. 1127.

multitudes estaban conformadas por "niños, hombres, mujeres y personas de todas clases" que participaron en el levantamiento, que se prolongó hasta el día siguiente, cuando el estanco y el edificio de la hacienda fueron destruidos en su totalidad. Los registros de las propiedades de los barrios de San Roque y San Sebastián, levantados por los recaudadores, también fueron destruidos. Finalmente, la muchedumbre se dispersó cuando el oidor Hurtado de Mendoza y el conde de Selva Florida prometieron una dispensa general. No obstante, los plebeyos no dejaron de desconfiar. La gente exigía que la Audiencia garantizara formalmente que la nueva política fiscal sería anulada y que una dispensa general se hiciera extensiva a todos. Los oidores accedieron renuentemente. La Audiencia se reunió en una ceremonia formal celebrada en la Plaza Mayor, en la que el obispo Montenegro y el oidor Juan Romualdo Navarro, nacido en Quito, hicieron pública la dispensa y suspendieron el estanco de aguardiente y la nueva alcabala. Una tensa calma se asentó sobre la ciudad, pues estas acciones requerían de la aprobación del virrey.[19]

La Audiencia procedió con cautela. Las patrullas callejeras fueron suspendidas para evitar cualquier conflicto con los vecinos de los barrios populares. El reformador fiscal, Díaz de Herrera, se ocultó en un convento franciscano hasta la noche del 21 de junio, cuando huyó de la ciudad bajo la protección de una escolta armada proporcionada por el marqués de Villa Orellana. Las tensiones en Quito eran fuertes. Una conmoción en el barrio de San Blas, ocurrida el 26 de mayo, llevó a una movilización generalizada de los barrios el día 29, fecha en que se quemaron las casas de algunos funcionarios reales, entre ellos el oidor Hurtado de Mendoza, quien realizaba entonces una investigación sobre el levantamiento. En ambos casos los clérigos tranquilizaron a las multitudes. Los españoles europeos, vinculados a los funcionarios reales que intentaban imponer las reformas fiscales, pensaban que ellos mismos estaban en peligro y formaron un grupo unido que insistía en restaurar el orden a cualquier precio, incluso si era necesario tomar represalias contra los manifestantes. El 8 de junio, aparecieron pasquines que proclamaban ¡"Viva el Rey!

19. El mejor relato de estos sucesos se puede encontrar en McFarlane, "The 'Rebellion of the Barrios'", 1989, pp. 300-308. Una descripción interesante hecha por un contemporáneo es la de Velasco, *Historia del Reino de Quito*, 1961, t. II, pp. 509-511. Véase también Chad Thomas Black, *The Limits of Gender Domination: Women, the Law, and Political Crisis in Quito, 1765-1830* (Albuquerque, University of New Mexico Press, 2010), pp. 29-61.

¡Mueran los chapetones! … ¡Abajo el mal Gobierno!".[20] Diez días más tarde una multitud se manifestó frente al palacio del obispo; la gente exigió y recibió a un cura de su elección para su parroquia en San Blas. El 19 de junio se dispararon cohetes y repicaron las campanas de San Blas para reunir a una muchedumbre que atacaría la cárcel y liberaría a un habitante del barrio que cayera preso recientemente. El oidor Navarro defendió la cárcel con una unidad bien pertrechada y, tras una confrontación que duró varias horas, dispersó a los manifestantes –designados, por lo general, como "la plebe"–.[21] El corregidor Sánchez Osorio, un español europeo, encolerizó aún más a los barrios cuando, acompañado de una hueste de peninsulares, arrestó a muchos residentes de las parroquias de San Roque y San Sebastián. Estos residentes fueron llevados a la prisión, donde se les multó y algunos fueron azotados. Los azotes, humillantes, constituyeron una provocación que suscitó gran rabia en los barrios y alimentó la creencia de que los chapetones estaban planeando una venganza. Estos sucesos ocurrieron en la víspera del festival de San Juan.

Como ocurriera hacía un mes, la mañana del 24 de junio, día de San Juan, aparecieron pasquines que urgían a los barrios a unirse y a quemar la casa del corregidor Sánchez Osorio. Los rumores de otro levantamiento se difundieron rápidamente por toda la ciudad. Las autoridades estaban divididas; algunos favorecían las acciones decisivas, mientras que otros pensaban que la amenaza de otro levantamiento era una exageración. El corregidor Sánchez Osorio y un grupo de peninsulares acudieron a San Sebastián a las 10 de la noche para restaurar el orden. Sus acciones fueron desafiantes. En su camino intentaron arrestar a algunos individuos que pusieron en cuestión su derecho a entrar en el barrio. Cuando la muchedumbre se resistió abrieron fuego, matando a dos personas. Un grupo más grande se reunió e hizo retroceder a la patrulla hasta el palacio de la Audiencia. En el camino los rebeldes atacaron la casa de Ángel Izquierdo, un comerciante gaditano que, según se decía, había disparado sobre la multitud. Tras una violenta batalla la multitud destruyó su casa, pero permitió que su esposa y su hijo escaparan a salvo.

El conflicto se concentró entonces en el palacio de la Audiencia, que estaba protegido por una pequeña guardia y por voluntarios peninsulares,

20. El término "chapetón" se usaba para referirse a un español europeo residente en Quito.

21. Se les describía como "la ínfima pleba", que incluía a hombres, mujeres y niños mestizos, indígenas urbanos y a unos cuantos criollos. Minchom, *The People of Quito*, 1994, p. 232.

que juntos constituían una fuerza bien pertrechada de unos 150 hombres. Al patriciado americano no se le veía por ninguna parte. La lucha se convirtió en una pelea entre americanos de las clases populares y los europeos. Los rebeldes estaban armados con unas cuantas armas de fuego, pero fundamentalmente con lanzas, espadas, palos y piedras. Según un testigo ocular, las mujeres y los niños recogían las piedras del suelo para dárselas a los rebeldes. Ambos bandos pelearon desde las 11 de la noche aproximadamente hasta las 4 de la madrugada. Dada la disparidad de sus armas, en el bando rebelde se contaron muchos muertos y heridos, mientras que los defensores sólo perdieron a dos compañeros y varios recibieron heridas. Al siguiente día el obispo y clérigos notables intentaron apaciguar los barrios de San Roque, San Sebastián y San Blas sin ningún éxito. Esa misma tarde los funcionarios españoles y sus aliados buscaron refugio en iglesias y conventos. Llegada la noche, la gente de los barrios dominaba la ciudad. A partir de ese momento algunas pandillas atacaron la propiedad de los españoles que permanecían ocultos. Al día siguiente, 26 de junio, las autoridades intentaron restaurar el orden, pero el "pueblo" mantuvo el poder. Más tarde los españoles declararon que el patriciado americano estaba detrás de la revuelta y que los rebeldes intentaban persuadir al conde de Selva Florida para que se convirtiera en monarca del Reino de Quito.[22] La afirmación es sin duda exagerada, aunque es una clara indicación de que los españoles europeos temían la furia de la plebe a la que habían explotado.

El enojo contra los peninsulares, que habían exacerbado el conflicto y habían matado y herido a muchos vecinos de los barrios populares, requería que los chapetones fuesen castigados. La gente estaba empecinada en expulsar a los españoles. Incapaz de desafiar a las masas el 27 de junio la Audiencia ordenó la expulsión de los peninsulares. Sin embargo, de los 81 peninsulares residentes en la ciudad sólo 25 fueron sujetos a la expulsión. Los demás eran vecinos que habían formado vínculos económicos y familiares con la comunidad. Resulta interesante, en este caso, que el principio de "vecindad"

22. Interpretaciones contrastantes de estos sucesos se encuentran en McFarlane, "The 'Rebellion of the Barrios'", 1989, pp. 312-317; Andrien, "Economic Crisis", 1990, pp. 125-129, y Black, *The Limits of Gender Domination*, pp. 51-57. Véase también: Minchom, *The People of Quito,* 1994, pp. 227-233, para un análisis de los testimonios.

superara al de "naturaleza".[23] Para legitimar el nuevo *statu quo* las autoridades se vieron forzadas a celebrar una ceremonia pública el día 28 de junio frente al palacio de la Audiencia. Los oidores, el decano del cabildo eclesiástico, algunos regidores del ayuntamiento y "vecinos nobles" permanecieron de pie en el balcón del palacio. Miles de personas se reunieron en la plaza para participar del acto.[24] El presidente de la Audiencia comenzó gritando "Viva el Rey", y la multitud respondió con entusiasmo y repetidamente "Viva". El oidor de más alto rango, después de los dos oidores peninsulares que decidieron ocultarse, le otorgó el perdón a los rebeldes. A continuación el obispo les concedió la absolución, que recibieron de rodillas. Un sentimiento de reconciliación prevaleció y la multitud se dispersó.

Sin embargo, la estabilidad no regresó a los barrios. Una nueva suerte de gobierno emergió. Los rebeldes accedieron al nombramiento de capitanes o diputados de barrio con derecho a patrullar las parroquias. Todos los nuevos diputados eran miembros del patriciado de la ciudad: el conde de Selva Florida representaba a San Roque; don Nicolás Calixto de Alarcón, a San Sebastián; don Mariano Pérez de Ubillus, a San Blas; don Joseph Lasso de la Vega, a Santa Bárbara, y don Manuel González y don Francisco Borja, a San Marcos. Ellos, junto con destacados jesuitas, intentaron mantener la calma en los barrios. Los diputados persuadieron a los rebeldes de regresar las armas que habían tomado del palacio de la Audiencia. El 4 de julio de 1765 un gran número de personas se reunió en la Plaza Mayor para devolver las armas, con la condición de que la Audiencia los perdonara nuevamente. Una vez cumplida la devolución la multitud se dispersó pacíficamente. No obstante, la restauración del orden no puso fin al comportamiento disconforme y conflictivo. Los funcionarios de la Real Hacienda informaron que les era difícil recolectar los impuestos; los capitanes de barrio reportaron un aumento del crimen, y otros declararon que el desafecto popular aún era alto. Además, los líderes de los barrios insistían en restringir el movimiento de los

23. En torno a esta cuestión véase Tamar Herzog, *Defining Nations: Immigrants and Citizens in Early Modern Spain and Spanish America* (New Haven, Yale University Press, 2003), y Jaime E. Rodríguez O., "La ciudadanía y la Constitución de Cádiz" en Ivana Frasquet (ed.), *Bastillas, cetros y blasones: La independencia en Iberoamerica* (Madrid, Fundación MAPFRE-Instituto de Cultura, 2006), pp. 39-56.

24. Las fuentes mencionan una gran cifra de cuatro a diez mil personas en la Plaza Mayor. Sin embargo, dada la topografía de la ciudad, la "plaza mayor" de Quito es una de las plazas más pequeñas de la ciudad. Es poco probable que albergara a más de mil o, cuando mucho, dos mil personas.

europeos dentro de sus parroquias. Estos líderes exigían el derecho de expedir permisos para los comerciantes europeos, válidos sólo por el tiempo necesario para completar sus negocios.

Temerosas de que su estatus pudiera verse socavado, las elites criollas actuaron en defensa de sus intereses. Los criollos organizaron compañías de milicia en las principales áreas de la ciudad, compuestas por individuos a los que consideraban "más racionales, más obedientes y más comprometidos con las obligaciones del vasallaje". Estas fuerzas reafirmaron lentamente el control sobre los barrios. Las elites criollas también intentaron establecer la solidaridad urbana alimentando el fantasma de un saqueo de la ciudad por parte de los indígenas rurales. La táctica funcionó, ya que la mayoría de los residentes de los barrios populares eran mestizos que se sentían amenazados por los indígenas, a quienes consideraban sus inferiores. Además, los indígenas urbanos tampoco deseaban verse identificados con sus hermanos rurales, ya que tenían distintos intereses y temían verse forzados a pagar tributo. Los acontecimientos exógenos también fueron importantes para poner fin a la rebelión de los barrios. A mediados de septiembre el virrey ratificó la dispensa general. ¡Los rebeldes habían logrado sus objetivos! Entonces, en diciembre, el presidente Manuel Rubio de Arévalo, un peninsular, se retiró y fue reemplazado por el americano Luis de Santa Cruz y Centeno. El nuevo presidente, que buscaba la cooperación con los barrios, restauró gradualmente la autoridad de la Audiencia. Finalmente, la ciudad padeció una epidemia en 1766. Los enfermos eran muchos, y los residentes de los barrios populares se unieron a los de otras clases en el combate a la enfermedad. Aunque se registraron algunas tensiones en mayo, cuando se tuvo noticia de que el virrey estaba enviando tropas para ocupar Quito, el patriciado, la Audiencia y los jesuitas lograron mantener el orden en la ciudad. Afortunadamente, Pedro Zelaya, el gobernador de Guayaquil que comandaba las fuerzas reales, buscó la reconciliación y no la venganza a su llegada el 1 de septiembre de 1766.

Aunque el orden realista fuera restaurado la Corona no condonaría las acciones del pueblo de Quito. La Audiencia fue purgada mientras se realizaba una investigación sobre lo acontecido. El 14 de febrero de 1767 el estanco de aguardiente fue restaurado. Más tarde nuevos impuestos serían instaurados. Ese mismo año Carlos III expulsó a los jesuitas de la monarquía española, no por sus actividades en Quito, sino por una revuelta en Madrid.[25] La Rebelión de los Barrios, en última instancia, no pudo conseguir sus metas, aunque sí logró promover la discordia entre elementos de la elite quiteña y aguzar su conciencia de los peligros de politizar a las clases populares urbanas.

La reforma

Para los reformadores españoles la Rebelión de los Barrios puso en evidencia que en el Reino de Quito la autoridad real debía ser restaurada y fortalecida. José de Gálvez, el poderoso ministro del Consejo de Indias, tomó medidas para que uno de sus protegidos, José García de León y Pizarro, fuera nombrado visitador del Reino de Quito. Este inspector fue dotado de autoridad extraordinaria: entre sus atributos se contaban el ser visitador de la Real Hacienda, gobernador y presidente y regente de la Audiencia, así como capitán general, aun cuando Quito no fuese una capitanía general. En esta última calidad García de León y Pizarro poseía una autoridad sin precedentes dentro del reino. Ningún otro oficial había ejercido antes el poder militar, político, fiscal y judicial simultáneamente. El patriciado recibió con beneplácito la llegada de García de León –que tuvo lugar en 1778– pues su nombramiento sugería que Quito podría convertirse en una capitanía general independiente y, de esa manera, liberarse de la autoridad de los virreyes de Perú y Nueva Granada. A decir verdad, García de León y Pizarro estableció vínculos tan fuertes con la elite local que su hija Josefa contrajo matrimonio con Juan Josef de Villalengua y Marfil, el oidor más influyente de la Audiencia. García de León y Pizarro también tomó medidas para que su hermano Ramón fuera nombrado gobernador de la provincia de Guayaquil.

El presidente García de León y Pizarro pensaba que su labor comprendía restaurar el bienestar económico de la zona. Tras examinar cuidadosamente las condiciones socioeconómicas del Reino de Quito, que no sólo había padecido el declive económico, sino también grandes daños ocasionados por terremotos que devastaron la sierra a mediados del siglo, García de León y Pizarro admitió, como el patriciado, que el reino necesitaba ayuda. En

25. González Suárez, *Historia general,* II, pp. 1131-1141; McFarlane, "The 'Rebellion of the Barrios'", 1989, pp. 313-330; Andrien, "Economic Crisis", 1990, pp. 125-131; Minchom, *The People of Quito,* pp. 222-232.

una carta a Gálvez fechada el 18 de junio de 1779 el presidente sostenía que la mayor parte de la población de la América española del sur usaba textiles de segunda clase y que la llegada de esos textiles desde Europa, vendidos a precios más bajos, había destruido la industria textil en Quito, una industria que anteriormente abasteciera a la región andina. Cuando los obrajes cerraron, los operarios –muchos de ellos indígenas– se quedaron sin empleo y no pudieron cuidar de sus familias.[26] Tampoco pudieron pagar el tributo y, cuando los funcionarios de la Real Hacienda intentaron cobrar ese impuesto, recurrieron a "motines y levantamientos". El declive económico dentro de la Audiencia creó tal escasez de circulante que "en lugar de moneda corren las *papas* y otras especies semejantes". En la misiva el presidente García de León y Pizarro también afirmaba que la creciente producción de cacao en Guayaquil no podría desarrollarse eficazmente porque carecía de la fuerza de trabajo adecuada. Para finalizar, señalaba que el alto precio del azogue impedía que los empresarios locales de las minas en desarrollo explotaran los depósitos potencialmente lucrativos de oro y plata del reino. Para transformar el "estado de pobreza en la que se hallan estas provincias" proponía que "los paños estrangeros de segunda clase" que llegaban por vía del Cabo de Hornos fueran reducidos a una cuarta parte de su actual número y que las tarifas sobre las importaciones europeas fuesen duplicadas, excluyendo las importaciones españolas.[27] García de León y Pizarro pensaba que estos cambios estimularían la recuperación económica e incrementarían sustancialmente la recaudación de impuestos en el Reino de Quito.

El ministro Gálvez y el Consejo de Indias no se dejaron convencer por la propuesta de García de León y Pizarro. Solicitaron entonces la opinión del visitador del virreinato del Perú Jorge Escobedo, quien a su vez solicitó la asesoría del Consulado de Lima. Esa corporación –un organismo no del todo objetivo– criticó la propuesta de García de León y Pizarro tachándola de ingenua y poco práctica. También declaró que los paños de Quito eran inferiores a telas comparables producidas en Europa y que no eran tan anchos como los textiles extranjeros. Además, el consulado afirmó que el azogue ya escaseaba

26. Sobre la industria textil véase: Miño Grijalva, *La protoindustria.*

27. José García de León y Pizarro al Ministro José de Gálvez, Quito, 18 de junio de 1779 en González Suárez, *Historia general,* II, pp. 1199-1201. Sobre el efecto del "libre comercio" véase Washburn, "The Bourbon Reforms", pp. 107-117, y Tyrer, *Historia demográfica,* pp. 237-260.

para las minas productivas de Perú, Charcas y Nueva España; así pues, no tenía ningún sentido desviarlo a Quito con la esperanza de que sus minas produjeran plata. Para finalizar, subrayó que los esclavos eran demasiado costosos como para trabajar en la provincia de Guayaquil.[28] Así, el Consejo de Indias y el ministro Gálvez rechazaron sumariamente la propuesta de García de León y Pizarro.

La negativa hizo que el presidente de Quito, un político cauteloso, decidiera proteger su carrera tomando otros derroteros. En lugar de apelar la decisión García de León y Pizarro se concentró en la creación de un programa de reformas administrativas, fiscales y militares diseñadas para fortalecer la autoridad real y para incrementar la recaudación del gobierno. El presidente creó una burocracia centralizada que recaudó los impuestos con gran eficacia. Además, estableció tribunales en Quito, Guayaquil y Cuenca. Uno de ellos recaudaba la alcabala, otro destilaba y vendía aguardiente, y el tercero administraba los estancos de tabaco, naipes y pólvora. Estos organismos supervisaban a las oficinas fiscales en sus jurisdicciones y respondían, en última instancia, a la Dirección General de Rentas de Quito. García de León llenó estas oficinas fiscales de parientes y amigos a fin de mantener el control y garantizar la lealtad. El presidente se sirvió de su poder para extraer enormes sumas de dinero bajo la forma de variados impuestos.[29]

> El notorio incremento de las regalías impositivas del reino demostraba la efectividad del nuevo Estado colonial. Los ingresos del tesoro del distrito de Cuenca, donde la reforma tuvo un efecto limitado, crecieron de un magro monto de 65 000 pesos en el periodo 1765-1769 a 526 000 pesos entre 1800 y 1804. Mientras tanto, el flujo impositivo de Guayaquil pasó de unos 250 000 pesos a más de 1 200 00 durante el mismo periodo. Ambas regiones experimentaron un crecimiento económico sustancial en ese periodo, el cual fue administrado con una eficiencia desconocida hasta entonces por el aparato del Estado. El aumento en los ingresos del gobierno fue todavía mayor en el económicamente depresivo altiplano nor-central. Los ingresos de la tesorería de Quito (incentivados por las remisiones

28. González Suárez, *Historia general*, II, pp. 1202-1203, y Andrien, *The Kingdom of Quito*, pp. 192-193.
29. González Suárez, *Historia general*, II, pp. 1205-1215, y Andrien, *The Kingdom of Quito*, pp. 203-210.

> de Guayaquil y Cuenca) se habían elevado de 745 000 luego de la insurrección de Quito (1965-69), a más de 2 500 000 pesos entre 1785 y 1789. ...
>
> Asimismo, entre 1765 y 1769, los ingresos del tributo indígena en Quito ascendían a unos 210 000 pesos, mientras que entre 1780 y 1784 alcanzaron la cifra de casi 530 000, casi 30% del ingreso total recaudado en la tesorería de la Audiencia. En efecto, esas políticas transfirieron la riqueza de la costa y de los pobres grupos alternos al pago de salarios de las elites que desempeñaban tareas burocráticas, no productivas, en la capital.
>
> ... El incremento de los salarios del sector público y las transferencias de pagos del gobierno explican cómo las elites [de Quito] pudieron sostener la afluencia.... En efecto, las reformas del Estado colonial establecidas por García de León y Pizarro promovieron el flujo de los recursos de la costa, del sur serrano y de las comunidades indígenas hacia el consumo de la elites serranas.[30]

García de León y Pizarro también engrosó sustancialmente las fuerzas armadas de la región. Para lograrlo se alió con el virrey de Nueva Granada, Antonio Caballero y Góngora. En un periodo de cuatro años García de León y Pizarro envió desde el depauperado Quito más de un millón de pesos para el asiento de Cartagena. En contraste, su predecesor envió sólo 700 mil pesos en un lapso de once años. El resultado fue que el virrey aprobó la solicitud del presidente para la formación de nuevas fuerzas de milicia para el Reino de Quito. En respuesta a su apoyo, García de León le concedió a la elite el mando sobre esas unidades de milicia. Los aristócratas, con y sin títulos, compraron comisiones como coroneles o tenientes coroneles. Aunque hubo peninsulares que compraron comisiones, fueron los americanos quienes se hicieron de la mayor parte. Su rango dependía de la cantidad pagada. Por ejemplo, el conde de Selva Florida era comandante del Regimiento de Infantería de Quito; Manuel de Villavicencio, hijo del conde del Real Agrado, comandaba la Infantería de Ibarra, y el rico y poderoso comerciante y empresario Jacinto Rodríguez de Bejarano comandaba las fuerzas de Guayaquil con el rango de coronel. Algunos aristócratas con menores recursos compraron comisiones como tenientes coroneles: Joaquín Sánchez de Orellana, hijo del marqués

30. Kenneth J. Andrien, "Soberanía y revolución en el Reino de Quito, 1809-1810" en Roberto Breña (ed.), *En el umbral de las revoluciones hispánicas: el bienio 1808-1810* (México, El Colegio de México, 2010), pp. 318-320.

de Villa Orellana, servía como teniente coronel en Quito, y el muy endeudado Juan Pío de Montúfar, marqués de Selva Alegre, era teniente coronel de la unidad de Ibarra. Burócratas menos prominentes, como los funcionarios de hacienda, sólo pudieron comprar comisiones como tenientes coroneles o capitanes. Según sus caudales, los nuevos oficiales al mando compraron uniformes para muchos de sus hombres, mientras que los oficiales de menor rango contribuyeron con fondos para equipar al resto de las tropas. Para 1783 la milicia del Reino de Quito consistía de dos regimientos de infantería, un regimiento de dragones y una compañía de artillería en Quito; un batallón de infantería en Cuenca; tres compañías de infantería en Guaranda; dos compañías de infantería en Ibarra; dos compañías de infantería en Loja; una compañía de infantería en Ambato, y, en Guayaquil, un batallón de infantería blanco, un batallón de infantería pardo, cuatro compañías de dragones blancos y dos compañías de artillería, una de blancos y otra de pardos.[31]

Estas fuerzas –2 610 hombres en la sierra y 1 540 en la costa– contribuyeron de manera importante a mantener el orden en el Reino de Quito, que permaneció en paz durante la década de 1780, al tiempo que dos grandes levantamientos estallaron en el norte y en el sur: la Revuelta de los Comuneros, en Nueva Granada, y la rebelión de Tupac Amaru en Perú. Las nuevas milicias, que brindaron nuevas distinciones a la elite quiteña, así como fuero militar, aminoraron el resentimiento que los americanos pudieran albergar por el debilitamiento de su influencia. Puesto que el patriciado comandaba ahora las nuevas unidades militares podía proteger sus propiedades ante las revueltas indígenas que habían afectado seriamente las haciendas y los obrajes en años anteriores. En 1803, por ejemplo, el corregidor de Riobamba, Xavier Montúfar, hijo del marqués de Selva Alegre, aplastó una revuelta indígena multitudinaria en el partido con ayuda de las nuevas unidades de milicia de Quito y Guayaquil.[32]

31. Allan J. Kuethe, *Military Reform and Society in New Granada, 1773-1808* (Gainesville, The University of Florida Presses, 1978), pp. 120-127, y Tabla 5 en la página 198. Véase también Christian Büchges, *Familia, honor y poder. La nobleza de la ciudad de Quito en la época colonial tardía (1765-1822)* (Quito, FONSAL Quito, 2007), pp. 194-196.

32. Kuethe, *Military Reform,* 182. Sobre la naturaleza de la revuelta véase Segundo E. Moreno Yañez, *Sublevaciones indígenas en la Audiencia de Quito desde comienzos del siglo XVIII hasta finales de la colonia,* 4ª. ed. (Quito, Ediciones de la Pontificia Universidad Católica del Ecuador, 1995), pp. 297-338.

Cuando José García de León y Pizarro fue promovido al Consejo de Indias en 1784 logró que su yerno, Juan José de Villanueva y Marfil, ocupara la presidencia de Quito. Más adelante Villanueva y Marfil tendría oportunidad de defender a García de León y Pizarro, quien, tras la muerte de su mentor José de Gálvez en 1787, fue acusado de corrupción. Al recibir instrucciones para investigar las actividades de García de León y Pizarro en Quito, el virrey de Nueva Granada Francisco de Gil y Lemus nombró a Fernando de Quadrado y Valdenebro, reconocido por su integridad, para encabezar las pesquisas. El presidente Villalengua y sus seguidores no sólo obstaculizaron su investigación sino que acusaron a Quadrado de liderar una vendetta contra García de León y Pizarro, pero aun así el visitador descubrió una corrupción rampante. Al final el Consejo de Indias decidió suspender el caso contra quien fuera uno de sus miembros y resolvió el conflicto en el virreinato de Nueva Granada transfiriendo a Villalengua a la Audiencia de Guatemala y a Ramón García de León y Pizarro a Salta, en Río de la Plata. Por su parte, el nuevo presidente de la Audiencia, Juan Antonio de Mon y Velarde, recibió instrucciones para restaurar la armonía en el Reino de Quito.[33]

Todos los presidentes que sucedieron a José García de León y Pizarro coincidieron en la deplorable situación económica de la Audiencia de Quito y propusieron soluciones. Juan Villalengua y Marfil (1784-1789) recomendó prohibir la importación a los Andes de cualquier textil que compitiera con los paños de Quito; abolir el acceso privilegiado de Venezuela al mercado de Nueva España para que el cacao de Guayaquil pudiera abastecer al gran virreinato del norte, y auxiliar a los mineros del Reino de Quito. El sucesor de Villalengua y Marfil, Juan Antonio Mon y Velaverde (1789-1791) también consideró que la importación de telas afectaba negativamente la economía de Quito y solicitó la prohibición de las importaciones textiles. Además favoreció la ayuda a los mineros. Sin embargo, desde su perspectiva, el crecimiento extraordinario de los gravámenes era la causa más importante de la decadencia de Quito. "¿Cómo es posible –se preguntaba– continuar con estas exacciones sin la destrucción total de las haciendas, de sus propietarios, y de los indígenas? ¿Y quién pagará entonces el tributo, que es el impuesto más

33. Miguel Molina Martínez, "Conflictos en la Audiencia de Quito a finales del siglo XVIII", *Anuario de Estudios Americanos*, vol. 65, núm. 1 (enero-junio 2008), pp. 153-173.

importante que se recauda en esta caja?" Mon y Velaverde sostenía: "es innegable que éstos [los nuevos impuestos] han debilitado el comercio en esta provincia, dañando así a sus habitantes". Asimismo, insistía en la prohibición de las importaciones textiles y en la ayuda a los mineros. Mon y Velaverde concluía asegurando a la Corona que, si adoptaba sus recomendaciones, la recaudación real aumentaría en una quinta parte en cinco años, "y esta provincia será restaurada a su antiguo esplendor y fama". Su sucesor, Luis Guzman y Muñoz, condujo una cuidadosa evaluación de las necesidades del Reino de Quito y llegó a la misma conclusión que sus predecesores.[34]

El Barón de Carondelet

François-Louis Hector, barón de Carondelet, presidente de la Audiencia de Quito de 1799 a 1807, fue el defensor más acérrimo del reino. Este presidente era un distinguido administrador con amplia experiencia en las Indias; había servido en Guatemala y más tarde en Luisiana, donde no sólo contribuyó al desarrollo económico de la región, sino que también integró exitosamente la antigua cultura francesa con la de la monarquía hispánica. Él y su familia llegaron a Guayaquil en diciembre de 1798 y de ahí continuaron su viaje hacia Quito. Durante el trayecto Carondelet observó cuidadosamente la prosperidad de la costa y la pobreza de la sierra central del norte. La región había padecido una serie de terremotos en 1755, 1757, 1768 y 1773. A Carondelet le impresionó particularmente la inmensa destrucción causada por el sismo del 4 de noviembre de 1797. Este temblor sacudió la sierra del Reino de Quito desde Popayán, en el norte, hasta Loja, en el sur. La villa de Riobamba, relativamente próspera, fue destruida por completo. El movimiento telúrico y los deslaves devoraron pueblos indígenas enteros. Fueron muchas las víctimas tanto en zonas rurales como urbanas. Los muertos y los heridos procedían de todos los grupos sociales; 117 miembros de las familias nobles murieron, 103 de ellos en Riobamba.[35]

34. Washburn, "The Bourbon Reforms", pp. 156-159, cita en las páginas 157-159.
35. Sobre Carondelet véase Marc Fiehrer, *The Baron de Carondelet*. Para un relato detallado del terremoto, véase González Suárez, *Historia general*, II, pp. 1286-1294. Véase también Rosario Coronel Feijóo, "Patrimonialismo, conflicto y poder en la reconstrucción de Riobamba", *Procesos: revista ecuatoriana de historia*, núm. 24 (segundo semestre de 2006), pp. 67-82.

En un intento por restituir el bienestar en las zonas afectadas Carondelet trabajó de cerca con la Audiencia y el ayuntamiento de Quito. El barón solicitó una moratoria sobre el tributo para los indígenas y sobre el pago de la deuda para los hacendados. Aunque la Corona otorgó una moratoria de un año para todo el Reino de Quito, el nuevo presidente insistió en obtener una indulgencia mayor. Con la destrucción masiva de sus poblados resultaba imposible para los indígenas pagar el tributo. Además, personas de todas las clases eran incapaces de pagar la alcabala, o sus deudas. El patriciado, que había comprado las haciendas jesuitas, los obrajes y otras propiedades, tampoco estaba en posición de reanudar el pago de sus adeudos. La moratoria tuvo un éxito limitado; pero con el apoyo de Carondelet la villa de Riobamba fue trasladada a un emplazamiento más seguro y para enero de 1802 ya estaba en funcionamiento. Pese a éste y otros avances la crisis financiera de la sierra central del norte continuó siendo un problema durante años.[36]

El barón de Carondelet era un administrador ilustrado, progresivo y proquiteño. Al final de una larga carrera militar y administrativa Carondelet se abocó al crecimiento y notoriedad del Reino de Quito como si se tratara de una pincelada final a su vida pública. No obstante, la Corona había adoptado una política que minaba el estatus de Quito. A ningún presidente desde García de León y Pizarro le había sido concedido el título de capitán general. En lugar de ello Carondelet se hallaba subordinado al virrey de Nueva Granada, quien comandaba las fuerzas armadas de todo el virreinato en calidad precisamente de capitán general. Quito ya no poseía una Dirección General de Rentas independiente; en cambio, esa autoridad residía en Santa Fe. Además, Quito había perdido el control eclesiástico, jurídico, financiero y militar sobre varias de sus provincias. Pero, pese al debilitado estatus del Reino de Quito, Carondelet estaba decidido a transformar la región de una audiencia secundaria y dependiente a un reino independiente, posiblemente un virreinato, o al menos una capitanía general con su propio consulado.

Para lograr este objetivo el presidente Carondelet buscó el consejo y el apoyo de la elite quiteña, en particular de los nobles. Juan Pío Montúfar y Larrea, marqués de Selva Alegre, pronto se convertiría en su confidente.

36. Fiehrer, *The Baron de Carondelet*, II, pp. 620-621. Véase también Carlos Manuel Larrea, *El Barón de Carondelet. XXIX Presidente de la Real Audiencia de Quito* (Quito, Corporación de Estudios y Publicaciones, s.f.), pp. 55-67, y Coronel Feijóo, "Patrimonialismo, conflicto y poder", pp. 67-82.

Montúfar y Larrea era un miembro prominente de un grupo de individuos ilustrados que, durante las décadas de 1780 y 1790, establecieron la "Sociedad Económica de Amigos del País" y fundaron el periódico *Primicias de la Cultura de Quito*, introdujeron reformas en la educación y fomentaron la ciencia y la tecnología. Selva Alegre, a su vez, era patrón de intelectuales como Francisco de Santa Cruz y Espejo y José Mexía Lequerica, además de albergar a científicos internacionales como Alexander von Humboldt en su hacienda de Los Chillos, unos cuantos kilómetros al oeste de Quito.[37] Carondelet se unió a Selva Alegre y a sus amigos en las reuniones celebradas en la hacienda del marqués en Los Chillos. La amistad floreció y el barón de Carondelet comenzó a visitar la hacienda de Selva Alegre por largos periodos.

Aunque no existen registros de las conversaciones que sostuvieron Carondelet, Selva Alegre y sus amigos, resulta evidente, por sus acciones, que habrían charlado sobre el declive económico y político del Reino de Quito y sobre las formas de mejorar la situación. El barón de Carondelet concluyó que la economía obrajera nunca se recuperaría y que Quito debía entonces diversificar su producción y sus mercados de exportación. Carondelet pensaba que el reino podría producir tabaco, azúcar, algodón, granos, frutas y vegetales que podían comercializarse en las regiones mineras de Chocó, en el noroeste. Desde su perspectiva, toda la costa, desde Esmeraldas hasta Panamá, sería más asequible desde Quito de construirse un camino por la vía de Malbucho, y no desde Santa Fe o Popayán, que estaban separadas de la costa por altas montañas. El barón también creía que el camino a Guayaquil debía mejorarse para facilitar el comercio entre la capital y aquella ciudad porteña. Así pues, inició las obras para los caminos en 1801 y 1802, pero el progreso fue lento, ya que no recibió los fondos que solicitó del virrey de Nueva Granada y de Madrid.[38]

37. Ekkehart Keeding, *Surge la nación. La ilustración en la Audiencia de Quito* (Quito, Banco Central del Ecuador, 2005), pp. 515-568; Robert Jones Shafer, *The Economic Societies of the Spanish World (1763-1821)* (Syracuse, Syracuse University Press, 1958), pp. 168-177. Sobre el pensamiento de Espejo véase Arturo Andrés Roig, *Humanismo en la segunda mitad del siglo XVIII* (Quito, Banco Central del Ecuador y Corporación Editora Nacional, 1983); Carlos E. Freile (ed.), *Eugenio Espejo: Precursor de la independencia (Documentos 1794-1797)* (Quito, FONSAL, 2008), y Plutarco Naranjo y Rodrigo Fierro (eds.), *Eugenio Espejo: Su época y su pensamiento* (Quito, Universidad Andina Simón Bolívar, 2008).

38. Larrea, *El Barón de Carondelet*, pp. 83-101.

A lo largo de los años el presidente Carondelet ofreció una serie de propuestas para mejorar el Reino de Quito. La más importante de ellas fue una memoria extensa y bien documentada en la que Carondelet presentaba su programa de regeneración de la Audiencia de Quito, una propuesta muy cercana a los deseos expresados por el patriciado del reino. Carondelet sostenía que la pobreza de Quito se debía a que los intereses del reino se habían visto obstaculizados por Nueva Granada y Perú. Sin embargo, Quito no era un país pobre; era más bien una "Sicilia Americana" cuyos habitantes "están dotados de todos los talentos". Quito, afirmaba el barón, estaba en una excelente posición para abastecer a la "tierra riquísima de Chocó", próspera en minas pero que carecía de los recursos básicos, incluidos los alimentos. Además, "Panamá, que carece de los principales ramos" podría recibir productos de entre los copiosos recursos de Quito. Por otra parte, el Reino de Quito habría mejorado mucho una vez liberado de la carga del situado para Cartagena, que consumía cientos de miles de pesos en moneda de un reino con un limitado capital para la inversión. De ahí que el Barón insistiera en que los antiguos territorios como Mainas y Jaén le fueran devueltos al Reino de Quito; en que éste se convirtiera en una capitanía general; en que sus fuerzas armadas se incrementaran para lidiar con las amenazas internas y externas; en que se estableciera un consulado; en que Quito recuperara su plena autonomía sobre Guayaquil, y en que se asignaran fondos para llevar a cabo todos estos proyectos.[39]

Cuando, hacia el final de su vida, la Corona rechazó sus formidables planes para el Reino de Quito, Carondelet buscó solaz en su cercana amistad con los nobles de la capital. Más tarde, sin duda, las reuniones en Los Chillos versarían en torno a la irresponsabilidad del gobierno en España. A principios de 1807 Carondelet, que se encontraba enfermo, se retiró a Los Chillos para descansar y le pidió a Selva Alegre ser testigo de su última voluntad y testamento. Poco después murió en la hacienda del marqués. La muerte del barón de Carondelet alimentó el resurgimiento de un clima de alarma y desconfianza en el Reino de Quito, en particular porque su sucesor, el conde Ruiz de

39. "Comunicación importante del Presidente de Quito, Barón de Carondelet, en la que propone los medios para restablecer las Provincias de Quito del estado de terrible decadencia en que se hallaban" en Larrea, *El Barón de Carondelet*, pp. 173-188. Véase también Demetrio Ramos Pérez, *Entre el Plata y Bogotá. Cuatro claves de la emancipación ecuatoriana* (Madrid, Ediciones Cultura Hispánica, 1978), pp. 148-165.

Castilla, era un hombre débil de ochenta y cuatro años "que asumió su puesto en Quito como una especie de retiro",[40] y porque la Audiencia se había visto reducida por desgaste a tres oidores belicosos. Ahora, la elite quiteña, que ya no tenía acceso privilegiado a la más alta autoridad en el territorio, se veía a sí misma explotada por los funcionarios y los comerciantes peninsulares.

La depresión económica, así como la pérdida de autoridad y estatus, generó un importante descontento entre la elite del reino y acrecentó las tensiones políticas y sociales a principios del siglo XIX. En la capital los americanos y los peninsulares competían animosamente por las oportunidades de negocio, los empleos en el gobierno y los honores. Las noticias del dominio napoleónico en Europa, así como los rumores sobre la decadencia y la corrupción de la Corte en Madrid, y en particular el descontento generalizado que suscitaba el ministro Manuel Godoy, preocupaban y atemorizaban a los habitantes del reino. En la próspera provincia de Guayaquil los productores y exportadores locales de cacao y otros productos, extenuados por el predominio y por lo que ellos consideraban la explotación por parte de los grandes comerciantes de Lima y su consulado, temían que las guerras europeas perjudicaran aún más sus actividades.

La Revolución de Quito de 1809

Pese a su enfado ante las reformas instauradas por la Corona, reformas que minaban sus intereses económicos, los habitantes del Reino de Quito respondieron a la crisis de la monarquía con gran patriotismo y arrojo. Los quiteños reconocieron a Fernando VII como su legítimo y amado rey, repudiaron a Napoleón, contribuyeron con fondos para respaldar la guerra en la Península y se prepararon para defender a la nación de los opresores franceses. La ciudad de Quito, por ejemplo, recibió las siguientes noticias el 6 de octubre de 1808:

40. Según el obispo José Cuero y Caicedo: "El presidente no hace otra cosa que cultivar el jardín y cocinar su comida por las mañanas. Las tardes las ocupa en el juego de suerte y azahar, que mantiene en su palacio. Las noches va a sostener iguales destructivos en la casa del regente, Don José González Bustillos, el que amanece en estas delincuentes diversiones con dispendio del tiempo que necesita para el estudio y despacho de las obligaciones judiciales". Navarro, *Revolución de Quito*, p. 43.

> Napoleón Bonaparte, Emperador de los franceses tiene prisioneros a Nuestro Rey y Señor Natural el Señor Don Fernando Septimo, con su Real Familia ... [El] Ayuntamiento ... penetrado de los mas justos sentimientos de su amor, y lealtad por la Religión, la Soberanía de su Rey, y la Patria, da sus mas vehementes muestras, sin excusar la de sacrificar sus vidas y haziendas ... Por ahora no puede dilatar la de hacer que entienda el Mundo, que esta fidelisima Ciudad no reconoce, ni reconocera otro Soberano, que al Señor Don Fernando Septimo, aunque sea a costa de la ultima gota de la sangre de sus venas, que derramaría con la mayor Gloria ...[41]

Las capitales de las demás provincias del reino reaccionaron con igual patriotismo.

El marqués de Selva Alegre invitó a un grupo de individuos –allegados y parientes suyos– a reunirse con él en Los Chillos el 25 de diciembre de 1808. Entre ellos se contaban don Nicolás de la Peña, don Francisco Javier Ascásubi y don Pedro Montúfar, hermano del marqués; el doctor José Luis Riofrío, el cura local; el capitán Juan Salinas, y los abogados doctores Juan de Dios Morales, Manuel Rodríguez de Quiroga, Antonio Ante y Juan Pablo Arenas. Es muy probable que estos hombres hablaran sobre las derrotas que las fuerzas españolas sufrían a la sazón en la Península y sobre el hecho de que en España se formaran juntas de gobierno. Es más que probable que se quejaran del gran contraste entre el interés que había mostrado el barón de Carondelet por el bienestar del reino y la falta total de preocupación mostrada por el presidente Ruiz de Castilla, quien dedicara su tiempo a cuidar de su jardín, comer y jugar a las cartas con sus compinches, todos ellos peninsulares.[42] Según el posterior testimonio de Rodríguez de Quiroga, el grupo también habló sobre la necesidad de establecer una junta de gobierno con el fin de resguardar Quito para el rey Fernando VII, en caso de que los franceses conquistaran España. Estas cuestiones se estaban planteando en toda la América española. El debate en Quito, empero, también estaba fuertemente influenciado por el deseo de retirar a Ruiz de Castilla de su puesto y reemplazarlo con alguien que representara

41. "Actas del Consejo, 1808", Archivo Municipal de Quito (en adelante amq), ff. 30v-31r. Véase también Jaime E. Rodríguez O., "El Reino de Quito, 1808-1810" en Manuel Chust (coord.), *1808. La eclosión juntera en el mundo hispano* (México, Fondo de Cultura Económica, 2007), pp. 162-191.

42. Ramos Pérez, *Entre el Plata y Bogotá*, pp. 171-172.

los intereses de Quito. Si bien los historiadores patriotas afirman que estos hombres planearon la "revolución" en esa junta decembrina, no existe más evidencia para demostrarlo que las acusaciones formales que se levantaron contra ellos más adelante.[43] Resulta muy poco probable que los miembros del grupo elaboraran un plan concreto para hacerse del gobierno, como algunos historiadores sostienen.[44]

Más tarde, algunos de quienes participaron en la reunión de Navidad en Los Chillos expresaron públicamente sus opiniones sobre la necesidad de establecer una junta similar a las que se estaban formando en España. Fueron denunciados ante las autoridades y Selva Alegre, Rodríguez de Quiroga, Morales, Salinas, Riofrío y Peña fueron arrestados en marzo de 1809. Rodríguez de Quiroga presentó una excelente defensa en la que demostraba que la transferencia de la Corona a Napoleón era ilegal, que en ausencia del rey la soberanía recaía sobre el pueblo, y que Quito, como las provincias de España, tenía el derecho y la responsabilidad de formar una junta para defender la Sagrada Fe, al rey y a la patria ante los franceses. Además de fundar su defensa en la teoría política hispánica tradicional, Rodríguez de Quiroga afirmó que Fernando VII había enviado una carta desde Bayona en la que solicitaba "a todos mis pueblos se esfuercen en sostener los derechos de su independencia y religion contra el enemigo…". Puesto que Quito era uno de los reinos del monarca, tenía tanto derecho como Asturias para establecer una junta de gobierno.[45] Aunque el alegato de Rodríguez de Quiroga era excelente, no logró su liberación. En cambio, el marqués de Selva Alegre recurrió a sus influencias para convencer al presidente Ruiz de Castilla de garantizar una absolución.[46]

43. Manuel María Borrero, *La Revolución quiteña, 1809-1812* (Quito, Editorial Espejo, 1962), pp. 21-22.
44. Jacinto Jijón y Caamaño, *Influencia de Quito en la Emancipación del continente americano* (Quito, Universidad Central, 1924), pp. 12-13.
45. M. Clemente Ponce (coord.), "Alegato de [Rodríguez de] Quiroga presentado en el primer juicio iniciado contra los próceres en febrero de 1809", *Memorias de la Academia Ecuatoriana correspondiente a la Real Española*, núm. extraordinario (1922), pp. 62-100. Para la carta del rey véase Ramos Pérez, *Entre el Plata y Bogotá*, pp. 182-184. Véase también Federica Morelli, "La revolución en Quito. El camino hacia el gobierno mixto", *Revista de Indias*, vol. LXII, núm. 225 (mayo-agosto, 2002), pp. 335-356.
46. Carlos de la Torre Reyes, *La Revolución de Quito del 10 de agosto de 1809*, 2ª ed. (Quito, Banco Central del Ecuador, 1990), pp. 181-196. José Gabriel Navarro sugiere que el conde Ruiz de Castilla aceptó "una fuerte suma de dinero" para obtener la absolución. *La Revolución de Quito del 10 de agosto de 1809* (Quito, Plan Piloto del Ecuador, 1962), p. 49.

Las noticias sobre las victorias españolas, llegadas en marzo, abril y mayo de 1809, regocijaron por un tiempo a los habitantes del reino. Guayaquil, Quito, Cuenca y otras ciudades, villas y pueblos hicieron "rogativas públicas *en acción de gracias* por las victorias que las *armas* españolas de la Patria madre, *han conseguido* contra el Emperador de los *franceses*".[47] Al mismo tiempo, se tuvo conocimiento sobre la formación de la Junta Suprema Central y Gubernativa del Reino, una nueva que alimentó el sentimiento de que la situación en la Península mejoraba. Durante este periodo las ciudades, villas y pueblos del Reino de Quito celebraron ceremonias públicas para reconocer la autoridad de la Junta Central y para expresar su apoyo al nuevo gobierno de la monarquía española. A principios de marzo Quito celebró "despues de una Misa solemne en las manos del ilustrisimo Señor Obispo... el Juramento de reconocimiento a la Junta Suprema" en la catedral, en ceremonias a las que asistieron el presidente de la Audiencia, los oidores, el ayuntamiento, el clero, la nobleza y otros grupos. A finales del mes Cuenca organizó ceremonias afines. En los primeros días de mayo el ayuntamiento de Guayaquil juró obediencia a la Junta Central Gubernativa del Reino y juró defender "nuestra sagrada religión católica, apostólica romana ...; nuestro Soberano augusto ...; nuestros derechos, fueros, leyes y costumbres ...".[48]

En apariencia, el establecimiento de la Junta Central ofreció una solución a la crisis de la monarquía. Ese organismo no sólo reconoció los derechos de las provincias de España sino que convino también en que los reinos americanos constituían partes integrales y análogas de la monarquía. El 22 de enero de 1809 la Junta Central decretó que cada uno de los reinos de América podría elegir a un representante ante ese organismo. Puesto que la Audiencia de Quito no era una capitanía general independiente, las ciudades y villas del Reino de Quito –Popayán, Pasto, Ibarra, Quito, Riobamba, Cuenca y Loja– participaron en las elecciones del virreinato de Nueva Granada. Guayaquil, que el virrey del Perú dispuso arbitrariamente bajo su control, participó en las elecciones de ese reino.

47. "Actas del Cabildo Colonial de Guayaquil, 1807-1810", Archivo de la Biblioteca Municipal de Guayaquil (en adelante ABMG), ff. 121-123; "Actas del Consejo, 1809-1814", AMQ; Juan Chacón Zh. (coord.), *Libro de Cabildos de Cuenca (1806-1810)*, 2 vols. (Cuenca, Banco Central del Ecuador, 1991), I, pp. 400-404.

48. Actas del Cabildo Colonial de Guayaquil, 1807-1810", ABMG, ff. 128-129.

El ayuntamiento de Quito se reunió el 9 de junio de 1809 para elegir a su representante ante la Junta Central. Pedro de Montúfar, capitán de milicias y alcalde de primer voto, declaró: "aunque en la Ciudad hay muchos sugetos capases y dignos del empleo que se trata", había tres "sugetos naturales" que ya se encontraban en la Penínula –el conde de Puñonrostro, un grande de España, y dos oficiales militares jóvenes, hijos de nobles quiteños, Carlos Montúfar y Larrea y José Larrea y Jijón– y, por ende, Pedro de Montúfar votó por ellos. Casi todos los miembros del ayuntamiento estuvieron de acuerdo. Sus nombres fueron colocados "en una Jarra de China" y un niño de siete años, Antonio Albufa, tomó el nombre de José Larrea y Jijón.[49]

Aunque satisfechos de haber participado en la elección de un diputado para un gobierno de la monarquía española entera –la Junta Central–, los líderes de Quito se desconcertaron por no habérseles permitido elegir a su propio diputado. En esencia, Quito se consideraba a sí mismo un reino autónomo, incluso si aún no se le había otorgado el estatus de capitanía general independiente. La ciudad se quejó amargamente de que "retirado en un rincón de la Tierra no tenía quien sostuviera sus esperanzas, quien disipase sus temores ni quien tomase medio alguno para defenderlo".[50]

Las tensiones entre peninsulares y americanos habían crecido progresivamente desde finales de 1808. Ambos grupos temían que sus intereses se vieran amenazados por los acontecimientos en curso. Incluso antes de las elecciones a la Junta Central, en enero, durante las elecciones para el ayuntamiento de 1809, el español Pedro Muñoz había tomado protesta "en nombre de su nación" porque ningún peninsular había resultado electo. El arresto de Selva Alegre, Rodríguez de Quiroga y los demás por los cargos de conspiración para formar una junta autónoma parecían confirmar los peores miedos de los peninsulares. Conforme llegaron noticias sobre las victorias francesas en España tanto peninsulares y americanos se convencieron de que España

49. "Actas del Consejo, 1809-1814", amq, ff. 23-24v. Sobre las elecciones a la Junta Central véase Jaime E. Rodríguez O., *La revolución política durante la época de la independencia. El Reino de Quito, 1808-1822* (Quito, Universidad Andina Simón Bolívar y Corporación Editora Nacional, 2006), pp. 65-70 y 134-138, y Ángel Rafael Almarza Villalobos y Armando Martínez Garnica (eds.), *Instrucciones para los diputados del Nuevo Reino de Granada y Venezuela ante la Junta Central Gubernativa de España y las Indias* (Bucaramanga, Universidad Industrial de Santander, 2008), pp. 9-48 y pp. 145-165.

50. "Manifiesto del pueblo de Quito", *Boletín de la Sociedad Ecuatoriana de Estudios Históricos Americanos*, II, núm. 6 (mayo-junio de 1919), p. 430.

sería conquistada por Napoleón. Muchos temían que Ruiz de Castilla aceptara el gobierno francés con tal de mantener su puesto. Entre la comunidad peninsular había muchos convencidos de que los quiteños planeaban aprovechar la situación en el continente, cada vez más difícil, como pretexto para retirar a los funcionarios peninsulares y afirmar su autonomía. En este clima de desconfianza, corrieron rumores según los cuales algunos chapetones, incluidos algunos funcionarios reales, pretendían asesinar a la nobleza de Quito el 19 de agosto de 1809 con el propósito de prevenir el establecimiento de una junta autónoma en Quito.[51]

Los profesionistas de "clase media", que habían asistido a la reunión navideña en Los Chillos y que temían ser arrestados de nuevo, decidieron entrar en acción. Aunque quizás estuvieran en contacto con nobles de pensamientos afines estos últimos no participaron activamente en esta fase del movimiento. Los abogados Morales y Rodríguez de Quiroga convocaron a reuniones el 7 y el 8 de agosto de 1809 para organizar el retiro de Ruiz de Castilla de su cargo y el establecimiento de una junta de gobierno. El capitán Salinas era clave para el éxito del movimiento: Salinas era un oficial con gran experiencia y comandante de una compañía de infantería en Quito, cuya tarea sería tomar el mando de toda la guarnición de Quito para que el presidente y otras autoridades pudieran ser depuestos rápidamente y sin violencia.[52] Aunque no contamos con los detalles de las deliberaciones sostenidas, del proceder de estos hombres se deriva evidentemente que querían controlar

51. Robert L. Gilmore, "The Imperial Crisis, Rebellion, and the Viceroy: Nueva Granada in 1809", *Hispanic American Historical Review*, vol. 40, núm. 1 (febrero de 1960), pp. 8-9; "Actas del Consejo, 1809 a 1814 (9 de enero de 1809), AMQ. Este clima de desconfianza ocurría en toda la América española. En Nueva España, por ejemplo: "Una especie de neurosis se apoderó de la población ... Los españoles europeos, los gachupines, pensaron que habían descubierto maquinaciones diabólicas que presagiaban el genocidio contra la minoría que conformaban ... Los criollos abrigaban pensamientos semejantes de atrocidades ... planeadas en contra de su clase por los gachupines asociados con invasores franceses, ingleses o estadounidenses. A todo lo largo y ancho de la Nueva España los criollos discutían acerca de las acciones colectivas que deberían tomar en contra de la traición de los gachupines con los franceses ateos, o los ingleses herejes... Los indios, los mestizos y otros grupos de ascendencia racial mesclada advertían mayores calamidades en puerta". Christon I. Archer, "Bite of the Hydra: The Rebellion of Cura Miguel Hidalgo, 1810-1811" en Jaime E. Rodríguez O. (comp.), *Patterns of Contention in Mexican History* (Wilmington, SR Books, 1992), p. 73.

52. "De los Procesos seguidos contra los Patriotas del 10 de Agosto de 1809: Confesión del doctor don Juan Pablo Arenas, abogado de la Real Audiencia", *Museo Histórico*, II, núm. 6 (agosto 10 de 1950), pp. 30-38; "De los Procesos seguidos contra los Patriotas del 10 de Agosto de 1809: Confesión del Dr. Manuel Rodríguez de Quiroga, Abogado de esta Real Audiencia", *Museo Histórico*, II, núm. 5 (mayo 24 de 1950), pp. 18-40. Véase también Andrien, "Soberanía y revolución en el Reino de Quito", pp. 313-334.

la intervención de la "plebe" de los barrios populares en el movimiento. Sin duda, los conspiradores temían que se repitiera la rebelión de 1765.[53] La breve Acta Constitutiva, promulgada el día 10, indicaba que:

> Nos, los infrascritos diputados del pueblo, atendidas las presentes críticas circunstancias de la nación [¿ española?], declaramos solemnemente haber cesado en sus funciones los magistrados actuales de esta capital y sus provincias; en su virtud, los del barrio del Centro o Catedral, elegimos y nombramos por representantes a él a los Marqueses de Selva Alegre y de Solanda, ... Los del barrio de San Sebastián elegimos y nombramos por representante de él a don Manuel Zambrano, ... Los del barrio de San Roque elegimos y nombramos por representante de él al Marqués de Villa Orellana, ... Los del barrio de San Blas elegimos y nombramos por representante de él a don Manuel de Larrea, ... Los del barrio de Santa Barbara elegimos y nombramos por representante de él al Marqués de Miraflores, ... Los del barrio de San Marcos elegimos y nombramos por representante de él a don Manuel Matheu ... Declaramos que los antedichos individuos con los representantes de los Cabildos de las provincias sujetas actualmente a esta gobernación y las que se unan voluntariamente a ella en los sucesivo, como son Guayaquil, Popayán, Pasto, Barbacoas y Panamá ... compondrán una Junta Suprema que gobernará interinamente a nombre y como representante de nuestro legítimo soberano, el señor don Fernando Séptimo, y mientras su Magestad recupere la Península o viniera a imperar en América y elegimos y nombramos por Ministros Secretarios de Estado a don Juan de Dios Morales, don Manuel [Rodríguez de] Quiroga y don Juan de Larrea, al primero, para el despacho de Negocios extranjeros y de Guerra, el segundo, de Gracia y Justicia y al tercero, de Hacienda; los cuales como tales serán

53. Más tarde, en 1813, cuando se introdujo la Constitución de Cádiz, el ayuntamiento de Quito expresó su temor por la naturaleza revolucionaria del documento constitucional y urgió a "que se tomasen las precauciones convenientes a fin de evitar toda intervención popular en las elecciones". Además pidió que "se suspendiesen todos aquellos artículos [de la Constitución] relativos a la elecciones de los Pueblos", así como la participación popular en las elecciones al ayuntamiento constitucional, diputado a Cortes, y diputado de Provincia. AMQ, "Actas de Consejo, 1809-1814" (18 de mayo de 1813), ff. 167-168. Según el fiscal del Perú había "testimonio para acreditar que aquel Ayuntamiento [el de Quito] no se opuso a la publicación de la Constitución y que lo único que resistió fue la reunion del Pueblo para las elecciones...", Fiscal del Perú a Consejo [de Indias], Madrid, 2 de agosto de 1816, Archivo General de Indias: Quito, leg. 275.

individuos natos de la Junta Suprema ... El Jefe de la falange será Coronel y nombramos como tal a Don Juan Salinas ...[54]

Está claro que el Acta intentaba dar la impresión de que los organizadores consultaron a los residentes de los barrios. Pero, puesto que una junta general para granjearse un amplio apoyo popular entre la plebe habría descubierto la conspiración prematuramente y habría resultado quizás en acciones espontáneas, en particular los barrios populares de San Roque, San Sebastián y San Blas, acciones que los organizadores no habrían sido capaces de controlar, los conspiradores parecen haber contactado a pequeños grupos de vecinos que estaban de acuerdo con ellos y que firmaron poderes para nombrar a los representantes ante la Junta Suprema Gubernativa de Quito.[55] Aunque los nobles fueron designados a la Junta de Representantes, Morales, Rodríguez de Quiroga y Larrea habrían de ocupar altos puestos en el nuevo gobierno y Salinas debía ser ascendido a coronel y puesto al mando del ejército.

Los conspiradores se reunieron de nuevo en la tarde del 9 de agosto para llevar a cabo el plan. Salinas, quien claramente se había granjeado el apoyo de unos cuantos oficiales y tropas, acudió al cuartel general para tomar ahí el control de las fuerzas armadas. Tras ganarse a numerosos efectivos y oficiales arrestó a los jefes Joaquín Villaespesa y Bruno Rezua y asumió el mando de lo militar. Cuando esto se hubo cumplido Salinas informó a los demás conspiradores, que esperaban ansiosos las noticias. Más tarde, en la mañana del 10 de agosto, Ruiz de Castilla fue despertado y se le notificó que había sido depuesto de su cargo y que un nuevo gobierno había sido establecido. También se informó a los nobles electos a la Junta sobre su

54. El Acta es citada en Torre Reyes, *La Revolución de Quito*, pp. 208-209. Véase también Carlos Landázuri Camacho, "Las primeras juntas quiteñas" en Bustos y Martínez, *La independencia en los Países Andinos*, pp. 95-104.

55. Los poderes se publicaron en: Roberto Andrade, *Historia del Ecuador*, 7 vols. (Guayaquil, Editores Reed & Reed, s.f.), II, pp. 417-426. Desafortunadamente, los poderes y las listas de los integrantes, hombres y mujeres, y miembros del clero se incluyen sin hacer ninguna distinción. Esto nos hace poner en duda la fiabilidad de esos poderes. Si bien historiadores como Andrade, en *Historia del Ecuador;* Borrero en *La Revolución quiteña*; Alonso Valencia Llano, en "Elites, burocracias, clero y sectores populares en la independencia quiteña", *Procesos. Revista Ecuatoriana de Historia*, núm. 3 (segundo semestre de 1992), pp. 55-95, y Black en *The Limits of Gender Domination*, pp. 182-186, sostienen que los sectores populares participaron en el movimiento, existe poca evidencia que lo demuestre en el caso de la revolución de 1809.

nuevo estatus. Se envió a un mensajero para notificar al marqués de Selva Alegre, que se hallaba en su hacienda Los Chillos, sobre los acontecimientos. Al mismo tiempo el coronel Salinas envió unidades armadas para arrestar a oficiales de alto rango que eran peninsulares. El golpe se llevó a cabo con eficacia y sin derramamiento de sangre.[56] Y también se llevó a cabo sin consultar a los líderes de las demás regiones del reino.

Se proclamó un nuevo gobierno, compuesto por el marqués de Selva Alegre como presidente; el obispo José Cuero y Caicedo como vicepresidente, y por una junta de miembros notables de la elite de Quito, incluidos muchos nobles. Esta nueva institución, constituida enteramente por americanos, declaró en el Manifiesto de la Junta Suprema de Quito al Público que la Junta Central había sido "verdaderamente extinguida" y que, por ende, era necesario establecer un gobierno para defender la Sagrada Fe, al rey y a la patria.[57] Más tarde, reafirmó su derecho a representar al pueblo del Reino de Quito declarando que: "las imperiosas circunstancias le hán forzado a asegurar los Sagrados intereses de su Religión, de su Príncipe y de su Patria", y procedía a enumerar los agravios del pueblo de Quito: los españoles tenían "todos los empleos en sus manos"; los criollos "han sido mirados con desprecio y tratados con ignominia ... La Nación Española devastada, oprimida, humillada y vendida al fin por un indigno *Favorito* vio arrebatar de entre sus brazos a un joven Monarca". Además, los peninsulares de Quito habían declarado "que si la España se sugetaba a Bonaparte, sería preciso que la América hiciese lo mismo". En consecuencia, Quito "Juró por su Rey y Señor a Fernando VII, conservar pura la Religión de sus Padres, defender, y procurar la felicidad de la Patria, y derramar toda su sangre por tan sagrados y dignos motivos".[58]

La Junta Suprema de Quito gobernó cerca de tres meses durante los cuales buscó el apoyo público en la capital organizando celebraciones e instrumentando reformas económicas limitadas. La Junta redujo algunos impuestos sobre las propiedades y el costo del papel sellado, abolió muchas deudas, eliminó los estancos de tabaco y de aguardiente, y puso fin al situado para Cartagena. Aunque los cambios fueron del agrado de la plebe, las acciones

56. Torre Reyes, *La Revolución de Quito*, pp. 207-214.
57. "Manifiesto de la Junta Suprema de Quito" en Ponce Ribadeneira, *Quito 1809-1812*, pp. 136-139.
58. "Manifiesto del Pueblo de Quito" en Ponce Ribadeneira, *Quito 1809-1812*, pp. 142-144. Las cursivas se encuentran en el original.

beneficiaron principalmente a las elites. Las propiedades de los nobles y de otros miembros de la clase alta tenían elevadas hipotecas y estaban sujetas a fuertes gravámenes. Los monopolios se consideraban una carga irracional sobre los productores y los consumidores, y el situado era un gran lastre que no hacía sino extraer el circulante de Quito.[59] Éstas no fueron las únicas vías por las que la elite quiteña defendió sus intereses. La Junta le otorgó al presidente Selva Alegre un salario de 6 000 pesos; los salarios de otros funcionarios, la mayoría de ellos miembros de la elite, oscilaban entre los 2 000 y los 1 000 pesos. La Junta Suprema también ordenó la remoción de los gobernadores de Popayán, Cuenca y Guayaquil y nombró a parientes, como Javier Montúfar, hijo del presidente, y a otros miembros influyentes de la elite para ocupar estos puestos. Además, el establecimiento de nuevos ayuntamientos en pueblos como Guaranda y Otavalo brindó oportunidades de empleo a individuos como José de Larrea, el primo del presidente, y José Sánchez, hijo del marqués de Villa Orellana.[60] Todos estos nuevos funcionarios recibieron generosos salarios.

Las acciones tomadas por la Junta provocaron el distanciamiento de las demás provincias del reino. El desencuentro se agravó cuando la Junta decidió poner en marcha el plan de Carondelet para incorporar la región costera al norte de Esmeraldas y hasta Panamá al Reino de Quito. Al hacerlo, la economía y la autoridad política de Popayán, que controlaba el comercio con estas prósperas regiones de la costa, se habrían visto afectadas, y además se puso en riesgo el predominio de Guayaquil sobre la costa del Reino de Quito. Los gobernadores de Popayán, Guayaquil y Cuenca –a los que la Junta Suprema ordenó separarse del cargo– organizaron fuerzas armadas para someter a los insurgentes de la capital. Los virreyes de Nueva Granada y Perú se alistaron para emprender grandes ataques. Además, Latacunga, Ambato, Riobamba y Guaranda se rebelaron contra la Junta Suprema, pese a que el nuevo gobierno les había otorgado un mejor estatus. Los habitantes de Quito, que habían sido excluidos en gran medida del movimiento, mostraron escasa propensión a defender al nuevo gobierno. Aislada y sitiada por

59. Véase: Jaime E. Rodríguez O., "Revolución de 1809: Cinco cartas de un realista anónimo" en *ARNAHIS. Órgano del Archivo Nacional de Historia*, núm. 19 (1973), pp. 57-58; Torre Reyes, *La Revolución de Quito*, p. 231; y Ramos Pérez, *Entre el Plata y Bogotá*, pp. 174-178.

60. Rodríguez O., "Revolución de 1809: Cinco cartas", 1973, pp. 61-62 y p. 73.

fuerzas hostiles la Junta se dividió en facciones. Selva Alegre renunció y los demás miembros decidieron reinstaurar a Ruiz de Castilla en su puesto. El 24 de octubre de 1809 la Junta llegó a un acuerdo con el presidente depuesto; el acuerdo permitía al presidente retomar su cargo y absolvía a los miembros de la Junta de todos los cargos que se derivaran de sus actos. El 2 de noviembre, Ruiz de Castilla restableció los impuestos y los estancos.[61]

El siguiente mes, tras la disolución de las fuerzas de la Junta Suprema, tropas de Lima ocuparon la ciudad y unidades de otras provincias se apostaron en los alrededores. El 4 de diciembre de 1809 las fuerzas del virrey de Perú arrestaron a los líderes de la Junta, así como a los soldados que los apoyaron. El fiscal Tomás Aréchaga, antiguo seguidor de Selva Alegre, luchó por condenar a pena de muerte a 46 de los acusados y por el exilio perpetuo para el resto. No obstante, el presidente Ruiz de Castilla decidió transferir los procesos a Santa Fe para que el virrey juzgara el caso.[62]

Queda claro que la Revolución de Quito en 1809 no fue un movimiento de independencia –es decir, de separación respecto de la monarquía española–. Los habitantes de Quito mostraron gran lealtad cuando tuvieron noticia de que Napoleón había invadido España, obligado a sus gobernantes a transferirle la Corona, y entregado la monarquía española a su hermano José. Como todos los demás reinos de España y América, Quito estaba decidido a repudiar a los franceses y a proteger su propia religión, a su rey y su patria. Sin embargo, la crisis también ofreció al patriciado de Quito la oportunidad de buscar un estatus de autonomía dentro de la monarquía española compuesta, así como de adoptar políticas para impulsar sus intereses económicos. Después de un siglo de deterioro económico y político, los líderes quiteños trataron de alcanzar la meta, largamente buscada, de convertirse en un reino independiente dentro de la monarquía española. En el proceso intentaron controlar la valiosa costa que iba desde Esmeraldas hacia Panamá, en el norte. También estuvieron dispuestos a fortalecer sus intereses económicos cancelando sus deudas y haciéndose de puestos de gobierno bien pagados.

61. "Acusación del Fiscal Tomás de Aréchega, en la causa seguida contra los Patriotas del 10 de Agosto de 1809", *Museo Histórico*, vol. VI, núm. 19 (marzo de 1954), pp. 37-65. Véase también Coronel F., "La contra-revolución de Riobamba", pp. 105-111, y Ponce Ribadeneira, *Quito, 1809-1812*, pp. 136-141.

62. Ponce Ribadeneira, *Quito 1809-1812*, pp. 139-189, y Navarro, *Revolución de Quito*, pp. 79-159.

El proyecto, empero, estaba condenado por la visión provinciana de los líderes quiteños. Estos hombres sólo involucraron a la mayoría de los habitantes de la ciudad de Quito de formas marginales, ya que temían que se suscitaran revueltas como las ocurridas durante la Rebelión de los Barrios, de 1765. Los líderes tampoco consideraron los intereses de otras regiones del Reino de Quito al momento de separar de sus cargos a los funcionarios de esas zonas sin consultar a sus residentes, o al momento de optar por tomar el control de la costa noroccidental de Nueva Granada. Como sus contrapartes en otras ciudades capitales de la América española los líderes de Quito asumieron que, en ausencia del rey, la soberanía recaía sobre ellos. No obstante, las capitales de las provincias creían que ellas también tenían derecho a ejercer la soberanía y a decidir qué clase de gobierno era el mejor para sus regiones; así que decidieron apoyar a la Junta Central de España. De esta manera, los quiteños se vieron sorprendidos por la reacción hostil de Popayán, Cuenca y Guayaquil, que se hubieron visto afectadas por las acciones de la Junta. En consecuencia, el mal planeado proyecto se derrumbó en un lapso de tres meses.

La experiencia del Reino de Quito fue parte de un proceso mayor de transformación que tuvo lugar a lo largo y ancho del mundo hispánico. Otras regiones de la América española, como Venezuela, Nueva Granada, Río de la Plata y Chile también pasaron por conflictos entre las ciudades capitales y sus provincias. La dificultad para dirimir la cuestión de la soberanía sumió a varias regiones en aciagas guerras civiles. Ante el colapso de la monarquía, los habitantes de la monarquía española universal llevaron a cabo una gran revolución política que transformó el mundo hispánico durante la siguiente década y media. La Revolución de Quito en 1809 fue sólo un paso del proceso. El Reino de Quito aún pasaría por otras convulsiones antes de convertirse finalmente en la soberana República de Ecuador, en 1830.

19. CIUDADANOS DE LA NACIÓN ESPAÑOLA: LOS INDÍGENAS Y LAS ELECCIONES CONSTITUCIONALES EN EL REINO DE QUITO*

La Constitución de 1812 desató una gran revolución política a lo largo y ancho del mundo hispánico. La Carta de Cádiz abolió las instituciones señoriales, la Inquisición, el tributo indígena y el trabajo forzado –caso de la mita en Sudamérica y del servicio personal en la Península–, y afirmó el control del Estado sobre la Iglesia. Este documento creó un Estado unitario con leyes iguales para todas las partes integrantes de la monarquía española, restringió sustancialmente la autoridad del rey y dotó a las Cortes de un poder decisivo. Al otorgar el derecho a voto a casi todos los hombres, salvo los de ascendencia africana, sin requerir educación o propiedad, la Carta hispánica superó a todos los gobiernos representativos existentes, ya fuera el de Gran Bretaña, Estados Unidos o Francia, en el otorgamiento de derechos políticos a la mayor parte de la población masculina.

La Constitución de la monarquía española amplió el electorado e incrementó en forma radical el espectro de la actividad política. La nueva Carta Magna estableció un gobierno representativo en tres niveles: el ayuntamiento, la provincia y la monarquía. Esta Constitución permitía formar ayuntamientos a todos los pueblos y ciudades con mil almas o más. El cambio fue revolucionario, pues anteriormente los ayuntamientos sólo existían en unas cuantas ciudades prominentes dominadas por las elites. El poder político fue

* Este artículo apareció en Marta Iroruzqui (ed.), *La mirada esquiva. Reflexiones históricas sobre la interacción del Estado y la ciudadanía en los Andes (Bolivia, Ecuador y Perú), Siglo XIX* (Madrid, Consejo Superior de Investigaciones Científicas, 2005), pp. 41-64. A Linda Alexander Rodríguez agradezco sus valiosas sugerencias para mejorar este trabajo. Asimismo, agradezco a Mariana Santoveña la traducción de este ensayo.

transferido del centro a las localidades al tiempo que un gran número de personas se incorporaron al proceso político. Si bien las elites mantuvieron su influencia política, cientos de miles de hombres de mediano y bajo estatus, incluidos indígenas y negros, hicieron sentir su presencia.

Desde la publicación del artículo pionero de Nettie Lee Benson en 1946 la naturaleza de las nuevas elecciones constitucionales había sido estudiada privilegiando el caso de la ciudad de México,[1] lo que provocó

1. Nettie Lee Benson, "The Contested Mexican Election of 1812", *Hispanic American Historical Review*, 26:3 (agosto 1946), pp. 336-350; Virginia Guedea, "Las primeras elecciones populares en la ciudad de México, 1812-1813", *Mexican Studies/Estudios Mexicanos*, 7:1 (invierno 1991), pp. 1-28 y su "El pueblo de México y la política capitalina, 1808-1812", *Mexican Studies/Estudios Mexicanos*, 10:1 (invierno 1994), pp. 27-61; Antonio Annino, "Prácticas criollas y liberalismo en la crisis del espacio urbano colonial. El 29 de noviembre de 1812 en la ciudad de México", *Secuencia*, 24 (septiembre-diciembre 1992), pp. 121-158, y Richard Warren, "Elections and Popular Political Participation in Mexico, 1808-1836" en Vincent C. Peloso y Barbara A. Tenenbaum (eds.), *Liberals, Politics & Power: State Formation in Nineteenth-Century Latin America* (Athens, University of Georgia Press, 1996), pp. 30-58. Véanse también mis estudios recientes: "'Ningún pueblo es superior a otro': Oaxaca y el federalismo mexicano" en Brian F. Connaughton (ed.), *Poder y legitimidad en México, siglo xix: Instituciones y cultura política* (México, Miguel Ángel Porrúa, 2003), pp. 249-309; *Rey, religión, Yndepencia, y Unión: el proceso político de la independencia de Guadalajara* (México, Instituto Mora, 2003), y "Las elecciones a las Cortes Constituyentes Mexicanas" en Louis Cardaillac y Angélica Peregrina (cords.), *Ensayos en homenaje a José María Muriá* (Guadalajara, El Colegio de Jalisco, 2002), pp. 79-110. Los siguientes son estudios sobre las comunidades indígenas en México: Antonio Escobar Ohmstede, "Del gobierno indígena al Ayuntamiento constitucional en las Huastecas hidalguense y veracruzana, 1780-1853", *Mexican Studies/Estudios Mexicanos*, 12:1 (invierno 1996), pp. 1-26; Michael Ducey, "Village, Nation and Constitution: Insurgent Politics in Papantla, Veracruz, 1810-1821", *Hispanic American Historical Review*, LXXIX , núm. 3 (agosto 1999), pp. 463-493; Peter Guardino, "'Toda libertad para emitir sus votos': Plebeyos, campesinos, y elecciones en Oaxaca, 1808-1850", *Cuadernos del Sur*, vol. 6, núm. 15 (junio 2000), pp. 87-114; Claudia Guarisco, *Los indios del valle de México y la construcción de una nueva sociabilidad política, 1770-1835* (Toluca, El Colegio Mexiquense, 2003), pp. 129-192, y Peter F. Guardino, *Peasants, Politics, and the Formation of Mexico's National State: Guerrero, 1800-1857* (Stanford, Stanford University Press, 1996), pp. 85-94. El único estudio sobre el Caribe es Antonio Gómez Vizuete, "Los primeros ayuntamientos liberales en Puerto Rico (1812-1814 y 1820-1823)", *Anuario de Estudios Americanos*, 47 (1990), pp. 581-615. Respecto de América Central véase Xiomara Avendaño, "Procesos electorales y clase política en la Federación de Centroamérica (1810-1840)", tesis de doctorado: El Colegio de México, 1995; Jordana Dym, "La soberanía de los pueblos: ciudad e independencia en Centroamérica, 1808-1823" en Jaime E. Rodríguez O. (coord.), *Revolución, independencia y las Nuevas Naciones* (Madrid, Fundación MAPFRE-Tavera, 2005), pp. 309-337. Para Sudamérica véase Jaime E. Rodríguez O., "Las primeras elecciones constitucionales en el Reino de Quito, 1809-1814 y 1821-1822", *Procesos*, núm. 14 (II semestre, 1999), pp. 3-52; Victor Peralta Ruiz, *En defensa de la autoridad. Política y cultura bajo el gobierno del virrey Abascal, 1806-1816* (Madrid, Consejo Superior de Investigaciones Científicas, 2002), pp. 105-175, y Carl Almer, "'La confianza que han puesto en mi': La participación local en el establecimiento de los Ayuntamientos Constitucionales en Venezuela, 1820-1821", y Jaime E. Rodríguez O., "La Antigua provincia de Guayaquil en la época de la independencia, 1809-1820" en Rodríguez O., *Revolución, independencia y las Nuevas Naciones*, pp. 365-395 y 511-556. Federica Morelli proporciona una interpretación extensa de las transformaciones que tuvieron lugar en el Reino de Quito, interpretación que incluye una discusión sobre las elecciones y su impacto en las

en algunos estudiosos la tendencia a interpretar la revolución constitucional como un fenómeno limitado exclusivamente a las ciudades principales y a las elites. De acuerdo con esos estudiosos, la población rural –con una vasta mayoría de indígenas– no disfrutó de los derechos y privilegios de la nueva ciudadanía. Algunos historiadores, como Eric van Young, han sostenido, por ejemplo, que los indígenas no sabían nada sobre la naturaleza de la nueva política de elite, y que ni siquiera la comprendían. Antes bien, dice, su visión del mundo se limitaba a su pueblo y les importaban poco los acontecimientos ajenos al sonido de la campana de la iglesia.[2] Otros, como Jean Piel, argumentan que en Perú los soldados de origen indígena en ambos bandos, el de la Corona y el de los independentistas, "se mataban unos a otros sin pensarlo. Para la mayoría la idea de una [nación] independiente ... no significaba nada".[3] E incluso otros, como Marie-Danielle Demélas-Bohy, dan por sentado que las elites locales manipulaban con facilidad a los naturales, excluyéndolos o incluyéndolos a su gusto.[4] Si bien es posible que estos argumentos reflejen algunos aspectos de la realidad política en épocas y lugares específicos, no explican los procesos amplios y multifacéticos que engranaron la ciudadanía en el nuevo sistema constitucional. Como sucede hoy día con individuos y grupos que viven en países con gobiernos representativos, algunos ciudadanos de la nueva monarquía constitucional de la Nación Española eran apáticos, estaban desinformados o eran influenciados fácilmente por las elites que protegían sus propios intereses sociales, económicos y políticos. Sin embargo, esos individuos y grupos vivían entre otros –de todos los sectores de la sociedad– que estaban bien informados, que eran políticamente activos y que usaban el nuevo orden constitucional para promover sus intereses y los de sus familias, grupos y comunidades.

---

comunidades indígenas. Véase *Territorio o nazione: Reforma e dissoluzione dello spazio imperiale in Ecuador, 1765-1830* (Rubbettino Editore, 2001), pp. 121-176.

2. Véase, por ejemplo, Eric van Young, *The Other Rebellion: Popular Violence, Ideology and the Mexican Struggle for Independence, 1810-1821* (Stanford, Stanford University Press, 2001).
3. Jean Piel, "The Place of the Peasantry in the National Life of Peru in the Nineteenth Century", *Past and Present*, 46 (febrero 1970), p. 116.
4. Marie-Danielle Demélas-Bohy ha estudiado diversos aspectos de las elecciones en el Reino de Quito en su "Modalidades y significación de elecciones generales en los pueblos andinos, 1813-1814" en Antonio Annino (coord.), *Historia de la elecciones en Iberoamérica, siglo XIX* (Buenos Aires, Fondo de Cultura Económica, 1995), pp. 291-213, y en "Microcosmos. Une dispute municipale à Loja (1813-1824)", *Bulletin de l'Institute Français d''Etudes Andines,* XIII, núms. 3-4 (1984), pp. 65-76.

El nuevo proceso electoral

Las elecciones en el Reino de Quito proporcionan un ejemplo interesante sobre la manera en que el sistema constitucional afectó un área con una gran población indígena, y ponen en cuestión muchas opiniones ampliamente aceptadas sobre la importancia de este periodo de transición. En agosto de 1809, ante el temor de que los franceses estuviesen a punto de completar su conquista de la Península ibérica, las elites americanas en la ciudad de Quito formaron una junta autónoma para gobernar la región en nombre de Fernando VII, e invitaron a las otras provincias del reino a unirse. Con sorpresa, los quiteños descubrieron que las otras provincias –Popayán, Guayaquil y Cuenca– no apoyaban sus acciones y que organizaron fuerzas para reprimir a los insurgentes de la capital. Aun cuando estaba rodeada por provincias hostiles Quito logró mantener el control sobre la mayor parte de la sierra. Cuando los oidores de la Audiencia de Quito huyeron a Cuenca, que permanecía bajo control realista, esa ciudad se convirtió en el centro más importante de la oposición a la Junta de Quito. Los indígenas de la región montañosa, procedentes de las provincias de Cuenca y Loja, se unieron a los grupos urbanos en la contienda por su "amado rey". En marzo de 1812 las unidades quiteñas fueron obligadas a retroceder hacia el norte bajo el ataque constante de los indígenas realistas. Al finalizar el año las fuerzas realistas al mando del general Toribio Montes suprimieron la Junta de Quito.[5]

Tras restaurar el orden el general Montes inició el proceso de instrumentación del nuevo sistema constitucional. Primero instruyó a los funcionarios locales para que éstos publicaran la Constitución, es decir, para que la leyeran en ceremonias formales a las autoridades civiles, eclesiásticas y militares y al público de todas las ciudades y pueblos del reino. Los presentes juraron obedecer la Constitución de Cádiz y la ocasión fue celebrada con el repique de las campanas, el *Te Deum*, la misa en la catedral y otras solemnidades,

5. Jaime E. Rodríguez O., *La independencia de la América española* (México, Fondo de Cultura Económica, 1996), pp. 91-94, 174-182. Sobre el gobierno indígena en Cuenca véase Silvia Palomeque, "El sistema de autoridades de los pueblos de indios y sus transformaciones a fines del periodo colonial. El partido de Cuenca" en Margarita Menegus Bornemann, *Dos décadas de investigación de historia económica comparada en América Latina: Homenaje a Carlos Sempat Assadurian* (México, El Colegio de México/Centro de Investigaciones y Estudios Superiores en Antropología Social/Instituto de Investigaciones Dr. José María Luis Mora y Centro de Estudios Sobre la Univesidad/UNAM, 1999), pp. 189-221.

además de eventos populares como las corridas de toros.[6] Montes, jefe político superior bajo la Constitución, dio inicio al proceso de organización de elecciones populares ordenando a los curas y a los funcionarios locales levantar censos parroquiales para determinar el número de votantes elegibles.[7]

Un funcionario local proporciona una apreciación de la magnitud de la instrucción cuando escribe que había recibido

> la Superior orden de V. E. ... en que me prebiene que para llenar los importantes objetos a que se contrae la sabia constitución Política de la Monarquía en la formación de nuevos cabildos, elección de representantes [a Cortes], y diputados de Provincia, se hace preciso que yo sin perdida de tiempo, disponga la practica del senso o Padron de todos los abitadores de las Poblaciones respectivas a mi jurisdicción local comprehendiendo ambos sexos, todas edades, clases y castas, con distincion de los que parezcan ser esclavos...[8]

Las acciones emprendidas por Montes asombraron a casi todos en el reino. Innumerables funcionarios locales solicitaron copias de la Constitución, así como instrucciones más precisas para comprender mejor el nuevo sistema político. Algunos se preguntaban si los indígenas realmente habrían de ser considerados ciudadanos españoles. Un funcionario del Marañón, la región selvática del este, declaró que no podía levantar un censo electoral de los pueblos en su jurisdicción puesto que la mayoría estaban a doce o quince

6. Toribio Montes al Ministro de Guerra, Quito, 7 de abril de 1813, Archivo General de Indias (en adelante AGI):, Quito, leg. 257. Pueden encontrarse informes sobre la publicación de la Constitución en el Reino de Quito en Archivo Nacional de Historia, Quito (en adelante ANH); Presidencia de Quito (en adelante PQ), vol. 477. Véase también Federica Morelli, "La publicación y el juramento de la constitución de Cádiz en Hispanoamérica. Imágenes y valores (1812-1813)" en Johannes-Michael Scholtz y Tamar Herzog (eds.), *Observation and Communication: The Construction of Realities in the Hispanic World* (Francfort, Klostermman, 1997), pp. 133-176, y el excelente trabajo de Ivana Frasquet, "Cádiz en América: Liberalismo y Constitución", *Mexican Studies/Estudios Mexicanos*, 20:1 (invierno 2004), pp. 21-46.
7. El decreto de las Cortes del 23 de mayo de 1812, declaraba: "Se formará una junta preparatoria para facilitar la elección de Diputados de Cortes para las ordinarias en las capitales..." de las diputaciones provinciales. Aunque la Constitución de Cádiz estableció diputaciones provinciales en los reinos de Quito y Charcas, el decreto de las Cortes no incluyó a las ciudades de Quito y Chuquisaca entre las capitales donde las juntas preparatorias deberían ser establecidas. Como resultado, el presidente Toribio Montes actuó en lugar de la junta preparatoria por la Provincia de Quito, como era llamado el reino bajo la Constitución. Cortes, *Colección de decretos y órdenes de las Cortes de Cádiz*, 2 vols. (Madrid, Cortes Generales, 1987), I, pp. 515, 508-525.
8. José Joaquín de San Clemente a Montes, Guapi, 6 de diciembre de 1813, ANHQ: PQ, vol. 483, f. 42.

días de camino andando en la selva y, de cualquier forma, los residentes eran indígenas. Desde Quito, el jefe político superior Montes contestó que esos individuos eran ciudadanos de la Nación Española y, por ende, poseían los mismos derechos que cualquier otro ciudadano. El funcionario reprendido dio aviso de que pronto completaría el censo de esos "individuos selváticos".[9]

El jefe político superior Montes enfrentaba una tarea compleja. Para las elecciones tenía que dividir las provincias del antiguo Reino de Quito en distritos llamados partidos, que a su vez se dividían en parroquias. Luego, con base en la población políticamente elegible, debía establecer el número de compromisarios en cada parroquia y el número de electores de parroquia en cada partido. De acuerdo con la Constitución, se nombraría un elector por cada 200 individuos políticamente elegibles. Si la parroquia tenía el derecho de elegir un elector, la junta parroquial podía elegir once compromisarios mediante una pluralidad de votos; si podía nombrar dos electores, tenía derecho a elegir 21 compromisarios, y si elegía tres electores podría seleccionar 31 compromisarios. Las poblaciones pequeñas con 20 habitantes políticamente elegibles podían elegir un compromisario, aquéllas con treinta o cuarenta habitantes podían elegir dos, aquéllas con cincuenta o sesenta, tres, y así progresivamente hasta alcanzar un máximo de 31 compromisarios. Las poblaciones con menos de 20 habitantes políticamente elegibles "se unirán con las más inmediatas para elegir compromisario". Según el proceso electoral indirecto, las juntas electorales de parroquia elegían a los compromisarios, quienes después seleccionaban a los electores de parroquia. Estos individuos viajaban a la capital de partido –Cuenca o Loja, por ejemplo– donde se reunían para elegir a los electores de partido que, a su vez, viajaban a la capital de provincia –Quito–, para elegir a los diputados de la provincia ante las Cortes y a los diputados para la diputación provincial.[10]

Tras meses de esfuerzo el censo electoral del antiguo reino, ahora llamado Provincia de Quito, se completó en junio de 1813. Las autoridades determinaron que la región contaba con 465 900 habitantes. La cifra incluía un estimado conservador de la población residente en las áreas que permanecían en "manos enemigas". También exageraba el número de indígenas facultados

9. ANHQ: PQ, vol. 491, f. 32.

10. "Constitución política de la Monarquía Española" en Felipe Tena Ramirez (ed.), *Leyes fundamentales de México,* 16ª edición (México, Editorial Porrúa, 1991), capitulos II-V, pp. 64-72.

para votar. El Artículo 25 de la Constitución indicaba que un hombre perdería sus derechos políticos si fuera un sirviente doméstico. Puesto que muchos indígenas en el Reino de Quito vivían en haciendas bajo la modalidad del *concertaje* –una forma de servidumbre– el fiscal de la Corona resolvió que serían considerados sirvientes domésticos y, por lo tanto, no serían candidatos a votar.[11] El número de indígenas que se hallaban conciertos en haciendas y que habrían de considerarse sirvientes domésticos y, por ende, sin derecho a voto, era alto. De acuerdo con el antropólogo alemán Udo Oberem, en 1805 el 46% de los indígenas eran "indios sujetos" en las haciendas de la sierra.[12] Dado que los indígenas constituían la vasta mayoría de la población del reino el número de almas a considerar para la representación debió haberse reducido casi a la mitad. Sin embargo, las autoridades eliminaron del censo a sólo 65 900 individuos, quienes no eran ciudadanos o bien, estaban impedidos de ejercer sus derechos políticos por otras razones. En consecuencia, la población elegible de la Provincia de Quito, de 400 000 almas, tenía derecho a seis diputados propietarios a las Cortes y a dos suplentes, así como a 18 electores de partido.[13] Pero si los cálculos de Oberem son correctos el número de personas elegibles para la representación en la Provincia de Quito hubiera rondado los 200 000, y la provincia habría tenido derecho a elegir tres diputados menos a las Cortes. El censo también determinó el número de compromisarios para cada parroquia y el número de electores de parroquia para cada partido. Los funcionarios locales exageraron el número de indígenas independientes que

11. Dr. Salvador a Montes, Quito, 5 de octubre de 1813, ANHQ: Gobierno, caja 63, 26-VIII-1813.

12. Udo Oberem, "Indios libres e indios sujetos a haciendas en la sierra ecuatoriana a fines de la colonia" en Roswith Hartmann y Udo Oberem (eds.), *Amerikanistische Studien: Festschrift für Hermann Trimborn anlässlich seines 75. Geburtstages = Estudios americanistas: Libro jubilar en homenaje a Hermann Trimborn con motivo de su septuagésimoquinto aniversario*, 2 vols. (St. Augustin, Haus Völker u. Kulturen, Anthropos-Inst., 1978-1979), II, pp. 106, 105-112. Los cálculos de Oberem se basan en un documento que registra los tributos de 1804 a 1805, documento que distingue entre tributarios de "pueblos o parroquias" y aquellos "que pertenecen a haciendas u obrajes respectivamente". *Ibid.*, II, p. 105. Federica Morelli, quien examinó el "Libro de Tributarios del corregimiento de Quito" para 1784, eleva el porcentaje de conciertos a 61.9. Véase su *Territorio o nazione*, p. 409.

13. Con una población elegible de 400 000, la Provincia de Quito tenía derecho a cinco diputados a las Cortes sobre la base de un diputado por cada 70 000 habitantes. Pero, ya que restaban 50 000 habitantes, Quito tenía derecho a un diputado más, según el Artículo 32 de la Constitución. "Plan de elecciones de Diputados en Cortes y de Provincia", ANHQ: Gobierno, caja 63, 26-VIII-1813.

contaban como ciudadanos para aumentar la representación de la Provincia de Quito en las Cortes hispánicas.[14]

Aunque gran parte de los estudiosos han sostenido que al excluir a las personas de ascendencia africana los españoles europeos redujeron la representación americana ante las Cortes,[15] los casos que he estudiado, como Oaxaca, Guadalajara, Guayaquil y Quito, demuestran que los americanos eran lo suficientemente capaces de defender su derecho a la representación extensa o compensar cualquier desequilibrio resultante del deseo de los peninsulares por restringir la representación americana. Más aún, en el Nuevo Mundo, las autoridades reales conspiraron con los grupos locales para incrementar la representación local.[16]

Si bien los funcionarios locales ansiaban incrementar la representación de la Provincia de Quito en las Cortes, también estaban decididos a controlar el número de almas que tenían derecho a la representación en el nivel parroquial, esto con el fin de proteger el poder de las nuevas autoridades provinciales. Estos funcionarios adoptaron una interpretación estricta del Artículo 25 para determinar el número de electores parroquiales encargados de elegir a los electores de partido, quienes a su vez, elegirían a los diputados a las Cortes y a la diputación provincial. Por ejemplo, cuando los ciudadanos de la Parroquia de Chambo en el Partido de Riobamba y Macas –basados en el tamaño de su población, de 2 835 habitantes– insistieron en que tenían derecho a más de un elector parroquial, el fiscal contestó que la mitad de los individuos de la parroquia registrados en el censo eran conciertos y, por lo tanto, no eran elegibles para votar.[17] En este caso, las autoridades estaban limitando el número de ciudadanos activos, tal vez para controlar las elecciones de los dos niveles más altos de gobierno.

14. Véase "Plan de elecciones de Diputados en Cortes, y de Provincia" en Rodríguez O., "Las primeras elecciones constitucionales", pp. 35-43.

15. Para una discusión sobre estas cuestiones véase Jaime E. Rodríguez O., "La naturaleza de la representación en Nueva España y México", *Secuencia*, núm. 61 (enero-abril 2005), pp. 6-32, en especial las páginas 24-25.

16. La actitud del general Toribio Montes a este respecto ilustra esta tendencia. Él explicaba que era necesario "estrechar los lazos entre españoles de ambos hemisferios...". Por lo tanto, era necesario, por el bienestar de la Nación Española, "que fuera puesta en toda su observancia la Constitución Política de la monarquía". AGI: Quito, leg. 258.

17. ANHQ, Gobierno, caja 63, 26-VIII-1813. La Parroquia de Chambo recibió 11 compromisarios y un elector parroquial. Véase: Rodríguez O., "Las primeras elecciones constitucionales", p. 45.

Las Cortes confirieron a los curas una importante autoridad en el nuevo proceso electoral. Corría por cuenta de ellos establecer el número de ciudadanos en su parroquia, determinar quién podía votar y tratar de "explicar a sus feligreses el objeto de estas juntas, y la dignidad a que en ellas son elevados los vecinos de cada pueblo, como que en su voto y voluntad toma origen el alto carácter de los representantes de la nación soberana".[18] Junto con los representantes de los ayuntamientos los curas presidieron las elecciones para electores parroquiales. Aunque el padrón para esta primera elección popular se amplió hasta incluir a analfabetos y hombres sin propiedades, así como a indígenas y mestizos –y tal vez incluso a negros y mulatos–, los votantes nombraron electores parroquiales a miembros destacados de la sociedad.[19]

Los nuevos ciudadanos españoles

Como en tantas otras partes de la América española, en el antiguo reino, ahora llamado Provincia de Quito, los indígenas constituían la mayor parte de la población. Como la Constitución de 1812 les otorgaba igualdad política habría sido posible que ellos dominaran los gobiernos de las áreas en que residían. Eso se habría logrado, empero, sólo si hubieran conseguido unirse. Tal unidad habría sido posible si los indígenas hubieran poseído una idea de "indianidad" que trascendiera la familia extensa y las filiaciones locales o de otro tipo. Existe poca evidencia de esa unidad indígena en el Reino de Quito.[20] En lugar de ello, los documentos registran conflictos entre los antiguos pueblos sujetos y las cabeceras, luchas entre etnias por el poder político, e indígenas que afirmaban sus derechos a través de alianzas interétnicas.

La Constitución confirió derechos políticos a numerosos individuos que antes no los tenían, incluidos analfabetos y hombres sin propiedades.

18. Citado en Rodríguez O., "'Ningún pueblo es superior a otro'", pp. 203, 265.

19. Para ejemplos sobre estas prácticas véase Guardino, "'Toda libertad para emitir sus votos': Plebeyos, campesinos, y elecciones", y Rodríguez O., "La Antigua provincia de Guayaquil en la época de la independencia".

20. Como ha señalado Linda Alexander Rodríguez, al escribir sobre el periodo postindependentista: "El concepto 'indio' es ajeno a la población indígena del Ecuador. Más que un grupo 'indio' homogéneo, como lo perciben el gobierno y la sociedad hipanizada, los indígenas pertenecen a una de cientos de comunidades. Ellos se identificaban con grupos [indígenas] individuales, y no con una sociedad 'india' más amplia". *The Search for Public Policy: Regional Politics and Government Finances in Ecuador, 1830-1940* (Berkeley, University of California Press, 1985), p. 29.

Dado que los indígenas constituían la mayor parte de la población rural votaron y fueron elegidos para varios cargos. En los pueblos pequeños el analfabetismo no constituía un impedimento para tomar parte en la política local, de modo que los analfabetos pudieron participar en el nivel parroquial y, en ocasiones, en el nivel de ayuntamiento. Muchos individuos y grupos aprovecharon el nuevo sistema constitucional para promover sus intereses y los de sus parientes y amigos. En algunos casos se formaron coaliciones que sustituyeron a los antiguos grupos de poder.

La nueva política electoral

Existe una amplia documentación para las provincias del sur que, bajo la Constitución de 1812, eran conocidas como los Partidos de Cuenca y Loja. Tras la publicación de la Carta Magna, las comunidades indígenas de la región de Cuenca y Loja comenzaron a formar ayuntamientos constitucionales. Estas comunidades basaron sus acciones en el Artículo 310, que declaraba: "Se pondrá ayuntamiento en los pueblos que no le tengan ...". La fracción más importante del artículo aseveraba: "no pudiendo dejar de haberle en los que por sí o con su comarca lleguen a mil almas".[21] De acuerdo con los funcionarios locales, los indígenas, una vez enterados de que ahora eran ciudadanos españoles con derechos políticos plenos, procedieron a formar "una infinidad de Cabildos [constitucionales] ... en los Pueblos y Haciendas más despreciables [de la región] ...".[22] A pesar de que se les dijo una y otra vez que no podrían establecer ayuntamientos constitucionales dentro de propiedades privadas, los indígenas de toda la zona siguieron formando ayuntamientos "en Haciendas y Estancias o Hatos de los particulares con quebrantamiento de la Constitución y Reglamento de caso, y perjuicios grabes ...".[23] Sus acciones preocupaban a los terratenientes y a todos los ciudadanos de recto parecer, quienes insistían en la obediencia a la Constitución. En defensa de sus actividades los indígenas mostraron copias del Artículo 310 de la Constitución, donde se incluía la fracción que afirmaba que no debía evitarse la formación de ayuntamientos en aquellos lugares con una población mínima de mil

21. "Constitución Política de la Monarquía Española", p. 95.
22. Antonio García a Montes, Cuenca, 14 de julio de 1813, ANHQ: PQ, vol. 478, f. 74r-v.
23. Diego Fernández de Córdova, Cuenca, 14 de junio de 1813, ANHQ: PQ, vol. 477, f. 49.

almas, esto con el fin de probar que la Constitución les concedía el derecho a establecer esos cuerpos de gobierno. A Diego Fernández de Córdova, el alcalde constitucional de la ciudad de Cuenca, le preocupaba que "los Yndios mal aconsejados" fueran seducidos por extraños.[24]

Las tensiones políticas se intensificaron cuando el licenciado Juan López Tornaleo –teniente letrado asesor del gobernador y, en su ausencia, gobernador en funciones– propuso el establecimiento de 242 ayuntamientos constitucionales en el Partido de Cuenca, que en aquel entonces contaba con 23 pueblos principales. La propuesta, cuidadosamente armada, que se envió a las autoridades reales con fecha 29 de abril de 1813, enlistaba el número de vecinos y almas en cada pueblo. También indicaba el número de alcaldes, regidores y procuradores que cada pueblo debía tener bajo la Constitución de 1812. Cuenca, por ejemplo, siendo la capital y la ciudad más grande del Partido, tendría dos alcaldes, 16 regidores y dos procuradores. A pueblos más pequeños como Paute, les correspondería un alcalde, dos regidores y un procurador.[25] Muchos indígenas apoyaban la propuesta, ya que concedía a sus asentamientos el estatus de pueblos con ayuntamientos constitucionales. Como era de esperarse, las elites de la región se opusieron ferozmente al plan de López Tornaleo. El alcalde Fernández de Córdova aseveró que "la distribución que ha hecho de Pueblos reduciendo a tantos, quantas Haciendas y Hatos hay en el distrito ... Hay lugar que solo Ganado tiene, otros son de Negros Esclabos, y los mas de ellos no tienen sino Yndios sirvientes domesticos ...".[26] El jefe político superior Montes ordenó al teniente letrado "comparezca en el acuerdo del Lunes immediato para que de razon de sus providencias en el particular ...". También declaró que "haga entender al Alcalde ... que se ha exedido en sus atribuciones ...".[27] López Tornaleo sostuvo que su plan era preliminar y que en el futuro habría de enviar un informe más completo a la Diputación Provincial. Sin embargo, insistió en que los pequeños asentamientos merecían tener su propio ayuntamiento constitucional y en que el establecimiento de esos órganos de gobierno en aldeas que antes eran dependientes permitiría a los "rusticos" aprender a

24. Antonio García a Montes, Cuenca, 14 de julio de 1813, AHNQ: PQ, vol. 478, f. 74r-v.

25. El Plan se encuentra en Morelli, *Territorio o Nazionne*, pp. 416-422.

26. Fernández de Córdova a Montes, Cuenca, 22 de mayo de 1813, ANHQ, Gobierno, caja 62, 2-IV-1813.

27. Montes, ANHQ, Gobierno, caja 62, 2-IV-1813.

funcionar dentro del nuevo sistema político. Según decía, ellos se volverían "civilizados". Montes aceptó la explicación del teniente letrado y lo instruyó para esperar la elección de la Diputación Provincial, la cual era responsable de "cuidar el establecimiento de ayuntamientos" bajo la Constitución.[28] Pese a las preocupaciones expresadas por los funcionarios locales las autoridades en Quito se negaron a tomar acciones para evitar que los nuevos "ciudadanos españoles" establecieran ayuntamientos ahí donde existiera el número necesario de pobladores.

En un esfuerzo por reducir la confusión y disipar las tensiones las autoridades de Cuenca y Loja nombraron a comisionarios y curas para colaborar en el establecimiento de los ayuntamientos y en la organización de las elecciones. Esta acción no tuvo los resultados deseados. A finales de 1813 y principios de 1814 las autoridades en ambas capitales de partido estaban ahogadas en reportes de disidencia en pueblos esparcidos por toda la región. El 14 de julio de 1813 el comandante militar de Cuenca, el coronel Antonio García, notificó al jefe político Montes que el "desagrado o conmoción de los Yndios" de la región comenzó "con la publicación de la Constitución ...".[29]

Cuando la Carta de Cádiz otorgó igualdad a los indígenas también abolió sus privilegios especiales bajo la república de indios. Todos los ciudadanos, indígenas y no indígenas, eran ahora elegibles para servir en los antiguos gobiernos indios. De la misma manera los indígenas podían aspirar a puestos en los antiguos ayuntamientos españoles.[30] Además, puesto que la Constitución permitía a los pueblos con mil almas o más formar ayuntamientos, los pueblos pequeños ya no estaban supeditados a las grandes ciudades y, en las antiguas repúblicas, los pueblos sujetos ya no dependían de las cabeceras. Estos cambios, naturalmente, inquietaron a los individuos y a los grupos que se habían beneficiado del Antiguo Régimen.

El proceso electoral desveló conflictos dentro de la sociedad indígena y proporcionó oportunidades a aquellos que antes habían sido excluidos para contender por puestos y obvenciones controlados previamente por las elites

28. Oficio de Juan López Tornaleo y Contestación del Excelentisimo Señor Capitan General Don Toribio Montes, ANHQ, Gobierno, caja 62, 2-IV-1813.

29. García a Montes, Cuenca, 14 de julio de 1813, AHNQ: PQ, vol. 478, f. 74r-v.

30. Esto tuvo lugar en el ayuntamiento de México, donde un indígena, Francisco Galicia, de la parcialidad de San Juan, fue elegido regidor. Véase Guedea, "Las primeras elecciones populares", pp. 7-16.

nativas. En algunos casos los viejos "Governadores, Casiques y Mandones ... de dichos Pueblos" fueron echados en las elecciones. Perdidos sus empleos, vieron irse también sus salarios y otros emolumentos. Algunos exfuncionarios afirmaron que los curas y comisionarios nombrados para supervisar las elecciones eran responsables de su expulsión. Estos exfuncionarios indígenas retiraron su apoyo al nuevo sistema constitucional y exigieron que se restaurara el Antiguo Régimen. De no ser así, amenazaban con rebelarse. García indicó que los antiguos dirigentes indígenas descontentos "me parece no se oponen a la Constitución". No obstante, acusaban a los curas y comisionados de alentar y apoyar la elección de nuevos grupos indígenas, así como no indígenas. Los antiguos funcionarios indígenas sostenían, exagerando, que se han "elegido por los Curas y Comisionados a solo blancos, siendo muy estraño que hubiese Pueblo donse eligió uno que no era Vecino, y se llevó de esta Ciudad [de Cuenca] a que mandase el Pueblo de puros Yndios, quando tan buenos son estos como aquellos, y mejor governados estarían por sus mismos compatriotas quienes conocen su carácter".[31] García pensaba que los funcionarios indígenas habían sido echados de sus puestos porque "a estos infelices no se les explica la Constitución, y su verdadero sentido ... [Más aún, se quejaba,] ni se ha comicionado una persona de luces ..." para explicarles el nuevo sistema.[32] Es probable, empero, que los viejos funcionarios indígenas buscaran retener sus prerrogativas y defender su estatus ante los naturales más jóvenes que comprendían el nuevo sistema constitucional y que utilizaban este conocimiento para influir en sus comunidades y desafiar el *statu quo*.

El comandante García intentó apaciguar a los antiguos funcionarios indígenas asegurándoles que el jefe político Montes resolvería el asunto. Sin embargo, también temía que los indios descontentos se sublevaran y creía necesaria la acción pronta para evitar la violencia. Consecuentemente solicitó que Cuenca fuese fortificada; "que en esta Ciudad haigan siquiera docientos Fusiles corrientes con los que las Armas del Rey tendran el respeto debido sin que hayga quien se atreba a perturbar la Paz".[33] El funcionario concluía así: "suplico a V. E. de mi parte provea de remedio a estos infelices

31. Los no indígenas también fueron elegidos para ocupar puestos en pueblos antiguamente indígenas de México. Véase: Escobar Ohmstede, "Del gobierno indígena al Ayuntamiento constitucional".
32. García a Montes, Cuenca, 14 de julio de 1813, AHNQ: PQ, vol. 478, f. 74r-v.
33. García a Montes, Cuenca, 14 de julio de 1813, ANHQ: PQ, vol. 478, f. 72r-v.

manteniendolos con sus Casicasgos y empleos en el mismo pie que estubieron antes ... Siendo por otra parte necesarios", declaraba, "aquellos nombramientos y empleos para el auxilio de la Cobranza de Tributos, avios de Correos, y demas servicios de República ...".[34] Aun así, en Quito, el fiscal recomendó que no se actuara a menos que hubiera pruebas de fraude o connivencia que justificaran la anulación de las elecciones.

Si bien algunos exfuncionarios indígenas se quejaron de haber perdido las elecciones por fraude o connivencia, ninguno fue capaz de presentar evidencia creíble durante el primer periodo constitucional, de 1813 a 1814. Aun así, tras el restablecimiento de la Constitución en 1820, los antiguos "Regidores del Ylustre Ayuntamiento del Pueblo de San Juan del Valle", cerca de la Ciudad de Cuenca, afirmaron que, antes de las elecciones de 1821, el "Cura Parroco de dicho Pueblo ... hubiese mandado repartir muchos papeluchos de nombramientos de electores, siendo todos de un mismo tenor, y una misma letra ...".[35] Los "papeluchos" fueron distribuidos no sólo a unos cuantos individuos, sino que "todo el Pueblo ... recibió aquellos papeles seductivos ...". Los antiguos regidores habían tolerado tales acciones en las elecciones de 1814 "porque no estubimos enteros de lo que contenía dicha Constitución ...". Ahora que habían comprendido el nuevo sistema político los antiguos regidores se daban cuenta de que la Carta prohibía tal proceder. En cambio, afirmaron que era necesario "que cada individuo nombre a las personas que fuesen de su voluntad. Nosotros como que miramos la infracción con que se ollaba y atropellaba una soberana disposición, nos oposimos a tan criminal hecho ...". En su extenso alegato afirmaban que "ningún Elector aunque sea Parroco, o de igual otra dignidad, no debe tener mezcla en .. [el proceso electoral]". El pueblo tenía derecho a actuar conforme a su voluntad. Los regidores también subrayaban que la autoridad moral del clero le permitía ejercer una influencia desmedida sobre la población rural. Los "feligreses por el respeto del Parroco", señalaban, "no podían faltar, como no han faltado en admitir ... [esos papeluchos]". Ésa era la única razón, según

34. García a Montes, Cuenca, 14 de julio de 1813, AHNQ: PQ, vol. 478, f. 74r-v.

35. En el legajo pertinente se encuentran cuatro papeles pequeños con los nombres de doce electores a ser votados. Los nombres rezan así: D. Cayetano Córdova, D. Carlos Córdova, D. José Manuel Castro, D. Pedro Peñafiel, D. José Castro, D. Francisco Zegarra, D. Maniano Yllescas, D. José Segara, D. Marcelino Peñafiel, D. Tomás Loxa, D. Juan Manuel Calle y D. Tomás Coboa. ANHQ: PQ, vol. 590, f. 230-232.

declaraban, por la que el pueblo aceptaba "aquellos papeluchos seductivos". Más aún, decían, "la soberana Constitución" determinaba que una tal elección "es nula de ningun valor". Por lo tanto insistían en que era necesaria una nueva elección libre para San Juan del Valle.[36]

Las autoridades de Cuenca, que ya estaban involucradas en otra investigación de fraude concerniente a las elecciones en la ciudad misma, no respondieron de inmediato a los cargos. En consecuencia, los antiguos regidores de San Juan del Valle llevaron sus acusaciones al juez de letras interino. El juez ordenó al alcalde de la ciudad de Cuenca, el doctor Diego Fernández de Córdova, investigar el asunto. El alcalde determinó que en verdad se había fraguado la connivencia y pidió nuevas elecciones. Aquellos que ganaron las elecciones originales acudieron a las autoridades superiores en Quito. El fiscal aceptó que la elección del ayuntamiento de San Juan del Valle había sido irregular y aprobó las recomendaciones de Fernández de Córdova. No obstante, el conflicto tenía lugar entre miembros de la antigua elite indígena y hombres más jóvenes que utilizaban el sistema constitucional para buscar puestos mucho antes de lo que habría sido posible en el Antiguo Régimen. Las nuevas elecciones arrojaron resultados encontrados. Un alcalde y cuatro antiguos regidores fueron electos, pero la oposición mantuvo cuatro escaños. El pueblo de San Juan del Valle permaneció ferozmente dividido durante años.[37]

La decisión de anular la primera elección en San Juan del Valle se basó en presiones locales más que en los requerimientos de la Constitución o los decretos electorales de las Cortes. En una situación similar en la ciudad de México, las autoridades, tras una investigación exhaustiva, determinaron que la distribución de papeletas con los nombres de los electores no era ilegal. Tal actividad no estaba prohibida ni por la Constitución ni por cualquiera de los decretos electorales de las Cortes. En el caso de la ciudad de México las autoridades acordaron que sería difícil recordar los nombres de todos los electores a ser votados, y que no sin razón la gente podría llevar consigo listas a la elección. También acordaron que la campaña preelectoral se había dado en ambos bandos y que no era ilegal que algunos individuos propusieran listas electorales a los votantes.[38]

36. ANHQ: PQ, vol. 590, f. 230-232.
37. *Ibid.*
38. Guedea, "Las primeras elecciones populares", pp. 8-16.

La lucha por el control de las ciudades

La lucha por el control del Ayuntamiento Constitucional de la ciudad de Cuenca subraya la importancia del voto indígena. Cuenca, como otras ciudades grandes, tenía parroquias tanto urbanas como rurales. Las nueve parroquias rurales de la ciudad –Sidcai, Déleg, Baños, Nabón, Paute, Taday, Nirón, Pagcha y Gualaceo– estaban pobladas principalmente por indígenas, así como algunos mestizos y unos cuantos mulatos y negros. Aunque no se trataba de repúblicas las parroquias rurales habían sido administradas tradicionalmente por funcionarios indígenas. Las coaliciones interétnicas comenzaron a formarse poco tiempo después de que la Constitución fuese publicada en 1813. Los notables locales, quienes mantenían estrechos lazos con las elites indígenas, parecían haber asumido que ganarían con facilidad las elecciones al Ayuntamiento Constitucional de Cuenca. Para su sorpresa, el licenciado López Tornaleo formó una coalición interétnica de indígenas y mestizos que ganó las elecciones en las parroquias rurales. Aunque las dos parroquias urbanas eran las más pobladas, las parroquias rurales eran más numerosas. El resultado era que las parroquias urbanas sólo poseían 20 electores de parroquia, mientras que las nueve parroquias rurales tenían un total de 35. Ya que López Tornaleo y sus aliados ganaron casi todas las elecciones rurales, así como unos cuantos electores en la ciudad, asumieron el control total del ayuntamiento de Cuenca. Naturalmente, los criollos y la elite indígena derrotados protestaron con vehemencia ante tales resultados. Ellos argumentaban que se había perpetrado un fraude y que había existido connivencia; los dos cargos más importantes eran *1)* que los curas y los comisionarios electorales nombrados por López Tornaleo habían "seducido" a los nativos "inocentes" e iletrados, quienes no se dieron cuenta de por quién votaban, y *2)* que el gobernador interino había privado del sufragio a numerosos indígenas al declarar falsamente que eran conciertos.

Después de una larga investigación, las autoridades en Quito resolvieron que la elección había sido en efecto fraudulenta porque los indígenas que no vivían en haciendas habían sido privados de sus derechos como ciudadanos españoles.[39] Las autoridades superiores declararon que se debía

39. Puesto que Quito carecía de una junta preparatoria para facilitar las elecciones, el jefe político superior Montes asumió la responsabilidad para conciliar los asuntos electorales.

organizar una nueva elección, ya que "no han concurrido a la elección todos los miembros del pueblo [o sea los indios]"[40] en la primera. El jefe político Montes removió al gobernador interino López Tornaleo de su cargo y convocó a nuevas elecciones. Esta vez los indígenas aliados con la elite criolla se impusieron en las parroquias rurales y junto con sus aliados blancos ganaron el control del ayuntamiento de Cuenca. El alcalde triunfador, Diego Fernández de Córdova, expresó una gran satisfacción porque "la Monarquía Española es una en derechos" y sus "conciudadanos", los indígenas, habían votado.[41] En este caso, la más antigua coalición interétnica preconstitucional derrotó a la nueva coalición de López Tornaleo conformada por indígenas y mestizos. En ambas elecciones el voto indígena determinó el resultado.

El papel político de los indígenas también era importante en Loja, la ciudad ubicada más al sur de la sierra en el Reino de Quito, ya que las elites del área estaban divididas en dos coaliciones opuestas. La región había sido un corregimiento cuya economía se basaba en la crianza de ganado y la producción de cascarilla en las grandes fincas jesuitas. Tras la expulsión de los jesuitas, los notables locales ganaron el control de dichas fincas.[42] A finales del siglo XVIII el Corregimiento de Loja, aunque aislado en la parte sur de la sierra en el Reino de Quito, contaba con una población mixta. En 1778 el corregimiento tenía una población de 23 810; 23.6% eran blancos, 53.9% indígenas, y 22.6% gente de color, la mayoría libre. En la experiencia de Loja la mezcla racial y la movilidad social eran considerables. A principios del siglo XIX los mestizos estaban incluidos en la categoría de "blancos" y los negros no eran reconocidos como un grupo separado. Éstos se habían vuelto mestizos a través del entrecruzamiento de razas o habían emigrado a la próspera región costera. Más tarde Loja sería considerada una "provincia blanca". Esto es, la elite reclamaba un estatus blanco aunque la evidencia demográfica sugiere

40. "Sobre el despojo del Cavildo de Cuenca", ANHQ, Gobierno, caja 62, 2-IV-1813.

41. *Ibid.*

42. Pío Jaramillo Alvarado, *Historia de Loja y su provincia* (Quito, Casa de la Cultura Ecuatoriana, 1955), pp. 220-232. Véase también "Ynstrucción que forma el Ylustre Cavildo de Loxa para que se dirija al Diputado Representante del Virreynato, en que se comprehende esta Provincia, y promueva sus Artículos ante la Suprema Junta Central que govierna a nombre del Sr. D. Fernando VII (que Dios nos lo ha de restituir)", Archivo Histórico del Banco Central del Ecuador: Fondo Jijón y Caamaño, 5/4, ff. 27-31, para una descripción de las condiciones económicas de la zona.

otra cosa.[43] El censo electoral de 1813 no indica si el Partido de Loja contaba con un sector representativo de origen africano entre su población. No se hacía mención alguna de que se hubiera eliminado a los negros de las listas electorales. El conflicto que ahí surgió, como veremos, sólo involucraba a los indios conciertos.

José Manuel Xaramillo y Celi, un patriarca acaudalado que vivía en sus haciendas cerca de la ciudad de Loja, encabezaba a un grupo de notables. En 1813 Xaramillo y Celi tenía 69 años de edad, se desempeñaba como alcalde primero del ayuntamiento de Loja y contaba con el apoyo del otro alcalde y los regidores, así como otros notables locales y la Orden de los Dominicos.[44] Otro grupo, encabezado por el corregidor Tomás Ruiz de Quevedo, que había gobernado la zona durante 22 años, se oponía a Xaramillo y Celi. Los principales seguidores del corregidor eran varios funcionarios, entre ellos el secretario del Ayuntamiento, José Agustín de Celis, el sacristán de la catedral y otros clérigos seculares, así como el capitán de la milicia, Tomás Ramírez.

La lucha por el control de la región comenzó tan pronto como la Constitución se publicó en mayo de 1813. El corregidor Ruiz de Quevedo decidió que en el nuevo sistema él sería jefe político de la región. Xaramillo y sus aliados objetaron y recibieron el apoyo de las autoridades superiores de la capital, quienes determinaron que sólo podría haber un jefe político en la Provincia de Quito.[45] Ruiz de Quevedo viajó a la ciudad de Quito para apelar la decisión, que había mermado su autoridad. Durante su ausencia, el 16 de junio, el alcalde Xaramillo convocó a un cabildo abierto en el que anunció que había preparado una lista de aquellos individuos elegibles para votar en la elección constitucional. La lista excluía a un gran porcentaje de la población de la ciudad, incluidos los indígenas de las parroquias rurales de San Sebastián y San Juan del Valle. Enfrentado a una fuerte oposición pública, en

43. Martin Minchom, "The Making of a White Province: Demographic Movement and Ethnic Transformation in the South of the Audiencia de Quito. (1670-1830)", *Bulletin de L'Institut Français D'Etudes Andines*, XII, núm. 3-4 (1983), pp. 23-39.

44. José Manuel Xaramillo Celi al Fiscal, Loja, 3 de febrero de 1814, ANHQ, Gobierno, caja 64, 24-xii-1813.

45. De acuerdo con el fiscal de la audiencia: "por la Lei de 23 de Junio último esta bien claro que el actual Corregidor [de Loja] no es, ni puede llamarse Gefe Político ...." Dr. Salvador a Montes, Quito, 14 de marzo de 1814. ANHQ: PQ, vol. 482, ff. 66r-v.

especial por parte de grupos rurales, el alcalde Xaramillo pospuso una decisión final sobre la lista de votantes hasta que Quito esclareciera el asunto.[46]

El antiguo corregidor Ruiz de Quevedo regresó a Loja el 18 de junio de 1813 con instrucciones de organizar la elección. De inmediato rechazó la lista de votantes de Xaramillo y restituyó el lugar que en ellas debía ocupar los indígenas que no servían como conciertos en las haciendas. Los funcionarios de los ayuntamientos protestaron y organizaron manifestaciones en las áreas urbanas de la ciudad de Loja. Ruiz de Quevedo respondió encarcelando al alcalde Xaramillo e instruyendo al capitán Ramírez para mantener el orden en la ciudad. Temerosos por las posibles represalias, los aliados de Xaramillo huyeron a Cuenca y presentaron quejas contra el antiguo corregidor. Según decían, los indígenas carecían de las "luces" para votar libremente.[47] Tras meses de investigación, las autoridades de Quito determinaron que ambos bandos incurrían en faltas y declararon que "Ambos partidos se han excedido, ambos se han apartado de la razón ...".[48] No obstante, mantuvieron la decisión de Ruiz de Quevedo de restituir a los indígenas en las listas de votación. En la siguiente elección ambos grupos buscaron y obtuvieron el apoyo de los votantes indígenas. Ruiz de Quevedo y sus aliados ganaron la mayoría de los escaños en las elecciones para el Ayuntamiento Constitucional de Loja. Xaramillo y sus seguidores, empero, ganaron las elecciones para diputado a la Diputación Provincial. El poder político en la región estuvo dividido durante años, pero, como en el caso de Cuenca, el voto indígena, que no era monolítico, fue toral en la lucha por controlar el ayuntamiento de Loja.[49]

Preocupados por la acelerada proliferación de ayuntamientos constitucionales en el Partido de Loja, el 25 de julio de 1814 los ciudadanos principales de la ciudad enviaron al jefe político Montes un plan detallado para controlar la formación de esos gobiernos en la región. Estos ciudadanos sostenían que

46. "Documentos que califican la nulidad de los electos Alcaldes y Regidores del Cavildo Constitucional de Loja", ANHQ, Gobierno, caja 63, 7-X-1813.

47. "Expediente promovido por el Comun de la Ciudad de Loxa sobre cumplimiento de Constitución, e infracción de ella", ANHQ, Gobierno, caja 63, 7-X-1813; Véase también: ANHQ: PQ, vol. 481.

48. Citado en Demélas-Bohy, "Modalidades y significación de elecciones", p. 301, nota 40.

49. "Expediente seguido sobre lo occurrido con motivo del restablecimiento del Cavildo Constitucional de Loja", ANHQ, Gobierno, caja 64, 24-XII-1813. Véase también Rodríguez O., "Las primeras elecciones constitucionales", pp. 27-28.

era decisivo "determinar quales Pueblos deben tener Ayuntamientos, y quales deben permanecer unidos a sus inmediatos". El plan acentuaba la necesidad de una ciudadanía con "hidoneydad" y de un número apropiado de blancos con el fin de establecer un ayuntamiento constitucional. El plan comenzaba declarando que: "Esta ciudad [Loja] debe permanecer con sus dos Parroquias de Sebastian y San Juan del Valle asi por que estas solo componen de Yndios, como por que componen con ella una sola población".[50] El resto del plan identificaba los pueblos y sus anexos que deberían tener un ayuntamiento constitucional e identificaba cuidadosamente el número de "blancos hidoneos" con que contaban; por ejemplo: Catacocha y anexos –"3308 almas entre ellas 716 blancos idoneos"–; Celica y anexos –"2232 almas entre ellas 1189 blancos haviles"–; etcétera. En Quito, Montes pospuso la acción al determinar que la Diputación Provincial, que aún no había sido electa, debería resolver estas cuestiones.[51] En la práctica eso significaba que cualquier pueblo con una población de mil habitantes podría establecer un ayuntamiento sin importar su composición étnica. También significaba que el apoyo indígena se había vuelto crucial para ganar cualquier elección. El nuevo orden, por lo tanto, afianzaba el poder político de los naturales.

La nueva política indígena

Los indígenas no estaban preocupados simplemente por las elecciones y el gobierno, también estaban decididos a proteger sus derechos. Según la tradición el inca Tupac Yupanqui había conquistado a los naturales de la región, los cañaris, tras años de guerra. Los cañaris cobraron venganza más tarde, uniéndose a los españoles en contra de los incas. El resultado fue que gozaban de un estatus especial y estaban exentos de varias obligaciones. Las comunidades indígenas del área tenían la reputación de ser leales a la Corona,[52] y, de hecho, pelearon en nombre del rey contra los insurgentes de Quito de 1809 a 1812. Sus derechos fueron respaldados por la abolición del tributo que declararan las Cortes en 1811, y por la Constitución, que hacía de los indígenas

50. Miguel Bello a Montes, Loja 25 de julio de 1814, ANHQ: PQ, vol. 500, ff. 137-138r-v.

51. Montes a Diputación Provincial, Quito, 6 de septiembre de 1814, ANHQ: PQ, vol. 500, f. 138r-v.

52. Juan Chacón Zhapán, *Historia del Corregimiento de Cuenca* (Quito, Banco Central del Ecuador, 1990), pp. 13-220.

ciudadanos plenos de la Nación Española, dando fin de esta manera a las obligaciones basadas en el origen étnico. Sin embargo, el general Joaquín Molina, que entonces peleaba contra los autonomistas de la Junta de Quito, al abrigo del principio "se obedece pero no se cumple", no publicó el decreto de las Cortes que abolía el tributo.[53] Al suprimir la Junta de Quito en diciembre de 1812 su sucesor, el general Montes, ordenó la recaudación del tributo en todas las regiones del antiguo Reino de Quito, incluidas Cuenca y Loja, para pagar los altos costos de reprimir a los insurgentes.[54]

La reacción entre los cañaris fue inmediata. El 18 de enero de 1813, en la ciudad de Quito, "Agustín Padilla, Indio del Pueblo Cañar, y soldado de cavallería de la Ciudad de Cuenca" entregó un memorial formal al general Montes, solicitando que le fuese concedido renunciar al ejército y regresar a su hogar. Padilla afirmaba:

> a pesar de las obligaciones que me asisten, de mantener una pobre muger, hijos, y unos padres de edad abanzada con mi sudor y trabaxo, me hizo desertar todos los estorvos que tenía, por defender voluntariamente la justa causa a que soy benido. Yo seguiría gustoso en servicio pero como soy Indio y pago el Real Tributo me es indispensable el retirarme a mi tierra, para trabajar y cumplir con esta obligación, pues no puedo a un mismo tiempo hacer dos servicios; por lo que suplico a la piedad de V. E. que entendiendo a lo que llebo expuesto, darme la respectiva licencia y pasaporte para seguir mi destino, si fuese del agrado de V. E. Por tanto

53. En 1528, Carlos I expidió un decreto que estipulaba: "los Ministros y Jueces obedezcan y no cumplan nuestras cédulas y despachos en que intervinieron los vicios de obrepción y subrepción, y en la primera ocasión nos avisen de la causa por que no lo hicieron". Citado en Rodríguez O., "La naturaleza de la representación", p. 12.

54. Más tarde, en 1813, un funcionario real justificó la acción con el siguiente argumento: "Estando prevenido por las leyes del reino mandadas observar por la misma Constitución Nacional que cuando se expidan Reales cédulas, pragmáticas, provisiones y demás ordenes que emanan de la Soberanía y que contengan algun grave perjuicio al bien del Estado o induzcan alguna novedad turbativa del buen orden, se obedezca y no se cumplan, representándose por los jefes de las provincias a quien se dirigen los inconvenientes que resultarían de su publicación y cumplimiento, les parece a los presentes ministros que siendo de esta naturaleza la Real Orden expedida sobre la extinción del ramo de tributos dirigida a todas las provincias fieles, el Señor Joaquín Molina no tuvo a bien mandarla publicar, sin duda porque consideró con la más detenida circunspección el perjuicio que de su promulgación y execucción resultaría no sólo a la Real Hacienda, sino también a la agricultura e industria de estas provincias que no pueden sustenerse sin sugetar a los indios por medio del tributo a la debida subordinación". Citado en Morelli, *Territorio o Nazione*, p. 233.

a V. E. pido y suplico así lo provea y mande como solicito jurando no proceder de malicia, etc.

El capitán de Dragones Juan Benites apoyó la solicitud de Padilla, afirmando que era un soldado leal y valeroso y que la carga del tributo era muy real, no sólo para Padilla, sino para todos los indígenas tributarios de la compañía. No tardaron en llegar otras peticiones. En el lapso de un mes varios cientos de soldados cañar, hombres que habían constituido la columna vertebral de las fuerzas realistas, regresaron a casa.[55]

Los antiguos soldados desempeñaron un papel central en la movilización de sus comunidades para oponerse al tributo. En los meses siguientes los indígenas de toda Cuenca y Loja se rehusaron a pagar tributo argumentando que la Constitución los había hecho ciudadanos españoles y, por lo tanto, no estaban obligados a llevar esas cargas. Cuando las autoridades locales disintieron, los indígenas justificaron su negativa a pagar el tributo produciendo copias manuscritas de los artículos constitucionales que avalaban su posición. El gobernador de Loja temía que los curas estuvieran incitando estas acusaciones, así que pidió al obispo que sus curas no minaran la autoridad del gobierno. El obispo acató la petición y urgió a los párrocos a que "se abstengan de influir directa o indirectamente en puntos que puedan comprometer la tranquilidad pública o la falta de subordinación a las Autoridades legítimamente constituidas ...".[56] En un intento por "aquietar a los Yndios" el jefe político superior Montes redujo el monto del tributo. Durante algún tiempo la agitación contra el tributo terminó en apariencia. En 1814 comenzó de nuevo. Cuando José Ygnacio Checa, un funcionario local en el pueblo de Tablabamba en el Partido de Loja trató de "hacerles saver la rebaxa de Tasas" fue apedreado. Como indicaba Checa, "los seductores han podido hacer muy repugnante esta contribución ...".[57] Esta vez los dirigentes indígenas defendieron sus acciones exhibiendo copias impresas de la Constitución. Tras una investigación exhaustiva las autoridades determinaron que los documentos estaban entrando al territorio desde el vecino Partido peruano de Trujillo. Puesto que la región sureña de Loja caía bajo la jurisdicción del obispo de

55. Agustín Padilla a Montes, Quito, 18 de enero de 1813, ANHQ: PQ, vol. 472, f. 167 y *passim*.
56. Josef, obispo de Trujillo a Montes, Trujillo, 14 de mayo de 1814, ANHQ: PQ, vol. 498, f. 71.
57. José Ygnacio Checa a Montes, San Felipe, 12 de mayo de 1814, ANHQ: PQ, vol. 498, 54r-v.

Trujillo, las autoridades civiles solicitaron su colaboración para evitar la circulación de material inapropiado. Aunque el obispo ordenó una investigación, fue incapaz de determinar si un cura dentro de su jurisdicción estaba alentando a los indígenas a no pagar tributo. En cambio, la investigación reveló que los indígenas de Loja estaban difundiendo la información de que las comunidades indígenas de Trujillo, que en el pasado habían estado sujetas al tributo, ya no debían pagar, puesto que la Constitución lo prohibía. Algunos distribuyeron pequeñas esquelas afirmando "lo que el Rey da, no quita". Otros sostenían que "siempre que todo el Reyno buelva a pagar dicho Ramo ..." ellos también pagarían tributo, pues eso significaba ser ciudadano; todos eran iguales ante la ley.[58] Estas acciones demuestran que la población indígena de la Provincia de Quito no vivía aislada. Los indígenas estaban en constante comunicación, no sólo con sus contrapartes en otras jurisdicciones, sino también con otros grupos de la sociedad. Ellos no dependían enteramente de los curas para mantenerse informados, sobre todo en materia de política. Conocían y entendían los asuntos que les afectaban y defendían hábilmente sus intereses.[59] Incapaz de poner en vigor la recolección del tributo en extensas áreas de la Provincia de Quito, el jefe político superior Montes ordenó su abolición en mayo de 1814.

Éstas no fueron las únicas consecuencias imprevistas del nuevo orden constitucional. Muchos indígenas, antiguos miembros de repúblicas de indios, invocaron su estatus de ciudadanos españoles para negarse a cumplir con el servicio personal o el trabajo forzado. Estos indígenas se negaban a trabajar para la Iglesia o en proyectos públicos como caminos y edificios de gobierno. También se negaron resueltamente a pagar el diezmo argumentando que la Constitución había puesto fin a esas obligaciones. Muchos dejaron de contribuir al sustento de los curas parroquiales.[60] Otros tantos se negaron a ir a misa o a enviar a sus hijos a la escuela. En unos cuantos casos, indígenas que habían sido arrestados por generar desorden en estado

58. "Representación del Cura de Pimpicos al Ymo. Sor. Obispo de Trujillo", ANHQ: PQ, vol. 498, ff. 68-70.
59. En Yucatán las comunidades indígenas "recibían regularmente noticias sobre las decisions de las Cortes", Terry Rugely, *Yucatán's Maya Peasantry & the Origins of the Caste War* (Austin, University of Texas, 1996), p. 39. Es probable que los indígenas de Quito, como los de Yucatán, tuvieran sus propias fuentes de información.
60. "Representación del Cura de Pimpicos al Ymo. Sor. Obispo de Trujillo", ANHQ: PQ, vol. 498, ff. 68-70.

de ebriedad defendieron su proceder declarando que como ciudadanos españoles libres podían hacer lo que quisieran.[61] Algunos incluso se negaron a pagar sus deudas creyendo que la Constitución había puesto fin a esas obligaciones. Los funcionarios locales, consternados, sólo podían quejarse de los indígenas, "siendo incredible su altanería", ante las autoridades superiores, con la esperanza de que fueran ellos quienes restauraran el orden.[62]

Conclusión

La introducción de la Constitución de 1812 desató una profunda revolución social y política que apenas comenzamos a estudiar. El nuevo sistema transformó las relaciones de poder. Los indígenas del Reino de Quito reaccionaron con avidez ante el nuevo panorama. Si bien algunas autoridades y muchos miembros de la elite se resistieron a reconocer el nuevo estatus político de los indígenas, los registros del Archivo Nacional de Historia en Quito muestran que la mayor parte de los funcionarios intentaron instrumentar el nuevo sistema revolucionario. Esto no quiere decir que no trataran de influir en los acontecimientos. Es evidente que exageraron el número de almas con derecho a representación para incrementar el número de diputados de la Provincia de Quito ante las Cortes. De manera similar, redujeron el número de esas almas cuando se trataba de establecer el número de electores parroquiales, tal vez para controlar las elecciones a los dos niveles más altos de gobierno, las Cortes y la diputación provincial. A pesar de estas manipulaciones, defendieron con firmeza la participación de los indígenas en el nivel local de los ayuntamientos constitucionales. No tenían opción. Los indígenas, particularmente los de Cuenca y Loja, habían apoyado a la Corona en contra de los insurgentes quiteños. Su servicio militar les había abierto una perspectiva más amplia al

61. Un funcionario en Riobamba sostenía que "los Yndios ... de esta Villa, mal inteligenciados sobre la prohivicion del arresto a las Carceles, decretada por la Soberania de las Cortes", se habían entregado a "las Borracheras insesantes.... La prohivicion del arresto, creo no comprenden de segun dicho al Deudor de la Real Hacienda, ni puede disfrutar de los privilegios de Ciudadano, el Vasallo que con escandalo se ha dado al vicio de la embriaguez". Martín Chriboga y León a Montes, Riobamba, 16 de septiembre de 1814, ANHQ: PQ, vol. 502 ff. 101r-v.

62. "Representación del Cura de Pimpicos al Ymo. Sor. Obispo de Trujillo", ANHQ: PQ, vol. 498, ff. 68-70; Checa a Montes, Marañón, 25 de febrero de 1814, ANHQ: PQ, vol. 495, ff. 260-266; véase también vol. 490, vol. 497, f. 133, vol. 498, ff. 54, 68070.

permitirles el contacto con gente de otras regiones y les había dado una muestra de las amplias posibilidades del nuevo sistema político constitucional. Los indígenas demostraron tener la misma energía para defender sus intereses bajo el nuevo orden. Aun cuando la mayor parte de quienes vivían en fincas privadas eran conciertos, ellos también actuaron para proteger sus intereses y establecieron numerosos ayuntamientos constitucionales. Los indígenas defendieron sus acciones con fuertes argumentos constitucionales que las autoridades en Quito no desafiaron.

Como lo demuestran las elecciones de Cuenca y Loja, los indígenas no conformaban un bloque unitario. Al igual que otros grupos sociales, estaban divididos por intereses y ambiciones individuales, familiares y locales. La mayoría intentaba conseguir estos intereses por medio de la participación en coaliciones interétnicas. Así, se encontraban indígenas en ambos lados de la mayor parte de las contiendas políticas. Su participación en las contiendas locales por el control político dotó a los indígenas de poder e influencia. Resulta evidente, a partir de la oposición al tributo, que los dirigentes indígenas no tardaron en aprender a utilizar el nuevo sistema político para sus propios fines. Aunque las autoridades temían que los curas estuvieran incitando a los indígenas a oponerse no existe evidencia de ello en los documentos. Por el contrario, muchos curas informaron que los nativos ya no apoyaban a la iglesia parroquial. De hecho, la iniciativa y la determinación de los indígenas es sorprendente. Algunos de ellos intentaron llevar sus nuevos derechos constitucionales incluso más allá de los límites que buscaron los redactores de la Carta de Cádiz.[63]

El activismo político de los indígenas se mantuvo vigente tras la independencia. El 28 de septiembre de 1822 los naturales del pueblo de San Felipe se rehusaron a trabajar en la fábrica de pólvora de Latacunga. Argumentaban

> Que la Constitución de Colombia, y por su Código que nos gobierna, está declarado que todo hombre Republicano, no es ni puede ser feudatario ni sujeto contra

63. Para una interpretación diferente de la mía del papel político de los indígenas véase Federica Morelli, "Un neosincretismo político. Representación, política y sociedad indígena durante el primer liberalismo hispanoamericano: el caso de la Audiencia de Quito (1813-1830)" en Thomas Krüggeler y Ulrich Mücke (eds.), *Muchas Hispanoaméricas. Antropología, historia y enfoques culturales en los estudios latinoamericanistas* (Madrid y Frankfurt am Main, Iberoamericana/Vervuert Verlag, 2001), pp. 151-165.

> su voluntad a ningún servicio vil, conceptuándolo al hombre libre en sus acciones y derechos Sagrados que posee. Por lo tanto no puede constituirle a ninguno por estrépito, fuerza, ni violencia a que sirva en ningún Ministerio, no siendo que sea con su espontánea voluntad.

Además, "los Yndígenas como gozan de los mismos privilegios que cualquier otro Ciudadano, no pueden estar sujetos a que sus peticiones ni en ninguna causa se siga por los Procuradores sino por ellos solos, con que esta comprobada la libertad que gozamos los Yndígenas".[64]

Apenas cuatro meses después de la derrota de los realistas en la Batalla de Pichincha, los naturales del antiguo Reino de Quito ya usaban la Constitución de Colombia para defender sus intereses, de la misma manera en que antes se habían apoyado en la Constitución de Cádiz. Está claro que los indígenas no eran las víctimas pasivas que muchos historiadores describen. Ellos, como muchos de sus conciudadanos, eran participantes activos en el surgimiento de la nueva nación de Ecuador.

64. "Consulta del Administrador de la Fábrica de Latacunga sobre que los Yndígenas se niegan al trabajo de ella", ANH, Q: Gobierno, caja 79, 28-IX, 1822.

BIBLIOGRAFÍA

ARCHIVOS

Ecuador

Archivo de la Biblioteca Municipal de Guayaquil
Archivo Histórico del Banco Central del Ecuador
Fondo Jijón y Caamaño
Archivo Histórico del Guayas, Guayaquil
Actas del Cabildo Colonial
Archivo Nacional de Historia, Quito
Presidencia de Quito, Gobierno, Indígenas, Informes
Archivo Municipal de Quito
Actas del Consejo

España

Archivo del Congreso de Diputados, Madrid
Documentación Electoral
Archivo General de Indias, Sevilla
Guadalajara, México, Quito, Lima, Diversos, Indiferente
Archivo Histórico Nacional, Madrid
Estado

Estados Unidos

Benson Latin American Collection
University of Texas, Austin
Hernández y Dávalos Papers
Library of Congress (Washington, D. C.)
Iturbide Papers

México

Ayuntamientos
Gobernación
Historia
Infidencias
Bienes Nacionales
Archivo del Ayuntamiento de Oaxaca
Actas de Cabildo
Archivo Histórico Municipal de la Ciudad de Veracruz
Actas del Ayuntamiento
Elecciones

Fuentes impresas

Academia Nacional de Historia de Venezuela, *Mesa redonda sobre el movimiento emancipador de Hispanoamérica*, 4 vols. Madrid: Ediciones Guadarrama, 1961.

Adams, John, *The Works of John Adams,* 10 vols. Boston: Little Brown, 1850-1856.

Adrien, Kenneth J., "Economic Crisis, Taxes and the Quito Insurrection of 1765", *Past and Present,* 129 (noviembre, 1990), pp. 104-131.

Alamán, Lucas, *Historia de Méjico desde los primeros movimientos que prepararon su independencia en el año de 1808 hasta la época presente,* 5 vols. México: Imprenta de Lara, 1849.

______, *Historia de Méjico desde los primeros movimientos que prepararon su Independencia el año de 1808 hasta la época presente*, 5 vols. México: Fondo de Cultura Económica, 1985.

Alberro, Solange, Alicia Hernández Chávez y Elías Trabulse, *La Revolución Francesa en México.* México: El Colegio de México, 1992.

Alcalá Alvarado, Alfonso, *Una pugna diplomática ante la santa sede. El restablecimiento del episcopado en México, 1825-1831.* México: Editorial Porrúa, 1967.

Almer, Carl, "'La confianza que han puesto en mi'. La participación local en el establecimiento de los ayuntamientos constitucionales en Venezuela, 1820-1821" en Rodríguez O. (coord.), *Revolución, Independencia y las Nuevas Naciones de América*, pp. 365-395.

Alperovich, M. S., *1810-1824. Historia de la independencia de México.* México: Editorial Grijalbo, 1967.

Anderson, W. Woodrow, "Reform as a Means to Quell Revolution" en Benson, pp. 185-207. 1966.

André, Marius, *La fin de l'empire espagnol d'Amérique.* París: Nouvelle librairie nationale [1922].

Anna, Timothy E., *The Fall of Royal Government in Mexico City.* Lincoln: University of Nebraska Press, 1978.

———, *The Fall of Royal Government in Peru.* Lincoln: University of Nebraska Press, 1979.

———, "The Role of Agustín Iturbide: A reappraisal", *Journal of Latin American Studies*, 17 (1985), pp. 79-110.

———, *Spain and the Loss of America.* Lincoln: University of Nebraska Press, 1983.

———, "The Iturbide Interregnum" en Rodríguez O., *The Independence of Mexico*, pp. 185-199.

Annino, Antonio, "Pratiche creole e liberalismo nella crisi dell spazio urbano coloniale. El 29 de noviembre 1812 a Cittá del Messico", *Cuaderni Storici*, LXIX: 23(3) (diciembre, 1988), pp. 727-763.

Appleby, Joyce, Lynn Hunt, Margaret Jacob, *Telling the Truth About History.* Nueva York: W. W. Norton, 1994.

———, *La verdad sobre la historia.* Barcelona: Andrés Bello, 1998.

Archer, Christon I. *The Army in Bourbon Mexico, 1760-1810.* Albuquerque: University of New Mexico Press, 1977.

———, "The Officer Corps in New Spain: The Martial Career, 1759-1821", *Jarbuch Für Geschichte von Staat Wirtschaft und Gellschaft Latinamerikas* (1980), pp. 137-158.

———, "The Army of New Spain and the War of Independence", *Hispanic American Historical Review*, 61, núm. 4 (1981), pp. 705-720.

______, "The Royalist Army in New Spain: Civil Military Relationships, 1810-1821", *Journal of Latin American Studies*, 13, núm. 1 (mayo, 1981), pp. 57-83.

______, "Banditry and Revolution in New Spain, 17901821", *Biblioteca Americana* (noviembre, 1982), pp. 59-89.

______, "Los dineros de la insurgencia" en Herrejón Peredo, *Repaso de la Independencia*, pp. 39-70.

______, "'La Causa Buena': The Counterinsurgency Army of the New Spain and the Ten Years' War" en Rodríguez O., *The Independence of Mexico*, pp. 85-108.

______, "Putting the Pieces Back Together: The Social Cost of the Mexican War of Independence", ponencia presentada en la 102 Reunión Anual de la American Historical Association llevada a cabo en Washington, D.C., 30 de diciembre de 1986.

______, "Where did all the Royalists go? New Lights on the Military Collapse in New Spain, 1810-1821" en Jaime E. Rodríguez O. (ed.), *The Mexican and the Mexican American Experience in the Nineteenth Century* (Tempe: Bilingual Press, 1989), pp. 24-43.

______, "The Latin American independence Movements" en David Lafrance y Errol D. Jones, *Latin American Military History: An Annotated Bibliography.* Nueva York: Garland Publishers, 1992.

______ (ed.), *The Birth of Modern Mexico: 1780-1824.* Wilmington: SR Books, 2003.

Arcila Farías, Eduardo, *Comercio entre Venezuela y México en los siglos XVII y XVIII.* México: El Colegio de México, 1950.

______, *Economía colonial de Venezuela,* 2 vols. Caracas: Italgráfica, 1973.

Arnade, Charles, *The Emergence of the Republic of Bolivia.* Gainesville: University of Florida Press. 1957.

Arrom, Silvia, "Popular Politics in Mexico City: The Parián Riot, 1828", *Hispanic American Historical Review*, 68 (mayo, 1988), pp. 245-268.

Artola, Miguel, *Los orígenes de la España contemporánea,* 2 vols. Madrid: Instituto de Estudios Políticos, 1959.

______, *La España de Fernando VII.* Madrid: Espasa-Calpe, 1968.

Artola, Miguel (ed.), *Las Cortes de Cádiz.* Madrid: Marcial Pons, 1991.

Arze, René, *Participación popular en la independencia de Bolivia.* La Paz: Organización de Estados Americanos, 1979.

Ávila, Alfredo, "De las independencias a la modernidad. Notas sobre un cambio historiográfico". en *Conceptualizar lo que se ve: François-Xavier Guerra, historiador* en pp. 76-112.

Barbier, Jacques, *Reform and Politics in Bourbon Chile, 1755-1796.* Ottawa: University of Ottawa Press, 1980.

Barker, Nancy Nichols, *The French Experience in Mexico, 1821-1861: A History of Constant Misunderstanding.* Chapel Hill: University of North Carolina Press, 1979.

Barragán Barragán, José, *Introducción al federalismo: la formación de los poderes.* México: UNAM, 1978.

———, *El juicio de responsabilidad en la constitución de 1824.* México: UNAM, 1978.

Becker, Carl L., *The Heavenly City of the Eighteenth-Century Philosophers.* New Haven Yale University Press, 1932.

———, *La Ciudad de Dios del siglo XVIII.* México: Fondo de Cultura Económica, 1943.

Benson, Nettie Lee, "The Contested Mexican Election of 1812", *Hispanic American Historical Review,* 26: 3 (agosto, 1946), pp. 336-350.

———, "Spain's Contribution to Federalism in Mexico" en Thomas E. Cotrner y Carlos Castañeda eds. *Essays in Mexican History.* Austin: University of Texas Press, 1958, 90-103.

———, *La diputación provincial y el federalismo mexicano.* México: El Colegio de México, 1955.

——— (ed.), *Mexico and the Spanish Cortes, 1810-1822.* Austin: University of Texas Press, 1966.

——— (comp.), *Mexico and the Spanish Cortes, 1810-1922.* Austin: University of Texas Press, 1966.

———, *The Provincial Deputation in Mexico: Harbinger of Provincial Autonomy, Independence, and Federalism.* Austin: University of Texas Press, 1992.

Belenguer, Ernest, *El imperio hispánico,* 1479-1665. Barcelona: Grijalbo Mondadori, 1994.

Berry, Charles R., "The Election of the Mexican Deputies to the Spanish Cortes, 1810-1822" en Benson, pp. 10-42, 1966.

Bethell (comp.), *Cambridge History of Latin America,* 8 vols. Cambridge: Cambridge University Press, 1984-1991.

Bloor, David, *Knowledge and Social Imagery.* Londres: Routledge, 1976.

______, "The Strength of the Strong Programme", *Philosophy of the Social Sciences,* 11, 1981, pp. 199-213.

Blythe, James M., *Ideal Government and the Mixed Constitution in the Middle Ages.* Princeton: Princeton University Press, 1992.

Bolívar, Simón, *Obras completas,* 3 vols. Caracas: E. Requena Mira, 1960.

Borah, Woodrow (coord.), *El gobierno provincial en la Nueva España, 1570-1787.* México: Universidad Nacional Autónoma de México, 1985.

Borthart de Moreno, Christina R., *Los mercaderes y el capitalismo en México, 1759-1787.* México: Fondo de Cultura Económica, 1984.

Bosh García, Carlos, *Problemas diplomáticos del México independiente.* México: El Colegio de México, 1947.

______, *Historia de las relaciones entre México y los Estados Unidos, 1819-1848.* México: UNAM, 1961.

Bouloiseau, Marc, *The Jacobin Republic, 1787-1792.* Cambridge: Cambridge University Press, 1983.

Bowsma, William J. en Michael Kimmel, *Absolutism and its Discontents: State and Society in Seventeenth-Century France and England.* New Brunswick: Transaction Books, 1988, p. 15.

Brading, David A., *Miners & Merchants in Bourbon Mexico, 1763-1810.* Cambridge: Cambridge University Press, 1971.

Breña, Roberto, "El primer liberalismo español y la emancipación de América: tradición y reforma", *Revista de Estudios Políticos* (Madrid), Nueva Época, n. 121, julio-septiembre 2003, pp. 199-231.

Brett, Annabel S., *Liberty, Right and Nature: Individual Rights in Later Scholastic Thought.* Cambridge: Cambridge University Press, 1997.

Brading, David A., *Miners and Merchants in Bourbon Mexico, 1763-1810* . Cambridge: Cambridge University Press, 1971.

———, *Haciendas and Ranchos in the Mexican Bajío: León, 1700-1860.* Cambridge: Cambridge University Press, 1978.

Brown, Jonathan C., *A Socioeconomic History of Argentina.* Cambridge: Cambrigde University Press, 1979.

Brown, Roger H., *Redeeming the Republic: Federalists, Taxation, and the Origins of the Constitution.* Baltimore: The Johns Hopkins University Press, 1993.

Brown, W. Kendall, *Bourbons and Brandy: Imperial Reform in Eighteenth-Century Arequipa.* Albuquerque: University of New Mexico Press, 1986.

Bruchey, Stuart, *The Roots of American Economic growth, 1607-1861.* Nueva York: Harper & Row, 1965.

Buechler, Rose Marie, *The Mining Society of Potosi, 1776-1810.* Syracuse: Syracuse University Press, 1981.

Buisson, Inge (coord.), *Problemas de la formación del Estado y de la nación en Hispanoamérica.* Colonia: Böhlau Verlag, 1984.

Burkholder, Mark A. y D. S. Chandler, *From Impotence to Authority: The Spanish Crown and the American Audiencias, 1687-1808.* Columbia: University of Missouri Press, 1977.

Burkholder, Mark A. y Lyman L. Johnson, *Colonial Latin America* 2ª ed. Nueva York: Oxford University Press, 1994.

Bushnell, David, *Simón Bolívar. Liberation and Disappointment.* Nueva York: Pearson/Longman, 2004.

Campbell, Leon G., *The Military and Society in Colonial Peru, 1750-1810.* Filadelfia: American Philosophical Society, 1978.

Canny, Nicolas P., "The Ideology of English Colonization: From Ireland to America", *William and Mary Quarterly*, 34d. ser. XXX (1973), pp. 575-598.

Carrera Damas, Germán, *La crisis de la sociedad colonial venezolana.* Caracas: Ministerio de Educación, 1976.

———, *Boves. Aspectos socioeconómicos de la guerra de independencia.* Caracas: Ministerio de Educación, 1972.

Carroll, Patrick J., *Blacks in Colonial Veracruz: Race, Ethnicity and Regional Development.* Austin: University of Texas Press, 1991.

Cassirer, Ernst, *Filosofía de la Ilustración.* México: Fondo de Cultura Económica, 1972.

Castro Gutiérrez, Felipe, "El rey indio de la máscara de oro: la historia y el mito en la ideología plebeya" en *Históricas,* núm. 21 (febrero, 1987), pp. 12-20.

———, *Movimientos populares en Nueva España.* México: Universidad Nacional Autónoma de México, 1990.

———, "La rebelión del indio Mariano (Nayarit, 1808)", *Estudios de Historia Novohispana,* 10 (1991), pp. 347-367.

———, "Orígenes sociales de la rebelión de San Luis Potosí, 1767" en Rodríguez O., *Patterns of Contention in Mexican History,* 1992, pp. 37-47.

Castro Morales, Efraín, *El federalismo en Puebla.* Puebla: Gobierno del Estado de Puebla, 1987.

Calvillo, Manuel, Ernesto Lemoine, Tarsicio García Díaz y Andrés Lira *La república federal Mexicana: gestación y nacimiento,* 8 vols. [México: Novaro, 1974].

Caplan, Karen D., "The Legal Revolution in Town Politics: Oaxaca and Yucatán, 1812-1825", *Hispanic American Historical Review,* vol. 83, núm. 2 (2003), pp. 255-293.

Cartledge, Paul, "Greek Political Thought: the Historical Context" en Christopher Rowe, Malcolm Schofield, with Simon Harrison, Melissa Lane (eds.), *The Cambridge History of Greek and Roman Political Thought.* Cambridge: Cambridge University Press, 2000.

Céspedes del Castillo, Guillermo, *Lima y Buenos Aires. Repercusiones económicas y políticas de la creación del virreinato del Plata.* Sevilla: Escuela de Estudios Hispanoamericanos, 1949.

Chust, Manuel, *La cuestión nacional americana en las Cortes de Cádiz*. Valencia y México: Fundación Instituto Historia Social/Universidad Nacional Autónoma de México, 1999.

______, "Legislar y revolucionar. La trascendencia de los diputados novohispanos en las Cortes hispanas, 1810-1814" en Virginia Guedea (coord.), *Independencia de México y el proceso autonómista novohispano, 1808-1824*. México: UNAM/Instituto Mora, 2001, pp. 23-81.

______, "El rey para el pueblo, la Constitución para la nación" en Mínguez y Chust (eds.), *El imperio sublevado*, pp. 225-254.

______, "Federalismo *avant la lettre* en las Cortes hispanas, 1810-1821" en Josefina Zoraida Vázquez (coord.), *El establecimiento del federalismo en México (1821-1827)*. México: El Colegio de México, 2003, pp. 77-114.

______ e Ivana Frasquet, "Soberanía, nación y pueblo en la Constitución de 1812" en *Secuencia*, núm. 57 (2003), pp. 39-60.

______, "La nación en armas. La milicia cívica en México, 1821-1835" en Rodríguez O. (coord.), *Revolución, Independencia y las Nuevas Naciones de América*, pp. 279-308.

Congreso Hispanoamericano de Historia, *Causas y caracteres de la independencia hispanoamericana*. Madrid: Ediciones Cultura Hispánica, 1953.

Costeloe, Michael P., *La Primera República Federal de México, 1824-1835*. México: Fondo de Cultura Económica, 1975.

______, *Church and State in Independent Mexico*. Londres: 1978.

______, *Response to Revolution: Imperial Spain and the Spanish American Revolutions, 1810-1840*. Cambridge: Cambridge University Press, 1986.

D. J. C., *Catecismo político arreglado a la Constitución de la Monarquía Española; para ilustración del pueblo, instrucción de la juventud, y uso de las escuelas de primeras letras*. Puebla: Imprenta de San Felipe Neri, 1820.

Destua Pimentel, Carlos, *Las intendencias en el Perú, 1790-1796*. Sevilla: Escuela de Estudios Hispanoamericanos, 1965.

Doblado, Rafael y Gustavo A. Marreno, "Mining Led Growth in Bourbon México, the Role of the State, and the Economic Cost of Independence". Boston: David Rockefeller Center for Latin American Studies, Working Paper Series 0607-1 de junio de 2007.

Domínguez, Jorge, *Insurgency or Loyalty: The Breakdown of the Spanish American Empire.* Cambridge: Harvard University Press, 1980.

Draper, Theodore, *A Struggle for Power: The American Revolution.* Nueva York: Random House, 1996.

Ducey, Michael, "Village, Nation and Constitution: Insurgent Politics in Papantla, Veracruz, 1810-1821", *Hispanic American Historical Review,* LXXIX , núm. 3 (agosto 1999), pp. 463-493.

Dysen, Freeman, "Clockwork Science", *New York Review of Books,* 40: 17, 6 de noviembre de 2003, pp. 42-44.

Eccles, W. J., *France in America,* edición revisada. Ontario: Fitzhenry & Whiteside, 1990.

El Despertador Americano. Correo político económico de Guadalaxara del Jueves 20 de Diciembre de 1810" en J. E. Hernández y Dávalos (ed.), *Colección de Documentos para la Historia de la Guerra de Independencia en México,* 6 vols. México: José María Sandoval, 1877, II, pp. 311-312.

El mundo de las ideas y la revolución hispanoamericana de 1810. Saniago: Editorial Jurídica de Chile, 1955.

Elliott, John H., "A Europe of Composite Monarchies", *Past and Present,* 137 (1992).

———, *History in the Making.* New Haven: Yale University Press, 2012.

Escobar Ohmstede, Antonio, "Del gobierno indígena al Ayuntamiento constitucional en las Huastecas hidalguense y veracruzana, 1780-1853", *Mexican Studies/Estudios Mexicanos,* 12: 1 (invierno de 1996), pp. 1-26.

"Esposición". "Esposición presentada a las Cortes por los diputados de ultramar en la sesión de 25 de junio de 1821" en Alamán, 1849, pp. 49-65.

Estrada Ycaza, Julio, *La lucha de Guayaquil por el Estado de Quito,* 2 vols. Guayaquil: Banco Central del Ecuador/Archivo Histórico del Guayas, 1984.

Farris, Nancy M., *Crown and Clergy in Colonial Mexico: The Crisis of Ecclesiastical Privilege.* Londres: The Athlone Press of the University of London, 1968.

Ferry, Robert J., *The Colonial Elite of Early Caracas: Formation and Crisis, 1567-1767.* Berkeley: University of California Press, 1989.

Fick, Carolyn E., *The Making of Haiti: The Saint Domingue Revolution from Below.* Knoxville: University of Tennessee Press, 1990.

Fisher, John, *Government and Society in Colonial Peru: The Intendant System, 1784-1814.* Londres: The Athlone Press, 1970.

———, *Silver Mines and Silver Miners in Colonial Peru, 776-1824.* Liverpool: University of Liverpool Press, 1977.

———, "Royalism, Regionalism, and Rebellion in Colonial Peru, 1808-18152", *The Hispanic American Historical Review,* XLIX: 2 (mayo, 1979), pp. 232-257.

———, *Commercial Relations between Spain and Spanish America in the Era of Free Trade, 1778-1796.* Liverpool: University of Liverpool, 1985.

Flores Caballero, Romeo, *La contrarrevolución en la independencia: Los españoles en la vida política, social y económica de México, 1803-1838.* México: El Colegio de México, 1969.

Flores Galindo, Alberto, *Aristocracia y plebe: Lima, 1760-1830.* Lima: Instituto Nacional de Cultura, 1984.

——— (comp.), *Independencia y revolución, 1780-1840,* 2 vols. Lima: Instituto Nacional de Cultura, 1987.

Florescano, Enrique, *Precios de maíz y crisis agrícolas en México, 1708-1810.* México: El Colegio de México, 1969.

———, *Origen y desarrollo de los problemas agrarios de México, 1500-1821.* México: Ed. Era, 1976.

Flower, Harriet I., *Roman Republics.* Princeton: Princeton University Press, 2009.

Frasquet, Ivana, "Cádiz en América: Liberalismo y Constitución" en *Mexican Studies/Estudios Mexicanos,* vol. 20, núm. 1 (invierno de 2004), pp. 21-46.

———, "La construcción del Estado-Nación en México (1820-1824). Del liberalismo hispano a la República Federal". Castellón: Universitat Jaume I, 2004.

———, *Las caras del águila: Del liberalismo gaditano a la república federal mexicana (1820-1824).* Castellón: Universitat Jaume I, 2004.

_______, "La cuestión nacional americana en las Cortes del Trienio Liberal, 1820-1821" en Rodríguez O. (coord.), *Revolución, Independencia y las Nuevas Naciones de América*, 123-157.

_______ (coord.), *Bastillas, cetros y blasones. La independencia en Iberoamerica*. Madrid: Fundación MAPFRE/Instituto de Cultura, 2006.

Fuentes, Carlos, *La campaña*. México: Fondo de Cultura Económica, 1991.

Furet, François, *Interpreting the French Revolution*. Cambridge: Cambridge University Press, 1981.

Gandia, Enrique de, *La Independencia Americana*. Buenos Aires: Libros del Mirasol, 1960.

_______, *Historia del 25 de Mayo: nacimiento de la libertad y la independencia argentinas*. Buenos Aires: Editorial Claridad, 1960.

García, Genaro (comp.), *Documentos históricos mexicanos*, 7 vols. México: Secretaría de Educación Pública, 1985.

García Márquez, Gabriel, *El general en su laberinto*. México: Diana, 1989.

García-Baquero, Antonio, *Comercio colonial y guerras revolucionarias*. Sevilla: Escuela de Estudios Hispanoamericanos. *Cádiz y el Atlántico, 1717-1778*, 2 vols. Sevilla: Escuela de Estudios Hispanoamericanos, 1972-1976.

Garmagnani, Marcello, *Les Mécanismes de la vie économique dan une société coloniale: le Chili (1680-1830)*. París, 1973.

Garza, Luis Alberto de la, "La transición del Imperio a la República o la participación indiscriminada, 1821-1823", *Estudios de Historia Moderna y Contemporánea de México*, núm. 11 (1988), 21-57.

Gay, Peter, *The Enlightenment: An Interpretation*, 2 vols. Nueva York: Knopf, 1967-1969.

Gibson, Charles, *The Aztecs Under Spanish Rule: A History of the Indians of the Valley of Mexico, 1519-1810*. Stanford: Stanford University Press, 1964.

Gil Novales, Alberto, *Las sociedades patrióticas (1820-1823): las libertades de expresión y de reunión en el origen de los partidos políticos*, 2 vols. Madrid: Tecnos, 1975.

Gilmore, Robert L., *Caudillism and Militarism in Venezuela*. Athens: Ohio State University Press, 1964.

———, "The Imperial Crisis, Rebellion, and Viceroy: Nueva Granada en 1809", *The Hispanic American Historical Review*, XL: 1 (enero, 1980), pp. 1-24.

Giménes Fernández, Manuel, *Las doctrinas populistas en la independencia de Hispano-América*. Sevilla: Escuela de Estudios Hispanoamericanos, 1947.

Godechot, Jacques, *France and the Atlantic Revolution of the Eighteenth Century, 1770-1799*. Nueva York: Free Press, 1965.

———, *The Counter-Revolution: Doctrine and Action, 1789-1804*. Princeton: Princeton University Press, 1981.

Gómez Hoyos, Rafael, *La revolución granadina de 1810: ideario de una generación y de una época, 1781-1821*, 2 vols. Bogotá: Temis, 1962.

Gómez Vizuete, Antonio, "Los primeros ayuntamientos liberales en Puerto Rico (1812-1814 y 1820-1823)", *Anuario de Estudios Americanos*, XLVII, 1990, pp. 581-615.

González, María del Refugio, "El pensamiento de los conservadores mexicanos" en Rodríguez O., *The Mexican and the Mexican American Experience*, 55-67.

———, "Ilustrados, regalistas y liberales" en Rodríguez O., *The Independence of Mexico*, 247-263.

———, *Historia del derecho mexicano*, 2ª ed. México: McGraw Hill/UNAM, 1997.

González, Julio V., *Filiación histórica del gobierno representativo argentino*, 2 vols. Buenos Aires: Editorial "La Vanguardia", 1938-1939.

Grafenstein Gareis, Johanna von, *Nueva España en el Circuncaribe, 1779-1808: Revolución, competencia imperial y vínculos intercoloniales*. México: Universidad Nacional Autónoma de México, 1997.

Gray, William H., "Bolivar's Conquest of Guayaquil", *The Hispanic American Historial Review*, XXVII: 4 (noviembre, 1947), pp. 603-622.

Greenblatt, Stephen, *Marvellous Possessions: The Wonder of the New World*. Oxford: Clarendon Press, 1991.

——— (ed.), *New World Encounters*. Berkeley: University of California Press, 1993.

Greene, Jack P., "The American Revolution", *The American Historical Review*, vol. 105, núm. 1 (febrero, 2000), pp. 93-102.

Greengrass, Mark (ed.), *Conquest and Coalescence: The Shaping of the State in Early Modern Europe*. Nueva York: Routledge, Chapman and Hall, 1991.

Guillén, Julio F., *Independencia de América: Índice de los papeles de expediciones de Indias*, 3 vols. Madrid: Archivo General de Marina, 1953.

Gómez Ciriza, Roberto, *México ante la diplomacia vaticana.* México: Fondo de Cultura Económica, 1977.

Graham, Richard, *Independence in Latin America: A Comparative Approach.* Nueva York: McGraw-Hill, 1972.

Green, Stanley C., *The Mexican Republic. The First Decade, 1823-1835*. Pittsburgh: University of Pittsburgh Press, 1987.

Guardino, Peter, *Peasants, Politics, and the Formation of Mexico's National State: Guerrero, 1800-1857*. Stanford: Stanford University Press, 1996.

______, *The Time of Liberty: Popular Political Culture in Oaxaca, 1750-1850.* Durham: Duke University Press, 2005.

Guarisco, Claudia , *Los indios del valle de México y la construcción de una nueva sociabilidad política, 1770-1835*. Toluca: El Colegio Mexiquense, 2003, pp. 129-190.

Guedea, Virginia, "Criollos y peninsulares en 1808: dos puntos de vista sobre lo español", tesis de licenciatura. México: Universidad Iberoamericana, 1964.

______, "México en 1812: control político y bebidas prohibidas", *Estudios de Historia Moderna y Contemporánea de México*, núm. 8 (1980), pp. 23-66.

______, *José María Morelos y Pavón. Cronología*. México: UNAM, 1981.

______, "Comentario" en Carlos Herrejón Peredo (coord.), *Repaso de la Independencia*. Zamora: El Colegio de Michoacán, 1985, pp. 115-122.

______, "Los Guadalupes de México", *Relaciones. Estudios de Historia y Sociedad*, núm. 23 (1985), pp. 71-91.

______, "La organización militar" en Woodrow Borah (coord.), *El gobierno provincial en la Nueva España, 1570-1787.* México: Universidad Nacional Autónoma de México, 1985, pp. 125-148.

______, "Los indios voluntarios de Fernando VII", *Estudios de Historia Moderna y Contemporánea de* México, núm. 10 (1986), pp. 11-83.

______, "Comentarios a las ponencias de María Refugio González, Jaime E. Rodríguez O. y Christon I. Archer", trabajo presentado en la sesión "The Emergence of Independent Mexico" en la reunión anual de la American Historical Association, Washington, D. C., 30 de diciembre de 1987.

______, "Las sociedades secretas en el movimiento de independencia" en Jaime E. Rodríguez O., *The Independence of Mexico*, 45-62.

______, "The Historiography of Independence". Ponencia presentada en la "Semana Mexicana" en la Universidad de Calgary, marzo 21-26, 1988.

______, "El golpe del Estado de 1808", *Universidad de México,* 488 (septiembre, 1991), pp. 21-24.

______, "Las primeras elecciones populares en la ciudad de México, 1812-1813", *Mexican Studies/Estudios Mexicanos*, 7: 1 (invierno, 1991), 1-28.

______, "Los procesos electorales insurgentes", *Estudios de Historia Novohispana,* 11, pp. 201-249.

______, "De la fidelidad a la infidencia: los gobernadores de la parcialidad de San Juan" en Rodríguez, 1992.

______, *En busca de un gobierno alterno: Los Guadalupes de México.* México: Universidad Nacional Autónoma de México, 1992.

______, "El pueblo de México y las elecciones de 1812" en Regina Hernández Franyuti (comp.). *La ciudad de México en la primera mitad del siglo* XIX. México: Instituto de Investigaciones Dr. José María Luis Mora, 1994.

______, "El pueblo de México y la política capitalina, 1808 1812", *Mexican Studies/ Estudios Mexicanos*, vol. 10: 1 (invierno, 1994), pp. 27-61.

______, "José Nemesio Vázquez, un correo insurgente", en *De la Historia: homenaje a Jorge Gurría Lacroix*. México: UNAM, 1995, pp. 287-295.

______, "The Process of Mexican Independence", *The American Historical Review*, vol. 105, núm. 1 (febrero, 2000), pp. 116-130.

______, "The Conspiracies of 1811. Or how the Criollos Learned to Organize in Secret" en Christon I. Archer (ed.), *The Birth of Modern Mexico: 1780-1824.* Wilmington: SR Books, 2003, pp. 85-105.

GUERRA, François-Xavier, *Modernidad e independencias. Ensayos sobre las revoluciones hispánicas.* Madrid; Editorial MAPFRE, 1992.

______, "El soberano y su reino. Reflexiones sobre la génesis del ciudadano en América Latina" en Hilda Sabato, coord. *Ciudadanía política y formación de las naciones. Perspectivas históricas de América Latina.* México: Fondo de Cultura Económica, 1999.

Haber, Stephen , "The Worst of Both Worlds: The New Cultural History of Mexico", *Mexican Studies/Estudios Mexicanos,* 13: 2 (verano de 1997), pp. 363-383.

Hale, Charles A., *Mexican Liberalism in the Age of Mora, 1821-1853.* New Haven: Yale University Press, 1968.

Halperin-Donghi, Tulio, *Tradición política española e ideología revolucionaria de mayo.* Buenos Aires: Centro Editor de América Latina, 1965.

______, *Politics, Economics, and Society in Argentina in the Revolutionary Period.* Cambridge: Cambridge University Press, 1975.

______, *Reforma y disolución de los imperios ibéricos, 1750-1850.* Madrid: Alianza Editorial, 1985.

______, *Tradición política española e ideología revolucionaria de mayo,* 2ª ed. Buenos Aires: Centro Editor de América Latina, 1985.

Hamerly, Michael T., *Historia social y económica de la antigua provincia de Guayaquil, 1763-1842.* Guayaquil: Archivo Histórico de Guaymas, 1973.

Hamnett, Brian R., *Politics and Trade in Southern Mexico, 1750-1821.* Cambridge: University Press, 1971.

______, *Revolución y contrarrevolución en México y el Perú; Liberalismo, realeza y separatismo, 1800-1824.* México: Fondo de Cultura Económica, 1878.

______, *Politics & Trade in Southern Mexico, 1751-1821.* Cambridge: Cambridge University Press, 1971.

______, *La política española en una época revolucionaria, 1790-1820.* México: Fondo de Cultura Económica, 1985.

______, *Roots of Insurgency: Mexican Regions, 1750-1824.* Cambridge: Cambridge University Press, 1986.

Hartley, L. P., *Go-Between.* Londres: Hamish Hamilton, 1953.

Haskett, Robert, *Indigenous Rulers: An Ethnohistory of Town Government in Colonial Cuernavaca.* Albuquerque: University of New Mexico Press, 1991.

Henshall, Nicholas, "Early Modern Absolutism 1550-1700, Political Reality or Propaganda?" en Ronald G. Asch y Heinz Duchhardt (eds.), *Der Absolutismus ein Mythos?: Strukturwandel monarchischer Herrschaft*. Colonia: Bohlau Verlag, 1996, pp. 25-53.

Hernández Franyuti, Regina (comp.), *La ciudad de México en la primera mitad del siglo xix*. México: Instituto de Investigaciones Dr. José María Luis Mora, 1994.

Hernández Guerrero, Dolores, *La Revolución haitiana y el fin de un sueño colonial (1791-1803)*. México: Universidad Nacional Autónoma de México, 1997.

Hernández y Dávalos, Juan E., *Colección de documentos para la historia de la guerra de independencia de México de 1808 a 1821*, 6 vols. México: Instituto Nacional de Estudios Históricos de la Revolución Mexicana, 1985.

Herr, Richard, *The Eighteenth Century Revolution in Spain*. Princeton: Princeton University Press, 1958.

Higgenbotham, Don, *The War for American Independence: Military Attitudes, Policies, and Practice, 1763-1789*. Nueva York: Harper, 1971.

Hobsbawm, Eric, *The Age or Revolution, 1789-1848*. Cleveland: World Publishing, 1962.

Horsman, Reginal, *Race and Manifest Destiny: The Origins of American Racial Anglo-Saxonism*. Cambridge: Cambridge University Press, 1981.

Himmelfarb, Gertrude, *The New History and the Old*. Cambridge: Harvard University Press, 1987.

Humphreys, R. A. y John Lynch, *The Origins of the Latin American Revolutions, 1808-1826*. Nueva York: Knopft, 1965.

———, *Tradition and revolt in Latin America*. Londres: Athlone Press, 1965.

Izard, Miguel, *El miedo a la revolución; la lucha por la libertad en Venezuela, 1777-1830*. Madrid: Tecnos, 1979.

Jack P., Greene, *Understanding the American Revolution*. Charlottesville: University Press of Virginia, 1995.

Jacobsen, Nils y Hans-Jürgen Puhle (comps.), *The Economies of Mexico and Peru During the Late Colonial Period, 1760-1810*. Berlín: Colloquium Verlag, 1986.

James, C. L. R., *The Black Jacobins: Toussaint Louverture and the San Domingo Revolution*, 3ª ed. Londres: Ellison & Busby, 1980.

Jane, Cecil, *Liberty and Despotism in Spanish America*. Oxford: At The Clarendon Press, 1929.

Jensen, Merrill, *The Articles of Confederation*, 2ª ed. Madison: University of Wisconsin Press, 1959.

Jiménez Condinach, Guadalupe, *La Gran Bretaña y la Independencia de México, 1808-1821*. México: Fondo de Cultura Económica, 1991.

Johnson, Paul, *The Birth of The Modern World Society, 1815-1830*. Nueva York: Harper Collins. 1991.

Jones, P. M., *The Peasantry during the French Revolution*. Cambridge: Cambridge University Press, 1988.

Joseph, Gilbert, "On the Trail of Latin American Bandits: A Reexamination of Peasant Resistance", *Latin American Research Review*, 25: 3, 1990, pp. 7-53.

______, "On the Trail of Latin American Bandits: A Reexamination of Peasant Resistance" en Jaime E. Rodríguez O. (ed.), *Pattern of Contention in Mexican History*. Wilmington: SR Books, 1992), pp. 293-336.

______ y Daniel Nugent (eds.), *Everyday Forms of State Formation*. Durham: Duke University Press, 1994.

______ (ed.), *Reclaiming the Political in Latin American History: Essays from the North*. Durham: Duke University Press, 2001.

Kamen, Henry, *The War of Succession in Spain, 1700-1715*. Blomington: Indiana University Press, 1969.

Kautsky, John H. *Patterns of Modernizing Revolutions: Mexico and the Soviet Union*. Beverly Hills: Sage Publications, 1975.

Kicza, John E., *Colonial Entrepreneurs: Family and Business in Bourbon Mexico City*. Albuquerque: University of New Mexico Press, 1983.

KINSBRUNER, Jay, *The Spanish-American Independence Movement*. Huntington, Nueva York: R. E. Krieger Pub. Co., 1973.

KNIGHT, Alan, "Subalterns, Signifiers, and Statistics: Perpectives on Mexican Historiography", *Latin American Research Review*, vol. 37: 2 (2002), pp. 136-158.

KNIGHT, Franklin W., "The Haitian Revolution", *The American Historical Review*, vol. 105, núm. 1 (febrero de 2000), pp. 103-115.

KOSSOK, Manfred, *El virreinato del Río de la Plata. Su estructura económicosocial*. Buenos Aires: Universidad de Buenos Aires, 1959.

———, "Revolution una Burgeoisie in Lateinamerika. Zum Charakter der Lateinamerikanischen Unabhägigkeitsbewegung, 1810-1826", *Zeitschrist sur Geschichtswissenschast*, IX (1961), pp. 123-143.

———, *Im Schatten der Heiligen Allianz, Deutschland and Lateinamerikas, 1815-1830. Zur Politik de deutcher Staaten gegenuber der UnabhängigkeitsbewegugMittel-end Sudamerikas*, Berlín: Akademie-Verlag, 1964.

———, *La Revolución en la historia de América Latina*. La Habana: Editorial de Ciencias Sociales, 1989.

KUETHE, Allan J., *Military Reform and Society in New Granada. 1773-1808*. Gainesville: University of Florida Press, 1978.

———, *Cuba, 1753-1815: Crown, Military, and Society*. Knoxville: University of Tennessee Press, 1986.

La emancipación latinoamericana. Estudios Bibliográficos. México: Instituto Panamericano de Geografía e Historia, 1966.

LABROUSSE, C. E., "The Crisis of the French Economy at the End of the Old Regime" en Ralph W. Greenlaw (ed.), *The Economic Origins of the French Revolution*. Lexington: Heath, 1958.

LADD, Doris M., *The Mexican Nobility at Independence, 1780-1826*. Austin: University of Texas, Instituto de Estudios Latinoamericanos, 1976.

LAFRANCE, David y Errol D. JONES, *Latin American Military History: An Annotated Bibliography*. Nueva York: Garland Publishers, 1992.

Lafuente Ferrari, Enrique, *El virrey Iturriagaray y los orígenes de la independencia de México.* Madrid: Consejo Superior de Investigación Científica, 1941.

Langley, Lester D., *The Americas in the Age of Revolution, 1750-1850.* New Haven: Yale University Press, 1996.

Lanning, John Tate , *The Eighteenth-Century Enlightenment in the University of San Carlos de Guatemala.* Ithaca: Cornell University Press, 1956.

Lefebre, George, *The French Revolution*, 2 vols. Nueva York: Columbia University Press, 1962-1964.

———, *The Great Fear: Rural Panic in Revolutionary France.* Princeton: Princeton University Press, 1973.

Lempériere, Annick, "La question colonial", *Nuevo Mundo Mundos Nuevos*, núm. 4 (2004).

Levene, Ricardo, *Las Indias no eran colonias.* Buenos Aires: Universidad de Buenos Aires, 1951.

Lindley, Richard B., *Haciendas and Economic Development: Guadalajara, Mexico, at Independence.* Austin: University of Texas Press, 1983.

Lira, Andrés, *Comunidades indígenas frente a la ciudad de México: Tenochtitlan y Tlatelolco.* Zamora: El Colegio de Michoacán, 1983.

Liss, Peggy K., *Atlantic Empires: The Networks of Trade and Revolution, 1713-1826.* Baltimore: Johns Hopkins University Press, 1983.

Lofstrom, William F., *The Promise and the Problem of Reform: Attempted Social and Economic Change in the First Years of Bolivian Independence.* Itaca: Cornell University, 1972.

Lovett, Gabriel, *Napoleon and the Birth of Modern Spain*, 2 vols. Nueva York: University Press, 1965.

Lowenthal, David, *The Past is a Foreign Country.* Cambridge: Cambridge University Press, 1985.

Luna Tobar, Alfredo, *El Ecuador en la Independencia del Perú*, 3 vols. Quito: Banco Central del Ecuador, 1986.

Lynch, John, *Spanish Colonial Administration, 1782-1810: The Intendant System in the Viceroyalty of the Rio de la Plata.* Londres: The Athlone Press, 1958.

_______, *The Spanish American Revolutions, 1808-1826.* Nueva York: W. W. Norton, 1986.

_______, *Bourbon Spain, 1700-1808.* Oxford: Brasil Blackwell, 1989.

_______, *Simón Bolívar: A Life.* New Haven: Yale University Press, 2006.

MacAlister, Lyle N., *The "Fuero Militar" in New Spain, 1764-1800.* Gainesville: University of Florida Press, 1957.

Macías, Anna María, *Génesis del gobierno constitucional en México, 1808-1820.* México: SEP, 1973.

MacLachlan, Colin M., *Criminal Justice in Eighteenth-Century Mexico: A Study of the Tribunal of the Acordado.* Berkeley: University of California Press, 1974.

_______ y Jaime E. Rodríguez O., *The Forging of the Cosmic Race: A Reinterpretation of Colonial Mexico.* Berkeley: University of California Press, 1980, 2ª ed., 1990.

_______, *Spain's Empire in the New World: The Role of Ideas in Institutional and Social Change.* Berkeley: University of California Press, 1988.

_______, *Imperialism and the Origins of Mexican Culture.* Cambridge: Harvard University Press, 2015.

Macune Jr., Charles, *El Estado de México y la federación mexicana, 1823-1835.* México: Fondo de Cultura Económica, 1987.

Maier, Pauline, *From Resistance to Revolution: Colonial Radicals and the Development of American Opposition to Britain, 1765-1776.* Nueva York: W. W. Norton, 1991.

Mallon, Florencia E., "The Promise and Dilemma of Subaltern Studies: Perspectives from Latin American History", *American Historical Review,* 99: 5, 1994, pp. 1491-1493.

_______, *Peasant and Nation: The Making of Postcolonial Mexico and Peru.* Berkeley: University of California Press, 1995.

Manning, William, *Early Diplomatic Relations Between the United States and Mexico.* Baltimore: The Johns Hopkins University Press, 1916.

Maravall, José Antonio, *Las Comunidades de Castilla. Una primera revolución moderna.* Madrid: Revista de Occidente, 1963.

Marchena Fernández, Juan, *Oficiales y soldados en el ejército de América.* Sevilla: Escuela de Estudios Hispanoamericanos, 1983.

Martin, Cheryl E., *Governance and Society in Colonial Mexico: Chihuahua in the Eighteenth Century.* Albuquerque: University of New Mexico Press, 1985.

Martínez Peláez, Severo, *La patria del criollo: ensayo de interpretación de la realidad colonial guatemalteca.* México: Fondo de Cultura Económica, 1998.

Marx, Carlos, *La Revolución española (1808-1814, 1820-1823 y 1840-1843).* Madrid: Editorial Cenit, 1929.

McFarlane, Anthony, "The Rebellion of the Barrios: Urban Insurrection in Bourbon Quito", *The Hispanic American Historical Review,* LXIX: 2 (mayo, 1989), pp. 283-330.

———, *Colombia Before Independence: Economy, society and politics under Bourbon Rule.* Cambridge: Cambridge University Press, 1993.

McKinley, Michael P., *Pre-Revolutionary Caracas. Politics, Economy and Society, 1777-1811.* Cambridge: Cambridge University Press, 1985.

McPhee, Peter",The French Revolution, Peasants and Capitalism", *American Historical Review,* 94: 5 (diciembre de 1983), 1273.

Mejía Fernández, Miguel, *Política agraria en México en el siglo XIX.* México: Siglo XXI, 1979.

Merriman, Roger B., *The Rise of the Spanish Empire in the Old World and the New,* 4 vols. Nueva York: The Macmillan Co., 1918-1934.

Meyer, Jean, *Problemas campesinos y revueltas agrarias (1821-1910).* México: SEP, 1971.

———, *Francia y América del siglo XVI al siglo XX.* Madrid: MAPFRE, 1992.

Mettam, Roger, *Power and Faction in Louis IV's France.* Oxford: Basil Blackwell, 1988.

Michelena, José Mariano, "Verdadero origen de la revolución de 1809 en el Departamento de Michoacán" en Genaro García (comp.), *Documentos históricos mexicanos.* México: Secretaría de Educación Pública, 1985, I, pp. 471-476.

Middlekauff, Robert, *The Glorious Cause: The American Revolution, 1763-1789.* Nueva York: Oxford University Press, 1982.

Mier, Servando Teresa de, "Idea de la Constitución dada a las Américas por los reyes de España antes de la invasión del antiguo despotismo" en Jaime E. Rodríguez O. (ed.), *Obras completas de Servando Teresa de Mier*, vol. 4, *La formación de un republicanúm*, México: Universidad Nacional Autónoma de México, 1988, pp. 33-80.

Mirafuentes Galván, José Luis, "Identidad india, legitimidad y emancipación política en el noroeste de México (Copala, 1771)" en Rodríguez O., *Patterns of Contation in Mexican History,* 1992, pp. 49-67.

Miranda, José, *Las ideas y las instituciones políticas* mexicanas. México: UNAM, 1952, 2ª ed., 1978.

Mitre, Bartolomé, *Historia de San Martín y la emancipación Sud-Americana,* 4 vols. Buenos Aires: F. Lajouane, 1888-1889.

Moore, John P., *The Cabildo in Peru under the Bourbons.* Durham: Duke University Press, 1966.

Mora, José María Luis, "Revista política" en *Obras sueltas.* México: Editorial Porrúa, 1963, 5-456.

_______, *México y sus revoluciones*, 3 vols. México: Fondo de Cultura Económica, 1986.

Moreno de los Arcos, Roberto, *Joaquín Velázquez de León y sus trabajos científicos en el Valle de México, 1773-1775.* México: UNAM, 1977.

Moreno Fraginals, Manuel, *The Sugar Mill: The Socioeconomic Complex of Sugar in Cuba, 1760-1860.* Nueva York: Monthly Review Press, 1976.

Moreno Yáñes, Segundo E., *Sublevaciones indígenas en la Audiencia de Quito desde comienzos del siglo XVIII hasta finales de la colonia.* Quito: Universidad Católica, 1985.

Morgan, Edmund S., *American Slavery and American Freedom: The Ordeal of Colonial Virginia.* Nueva York: W. W. Norton, 1975.

Morín, Claude, *Michoacán en la Nueva España del siglo XVII: Crecimiento y desigualdad en una economía Colonial.* México: Fondo de Cultura Económica, 1979.

Moses, Bernard, *South America on the eve of emancipation.* Nueva York y Londres, G. P. Putnam's sons, 1908.

______, *The intellectual background of the revolution in South America, 1810-1824.* Nueva York: Printed by the order of The Trustees, 1926.

Navarro García, Luis, *Intendencias en Indias,* Sevilla: Escuela de Estudios Hispanoamericanos, 1956.

______, "El cambio de dinastía en Nueva España", *Anuario de Estudios Americanos,* 36 (1979), pp. 111-168.

Novick, Peter, *That Noble Dream: The Objectivity Question and the American Historical Profession.* Cambridge: Cambridge University Press, 1988.

______, *Ese noble sueño: la objetividad y la historia profesional norteamericana.* México: Instituto de Investigaciones José María Luis Mora, 1997.

O'Callaghan, Joseph F., *The Cortes of Castile-León, 1188-1350.* Filadelfia: University of Pennsylvania Press, 1989.

Ocampo, Javier, *Las ideas de un día. El pueblo mexicano ante la consumación de su independencia.* México: El Colegio de México, 1969.

Olveda, Jaime, *La política de Jalisco durante la primera época federal.* Guadalajara: Poderes de Jalisco, 1976.

O'Phelan Godoy, Scarlett, "El mito de la 'independencia concedida': los programas políticos del siglo XVIII y del temprano XIX en Perú y el Alto Perú, 1730-1814" en Inge Buisson (coord.), *Problemas de la formación del Estado y de la nación en Hispanoamérica.* Colonia: Böhlau Verlag, 1984, pp. 55-92.

______, *Rebellions and Revolt in Eighteenth Century Peru and Upper Peru.* Colonia: Böhlauh Verlag, 1985.

______, "Por el rey, religión y la patria. Las juntas de gobierno de 1809 en la Paz y Quito", *Boletín del Instituto Francés de Estudios Andinos,* XVIII: 2 (1988), pp. 61-80.

ORTIZ DE LA TABLA DUCASSE, Javier, *Comercio exterior de Veracruz, 1778-1821.* Sevilla: Escuela de Estudios Hispanoamericanos, 1978.

OTT, Thomas O., *The Haitian Revolution, 1789-1804.* Knoxville: University of Tennessee Press, 1973.

OUWENEEL, Arij y Christina TORALES PACHECO (comps.), *Empresarios, indios y estado. Perfil de la economía mexicana (siglo XVIII).* Holanda: CEDLA, 1988.

OWEN ALDRIDGE, A. (comp.), *The Ibero-American Enlightenment.* Urbana: University of Illinois Press, 1974.

PALACIO FAJARDO, Manuel, *Revolución en la América Española.* Barinas: Consejo Municipal, 1973.

PALMER, R. R., *The Age of Atlantic Revolutions: A Political History of Europe and America, 1760-1800,* 2 vols. Princeton: Princeton University Press, 1959-1964.

PANI, Érika y Alicia SALMERÓN (coords.), *Conceptualizar lo que se ve: François-Xavier Guerra, historiador.* México: Instituto Mora, 2004.

PASTOR, Rodolfo, *Campesinos y reformas en la mixteca, 1700-1856.* México: El Colegio de México, 1987.

PATRICE HIGONNET, Patrice, *Sister Republics: The Origin of French and American Republicanism.* Cambridge: Harvard University Press, 1988.

PAXSON, Frederic L., *The Independence of the South-American republics.* Filadelfia: Ferris & Leach, 1903.

PÉREZ MENEN, Fernando, *El episcopado y la independencia de México, 1810-1836.* México: Editorial Jus, 1977.

PÉREZ, Joseph, *Los movimientos precursores en Hispanoamérica.* Madrid: Alhambra, 1977.

PHELAN, John L., *The People and the King: The Comunero Revolution in Colombia, 1781.* Madison: University of Wisconsin Press, 1978.

Pietschman, Horst, *Die Einfürhrung des Intendantsystem in Neu-Spanien im Rahmen der allgemeinen.* Colonia: Böhlau Verlag, 1972.

———, *Las reformas borbónicas y el sistema de intendencias en Nueva España: Un estudio politico administrativo.* México: Fondo de Cultura Económica, 1996.

Piñera Ramírez, David, *El nacimiento de Jalisco y la gestación del federalismo mexicanúm.* Guadalajara: Poderes de Jalisco, 1974.

Piel, Jean, "The Place of the Peasantry in the Nacional Life of Peru in the Nineteenth Century". *Past and Present,* 46 (febrero de 1970), 116.

Pradt, Dominique de, *The Colonies and the Present American Revolution,* 2 vols. Londres: Printed for Baldwin, Cradock, and Joy, 1817.

Priestley, Herbert, *José de Gálvez, Visitor General of New Spain.* Filadelfia: Porcupine Press, 1980.

Quijada, Mónica, "Las 'dos tradiciones'. Soberanía popular e imaginarios compartidos en el mundo hispánico en la época de las grandes revoluciones atlánticas" en Jaime E. Rodríguez O. (coord.), *Revolución, Independencia y las Nuevas Naciones de América,* pp. 61-86.

———, *Modelos de interpretación sobre las independencias hispanoamericanas.* Zacatecas: Consejo Nacional de Ciencia y Tecnología/Universidad Autónoma de Zacatecas, 2005.

———, "Sobre 'Nación', 'Pueblo', 'Soberanía' y otros ejes de la modernidad en el mundo hispánico" en Jaime E. Rodríguez O. (ed.), *Las Nuevas Naciones: España y México, 1800-1850.* Madrid: Fundación MAPFRE/Instituto de Cultura, 2008, pp. 19-51.

———, "From Spain to New Spain Revisiting the *potestas populi* in Hispanic Political Thought", *Mexican Studies/Estudios Mexicanos,* vol. 24, núm. 2 (verano de 2008), pp. 185-219.

Racine, Karen, *Francisco de Miranda: A Transatlantic Life in the Age of Revolution.* Wilmington: SR Books, 2003.

Rees Jones, Ricardo, *El despotismo ilustrado y los intendentes de la Nueva España.* México: UNAM, 1979.

Reina, Leticia, *Las rebeliones campesinas en México, 1819-1906*. México: Siglo xxi, 1980.

Rémond, René (ed.), *Pour une histoire politique*. París: Editions du Senil, 1988.

Reyes Heroles, Jesús, *El liberalismo mexicanúm*, 3 vols. México: Fondo de Cultura Económica, 1957.

Rieu-Millán, Marie Laure, *Los diputados americanos en las Cortes de Cádiz*. Madrid: Consejo Superior de Investigaciones Científicas, 1990.

Rivera-Garza, Cristina, "'She Neither Respected nor Obeyed Anyone:' Inmates and the Psychiatrist Debate Gender, and Class at the General Insane Asylum La Castañeda, Mexico, 1910-1930", *The Hispanic American Historical Review*, 81: 4 (2001), pp. 656-688.

Rippy, J. Fred, *The United States and Mexico*. Nueva York: A. A. Knoft, 1926.

Roberton, William S., *Rise of the Spanish-American Republics as Told in the Lives of Their Liberators*. Nueva York: D. Appleton and Company, 1918.

———, *France and Latin American Independence*. Baltimore: The Johns Hopkins Press, 1939.

Rodríguez, Mario, *The Cádiz Experiment in Central America, 1808-1826*. Berkeley: University of California Press, 1978.

———, *"William Burke" and Francisco de Miranda: The Word and the Deed in Spanish America's Emancipation*. Lanham: University Press of America, 1994.

Rodríguez O., Jaime E., "Rocafuerte y el empréstito a Colombia", *Historia Mexicana*, xvii (abril-junio de 1969), pp. 485-515.

———, "An Analysis of the First Hispanic American Constitutions", *Revista de Historia de América*, núm. 72 (julio-diciembre de 1971), pp. 413-48.

———, *The Emergence of Spanish America: Vicente Rocafuerte and Spanish Americanism, 1808-1832*. Berkeley y Los Ángeles: University of California Press, 1975.

——— (comp.), *Estudios sobre Vicente Rocafuerte*. Guayaquil: Archivo Histórico del Guayas, 1975.

_______, "Introducción a la Reales Ordenanzas de la Audiencia de Quito", *Anuario Histórico Jurídico Ecuatoriano*, IV (1976), pp. 256-310.

_______, *El Nacimiento de Hispanoamérica: Vicente Rocafuerte y el hispanoamericanismo, 1808-1832.* México: Fondo de Cultura Económica, 1980.

_______ (Introducción de Roberto Moreno de los Arcos), *Down from Colonialism: Mexico's Nineteenth Century Crisis.* Los Ángeles: Chicano Studies Research Center, UCLA, 1983.

_______, "The Conflict Between the Church and the State in Early Republican Mexico", *New World*, 2 (1987), pp. 93-111.

_______, "La crisis del siglo XIX en México", *Estudios de Historia Moderna*, núm. 10 (1987), pp. 81-105.

_______, "Los primeros empréstitos mexicanos, 1824-1825" en *Pasado y presente de la deuda externa de México.* México: Instituto Mora, 1988, pp. 13-41

_______ (ed.), *La formación de un republicano,* vol. IV, *Obras Completas de Servando Teresa de Mier.* México: Universidad Nacional Autónoma de México, 1988.

_______ (ed.), *The Independence of Mexico and the Creation of the New Nation.* Los Ángeles: UCLA Latin American Center, 1989.

_______, "Introduction" en Jaime E. Rodríguez O. (ed), *The Independence of Mexico and the Creation of the New Nation.* Los Ángeles: UCLA Latin American Center, 1989, pp. 1-15.

_______, "From Royal Subject to Republican Citizen: The Role of the Autonomists in the Independence of Mexico" en Rodríguez O., *The Independence of Mexico and the Creation of the New Mexican Nation*, pp. 19-43.

_______, "La historiografía de la Primera República" en *Memorias del Simposio de Historiografía Mexicanista.* México: Comité Mexicano de Ciencias Históricas, 1990, pp. 147-159.

_______, "Intellectuals and the Mexican Constitution of 1824" en Roderic Ai Camp, Charles A. Hale y Josefina Zoraida Vázquez, *Los intelectuales y el poder en México.* México: El Colegio de México, 1991, pp. 63-74.

_______, "La Revolución Francesa y la Independencia de México" en Alberro, Hernández y Trabulse, pp. 137-153.

_______, "The Struggle of the Nation: The First Centralist-Federalist Conflict in México", *The Americas,* XLIX: 1 (julio, 1992), pp. 1-22.

_______ (ed.), *Patterns of Contention in Mexican History.* Wilmington: Scholary Resources, 1992.

______, "La independencia de la América española: Una reinterpretación", *Historia mexicana*, 42, núm. 167 (enero-marzo, 1993), pp. 571-620.

______, "La transición de colonia a nación: Nueva España, 1820-1821", *Historia Mexicana*, vol. XLIII, núm. 2 (octubre-diciembre, 1993), pp. 265-322.

______ (ed.), *The Evolution of the Mexican Political System*. Wilmington: SR Books, 1993.

______ (ed.), *Mexico in the Age of Democratic Revolutions, 1750-1850*. Boulder: Lynne Reiner Publishers, 1994.

______, "De súbditos de la Corona a ciudadanos republicanos: el papel de los autonomistas en la independencia de México" en Josefina Zoraida Vázquez (ed.), *Interpretaciones de la Independencia de México*. México: Nueva Imagen, 1997, pp. 33-69.

______, *The Independence of Spanish America*. Cambridge: Cambridge University Press, 1998.

______, "Las primeras elecciones constitucionales en el Reino de Quito, 1809-1814 y 1821-1822", *Procesos. Revista Ecuatoriana de Historia*, 14 (II semestre, 1999), pp. 3-52.

______, *La independencia de la América española*. México: Fondo de Cultura Económica, 1996, 2ª edición, 2005.

______ (ed.), *The Divine Charter: Constitutionalism and Liberalism in Nineteenth-Century Mexico*. Boulder: Rowman & Littlefield, 2005.

______, *La revolución política durante la época de la independencia: El Reino de Quito, 1808-1822*. Quito: Corporación Editora Nacional, 2006.

______, "The Emancipation of America", *American Historical Review*, vol. 105, núm. 1 (febrero, 2000), pp. 131-152.

______, "La emancipación de América", *Secuencia: Revista de Historia y Ciencias Sociales*, núm. 49 (enero-abril, 2001), pp. 42-69.

______ y Colin M. MacLachlan, *Hacia el Ser histórico de México: Una reinterpretacion de la Nueva España*, Prólogo de Miguel León-Portilla. México: Editorial Diana, 2001.

______, "La revolución hispánica en el Reino de Quito: las elecciones de 1809-1814 y 1821-1822" en Marta Terán y José Antonio Serrano Ortega (eds.), *Las guerras de independencia en la América española*. Zamora: El Colegio de Michoacán/INAH/Universidad Michoacana de San Nicolás de Hidalgo, 2002, pp. 485-508.

———, "Una cultura política compartida: Los orígenes del constitucionalismo y liberalismo en México" en Víctor Minguez y Manuel Chust (eds.), *El imperio sublevado: Monarquía y naciones en España e Hispanoamérica.* Madrid: Consejo Superior de Investigaciones Científicas, 2004, pp. 195-224.

———, "La naturaleza de la representación en la Nueva España y México", *Secuencia: Revista de Historia y Ciencias Sociales*, núm. 61 (enero-abril, 2005), pp. 6-32.

———, "Ciudadanos de la Nación Española: Los indígenas y las elecciones constitucionales en el Reino de Quito" en Marta Iroruzqui (ed.), *La mirada esquiva. Reflexiones históricas sobre la interacción del Estado y la ciudadanía en los Andes (Bolivia, Ecuador y Perú), Siglo XIX.* Madrid: Consejo Superior de Investigaciones Científicas, 2005, pp. 41-64.

——— (coord.), *Revolución, Independencia y las Nuevas Naciones de América.* Madrid: Fundación MAPFRE/Tevera, 2005.

———, *La revolución política en la época de la independencia: El Reino de Quito, 1808-1822.* Quito: Corporación Editora Nacional/Universidad Andina Simón Bolívar, 2006.

———, *El nacimiento de Hispanoamérica: Vicente Rocafuerte y el hispanoamericanismo, 1808-1832,* 2ª ed. Quito: Corporación Editora Nacional, 2007.

———, "Mezcla un conocimiento firme con una revaloración radical", *Procesos*, 28 (II semestre 2008), pp. 75-90.

———, "Toribio Montes y las primeras elecciones populares en Quito", *Boletín de la Academia Nacional de Historia* (Ecuador), XC, núm. 187 (2012), pp. 77-104.

———, *"We are now the True Spaniards": Sovereignty, Revolution, Independence and the Emergence of the Federal Republic of Mexico, 1808-1824.* Stanford: Stanford University Press, 2012.

Rodríguez S., Luis A., *Ayacucho, la batalla de la libertad americana.* Quito: Casa de la Cultura Ecuatoriana, 1975.

Roldán Oquendo, Ornán, *Las relaciones entre México y Colombia, 1810-1862.* México: Secretaría de Relaciones Exteriores, 1974.

Romano, Ruggiero, *Una economía colonial: Chile en el siglo XVIII.* Buenos Aires: Universidad de Buenos Aires, 1965.

Safford, Frank, "Politics, ideology, and society in post Independence Spanish America" en Leslie Bethell (ed.), *The Cambridge History of Latin America*, 8 vols. Cambridge: Cambridge University Press, 1984-1992, III, pp. 347-421.

Salvatore, Ricardo D., Carlos Aguirre y Gilbert M. Joseph (eds.), *Crime and Punishment in Latin America: Law and Society since Colonial Times*. Durham: Duke University Press, 2001.

Scott, Joan Wallach, *Gender and the Politics of History*. Nueva York: Columbia University Press, 1988.

Seed, Patricia, "'Are These Not Also Men?': The Indians' Humanity and Capacity for Spanish Civilization", *Journal of Latin American Studies*, 25, núm. 3 (octubre, 1993), p. 651.

———, *Ceremonies of Possession in Europe's Conquest of the New World, 1492-1640*. Cambridge: Cambridge University Press, 1995.

Serrailh, Jean, *La España ilustrada de la segunda mitad del siglo XVIII*. México: Fondo de Cultura Económica, 1957.

Sims, Harold D., *La expulsión de los españoles de México, 1821-1828*. México: Fondo de Cultura Económica, 1974.

———, *Descolonización en México: El conflicto entre mexicanos y españoles, 1821-1831*. México: Fondo de Cultura Económica, 1982.

———, *La reconquista de México: La historia de los atentados españoles, 1821 1830*. México: Fondo de la Cultura Económica, 1984.

Skinner, Quentin, *The Foundations of Modern Political Thought*, 2 vols. Cambridge: Cambridge University Press, 1978.

——— (ed.), *The Return of Grand Theory en the Human Sciences*. Cambridge: Cambridge University Press, 1985.

——— (ed.), *El retorno de la gran teoría en las ciencias humanas*. Madrid: Alianza, 1988.

Skocpol, Theda, *States and Social Revolution*. Cambridge: Cambridge University Press, 1979.

Slate, Richard W. y Jane Lucas de Grummond, *Simón Bolívar's Quest for Glory*. College Station: Texas A&M University Press, 2003.

SMELSER, Marshal, *The Winning of Independence.* Chicago: Quadrangle, 1972.

SOBOUL, Albert, *The Sans-Culottes.* Princeton: Princeton University Press, 1980.

SOCOLOW, Susan M., *The Merchants of Buenos Aires, 1778-1810.* Cambridge: Cambridge University Press, 1978.

SOKAL, Alan y Jean BRICMONT, *Fashionable Nonsense: Postmodern Intellectual's Abuse of Science.* Nueva York: Picador, 1998.

______, *Imposturas intelectuales.* Barcelona: Paidós Ibérica, 1999.

SOUTHERLAND, D. M. G., *France 1789-1815: Revolution and Counterrevolution.* Nueva York: Oxford University Press, 1986.

STAPLES, Anne, *La Iglesia en la Primera República Federal mexicana.* México: SEP, 1976.

______, "Secularización: Estado e Iglesia en tiempos de Gómez Farías", *Estudios de Historia Moderna y Contemporánea,* 10 (1986), 109-123.

STOETZER, O. Carlos, *El pensamiento político en la América española durante el periodo de la emancipación (1789-1825),* 2 vols. Madrid: Instituto de Estudios Políticos, 1966.

STOETZER, O. Carlos, *The Scholastic Roots of the Spanish American Revolution.* Nueva York: Forham University Press, 1979.

TACKETT, Timothy, *Religion, Revolution, and Regional Culture.* Princeton: Princeton University Press, 1986.

TANDETER, Enrique y Nathan WACHTEL, *Precios y producción agraria. Potosí y Charcas en el siglo XVIII.* Buenos Aires: Centro de Estudios de Estado y Sociedad, 1983.

TENA RAMÍREZ, Felipe (coord.), *Leyes fundamentales de México, 1808-1991.* México: Editorial Porrúa, 1991.

TENENBAUM, Barbara A., *México en la época de agiotistas, 1821-1857.* México: Fondo de Cultura Económica, 1985.

______, *The Politics of Penury: Debt and Taxes in Mexico, 1821-1857* Albuquerque: University of New Mexico Press, 1986.

______, "La deuda externa mexicana y el Tratado de Guadalupe Hidalgo", *Pasado y presente de la deuda externa*, pp. 43-53.

______, "'Neither a borrower nor a lender be': Financial Constrainsts and the Treaty of Guadalupe Hidalgo" en Rodríguez O., *The Mexican and the Mexican American Experience*, pp. 68-84.

______, "Taxation and Tyranny: Public Finances During the Iturbide Regime" en Rodríguez O., *The Independence of Mexico*, pp. 201-213.

Terán, Marta y José Antonio Serrano (eds.), *Las guerras de independencia en la América española*. Zamora, México y Morelia: El Colegio de Michoacán/ INAH/Universidad Michoacana de San Nicolás de Hidalgo, 2002.

Tjarks, Germán O. E., *El consulado de Buenos Aires y sus proyecciones en la Historia del Río de la Plata,* 2 vols. Buenos Aires: Universidad de Buenos Aires, 1962.

Torre Reyes, Carlos de la, *La Revolución de Quito del 10 de agosto de 1809.* Quito: Ministerio de Educación, 1961.

Torrente, Mariano, *Historia de la revolución hispanoamericana*, 3 vols. Madrid: Imprenta de Moreno, 1830.

TePaske, John Jay, "The Financial Disintegration of the Royal Government during the epoch of Independence" en Jaime E. Rodríguez O., *The Independence of Mexico and the Creation of the New Mexican Nation*. Los Ángeles: Latin American Center Publications, 1989, pp. 63-83.

Thibaud, Clément, *Repúblicas en armas: Los ejército bolivarianos en la guerra de Independencia en Colombia y Venezuela*. Bogotá: Instituto Francés de Estudios Andinos/Editorial Planeta, 2003.

Thompson, I. A.A., "Absolutism, Legalism and the Law in Castile 1500-1700" en Ronald G. Asch y Heinz Duchhardt (eds.), *Der Absolutismus ein Mythos?: Strukturwandel monarchischer Herrschaft*. Colonia: Bohlau Verlag, 1996, pp. 185-228.

Trabulse, Elías (comp.), *Fluctuaciones económicas en Oaxaca durante el siglo XVIII.* México: El Colegio de México, 1979.

Tutino, John, *From Insurrection to Revolution in Mexico. Social Bases of Agrarian Violence, 1750-1940*. Princeton: Princeton University Press, 1986.

______, *Making a New World: Founding Capitalism in the Bajío and Spanish North America*. Durham: Duke University Press, 2011.

Tyrer, Robson B., *Historia demográfica y económica de la Audiencia de Quito*. Quito: Banco Central del Ecuador, 1988.

Uechler, Rose Marie, *The Mining Society of Potosi, 1776-1810*. Siracusa: Syracuse University Press, 1981.

Valdés, Dennis N., "The Decline of the Sociedad de Castas en Mexico City", tesis de doctorado. Ann Arbor: Universidad de Michigan, 1978.

Vanderwood, Paul J., *Disorder and Progress: Bandits, Police, and Mexican Development*. Lincoln: University of Nebraska Press, 1981.

Van Young, Eric, *Hacienda and Market in Eighteenth Century Mexico: The Rural Economy of the Guadalajara Region, 1675-1820*. Berkeley: University of California Press, 1981.

______, "Millenium on the Northwest Marches: The Mad Messiah of Durango and Popular Rebellion in Mexico, 1800-1815", *Comparative Studies in Society and History*, 21 (1986), pp. 385-413.

______, "Who Was that Masked Man, Anyway? Popular Symbols and Ideology in the Mexican Wars of Independence", *Proceedings of the Rocky Mountain Council on Latin American Studies*, i (1984), pp. 18-35.

______, "Quetzalcoatl, King Ferdinand and Ignacio Allende Go to the Seashore: or Messianism and Mystical Kingship in Mexico" en Rodríguez O., *The Independence of Mexico*, pp. 109-127.

______, *The Other Rebellion: Popular Violence, Ideology, and the Mexican Struggle for Independence, 1810-1821*. Stanford: Stanford University Press, 2001.

______, "Etnia, política local e insurgencia en México, 1810-1821" en Manuel Chust e Ivana Frasquet (eds.), *Los colores de las independencias iberoamericanas. Liberalismo, etnia y raza*. Madrid: Consejo Superior de Investigaciones Científicas, 2009, pp. 143-169.

Van Zanden, Jan Luiten, Eltjo Buringh y Maarten Bosker, "The Rise and Decline of European Parliaments, 1188-1789", *The Economic History Review* (2011), pp. 1-28.

Velázquez, María del Carmen, *El estado de guerra en Nueva España, 1760-1808.* México: El Colegio de México, 1950.

Véliz, Claudio, *The Centralist Tradition in Latin America.* Princeton: Princeton University Press, 1980.

Vilaboy Guerra, Sergio, *El dilema de la Independencia. Las luchas sociales en la emancipación latinoamericana, 1790-1826.* Morelia: Universidad Michoacana de San Nicolás de Hidalgo, 1993-Bogotá: Universidad Central, 2000 y La Habana: Editorial Félix Varela, 2000.

Villalobos, Sergio, *Tradición y reforma en 1810.* Santiago de Chile: Universidad de Chile, 1961.

———, *Comercio y contrabando en el Río de la Plata y Chile.* Buenos Aires: Universidad de Buenos Aires, 1965.

———, *El comercio y la crisis colonial: un mito de la independencia.* Santiago de Chile: Universidad de Chile, 1965.

Villoro, Luis, *El proceso ideólogico de la Revolución de Independencia.* México: Universidad Nacional Autónoma de México, 1978.

Voss, Stuart F., *On the Periphery of Nineteenth Century Mexico: Sonora y Sinaloa, 1810-1877.* Tucson: University of Arizona Press, 1982.

Vovelle, Michel, *The Fall of the French Monarchy.* Cambridge: Cambridge University Press, 1984.

Wallace, Willard M., *Appeal to Arms: A Military History of the American Revolution.* Nueva York: Harper, 1951.

Warren, Richard A., *Vagrants and Citizens: Politics and the Masses in Mexico City from Colony to Republic.* Wilmington: SR Books, 2001.

Wasserstrom, Robert, *Class and Society in Central Chiapas.* Berkeley: University of California Press, 1987.

Weber, David J., *The Mexican Frontier, 1821-1848: The American Southwest Under Mexico.* Albuquerque: University of New Mexico Press, 1982.

Webster, Charles (ed.), *Britain and the Independence of Latin America,* 2 vols. Oxford: Oxford University Press, 1968.

E

F

N

O

P

T